De lichtmoorden

Van Giulio Leoni verscheen eerder
bij De Arbeiderspers:

De mozaïekmoorden

Giulio Leoni

De lichtmoorden

Literaire thriller

Vertaald door Jan van der Haar

Uitgeverij De Arbeiderspers
Amsterdam · Antwerpen

Oorspronkelijke titel: *I delitti della luce*
Oorspronkelijke uitgave: Mondadori, Milaan

Omslagontwerp: Bram van Baal
Omslagillustratie: Sandro Botticelli, portret van Dante

ISBN 978 90 295 6503 5 / NUR 302
www.arbeiderspers.nl

Voor Riccarda

Si probitas, sensus, virtutum gratia, census,
nobilitas orti possint resistere morti,
non foret extinctus Federicus, qui iacet intus.

Palermo, zomer 1240

Het licht van de zonsondergang scheen door het gebladerte en zette de goudkleurige buitenkant van de citroenen in een warme gloed.

In de tuin, die omsloten was door een galerij van marmeren zuilen, verspreidde zich, aangevoerd door de van zee komende bries, een intense bloemengeur in de lucht.

Uitgestrekt op purperkussens was de keizer bezig om gedachteloos met een takje meetkundige figuren in de aarde te tekenen. Hij strekte zijn hand uit naar een cederappel die op de grond lag, en toonde hem aan de jongere man die naast hem stond.

'Dus de aarde ziet er zo uit?' vroeg hij na enig nadenken.

'Een stevige bol, op elk punt gebogen,' bevestigde Guido Bonatti, de hofastroloog.

Frederik overpeinsde die woorden. Toen opende hij opeens zijn vingers en liet de vrucht vallen. 'En waar rust hij dan op?' ging hij verder tegen zijn andere mededenker, die wat afzijdig zat. Een bleke man, zijn gezicht besproet en rossig behaard.

'Op de hand Gods,' antwoordde de eerste der wetenschappers van de christenheid, de trots van zijn hof. Michael Scotus. Tenger als een van de rietstengels waar de grote wijnrankenpergola op rustte.

'En hoe hoog zijn de hemelen waar God zetelt? Zou u me dat kunnen vertellen, Guido?'

'Tot waar hun licht komt, majesteit,' antwoordde de astroloog, terwijl hij met zijn linkerhand de vrucht opraapte. 'Dat het licht van God is.'

'En wat komt er achter het licht?'

'Daarachter alleen duisternis. Zoals de Schrift vermeldt, hetgeen overbleef nadat het licht werd geroepen,' bracht Michael Scotus in, met een vinger naar boven wijzend.

Een raadselachtige glimlach verlichtte Frederiks gelaat. Ietwat afzijdig had een man in de grove pij van de minderbroeders stilzwijgend het tafereel bijgewoond.

De keizer sprak hem aan. 'Geeft u mij de maat ervan, broeder Elia. De maat van Gods hoogte.'

I

De ochtend van 5 augustus 1300, in de moerassen ten westen van Florence

De paarden hadden ze achtergelaten bij een boerderij op de weg naar Pisa, onder de reeds hoog staande zon. Vandaar hadden ze zich naar de bedding van de rivier begeven die een paar mijl verder stroomde, onzichtbaar tussen de rietbossen en de moerasstruiken.

Al langer dan twee uur sleepte de kleine colonne zich voort over de doorweekte grond, gehinderd door de zware wapenrustingen, een weg zoekend tussen het drasland. Voorop liep Dante Alighieri, met de waardigheidstekenen van het prioraat, zo'n twintig passen voor de groep uit.

'Mijnheer de prior, wacht, niet zo snel. Waarom zo'n haast?' hijgde de bargello, een gedrongen man in een wapenrusting die hem nog logger maakte. De bargello gleed uit bij zijn poging om hem in te halen.

Een kleine waterstroom sneed hun de pas af. Dante draaide zich om en wiste met zijn mouw het zweet van zijn voorhoofd. Daarna lichtte hij met een resoluut gebaar de zoom van zijn kleed tot boven zijn knieën op en doorwaadde het stroompje, gevolgd door de anderen. Iets verder onttrok een aardverhoging met struiken de horizon aan het oog.

'Dat is de toren van de Santa Croce... we zouden er onderhand wel mogen zijn,' hijgde het hoofd van de wachters, wijzend op een gebouw in de verte.

Iets verderop, halverwege de helling, was de prior stil blijven staan om zijn schoenen van water en modder te ontdoen.

Met een vertrokken gezicht van afkeer plukte hij een bloedzuiger van zijn kuit en smeet hem ver weg. Op het punt waar de zuignap had gebeten kleurde een fijn stroompje bloed zijn huid. Hij waste de wond met wat water, keek toen ongeduldig naar de houterige bewegingen van de bargello, die hem al spartelend trachtte in te halen.

'Goed, waar is het nu?'

Vóór hen, in een doorgang tussen het riet, was de oever van de Arno te zien. Verderop verdween de rivier weer uit het zicht in een bocht die door de hobbeligheid van het terrein aan het oog onttrokken werd.

'Het zou daar moeten zijn... achter dat struikgewas.'

Dante keek in de aangeduide richting. De modderige duin leek hen naar beneden te willen terugdringen. Bij de laatste passen moest hij steun zoeken met zijn handen, zich vastgrijpend aan de stekelige bundels die bovenop groeiden; toen kon hij een blik de andere kant uit richten.

Op ongeveer driehonderd passen afstand lag een donker silhouet op de zomerbedding, deels verscholen door de begroeiing.

'Het klopte... daar is het,' stamelde de bargello.

Ook Dante kon zijn ogen niet geloven. Licht naar een kant overgeheld lag daar een oorlogsgalei tegen de rivieroever aan, met de hele rij roeispanen uitgestrekt alsof hij zo het ruime sop kon kiezen.

'De duivel moet hem hierheen geleid hebben,' mompelde de bargello huiverend. Dante kon een glimlach niet onderdrukken. Hij kende de geruchten over die plaats. Maar als de duivel er huisde, zou hij ten minste zien hoe die eruitzag.

'Je ziet niemand aan boord. Hij lijkt verlaten,' merkte een der wachters op.

'Ja, er is geen teken van leven te bekennen,' bevestigde de dichter, terwijl hij het verlaten achterkasteel afspeurde. In de smalle gang in het midden viel niemand te onderscheiden, en niemand stond aan het roer. Het schip leek in volmaakte staat, alsof het net was aangemeerd, met het grote Latijnse zeil netjes op de giek gevouwen. Hij voelde een rilling over zijn rug gaan. Het was ondenkbaar dat de Arno voor zulke grote schepen bevaarbaar was, een paar mijl van de riviermonding verwijderd. Dat het schip daar lag was... ja, was *onmogelijk*. Hij zocht naar een paar tekenen die de herkomst konden verraden, maar alleen een zwart doek hing slap van de vlaggenmast.

'Laten we erop afgaan. Ik moet zien... en duidelijkheid krijgen,' zei hij en hij liep snel op de hoogte af, waarna hij weer door het drasland sopte, met tegenzin gevolgd door de anderen.

Hij had van een van de mannen het zwaard afgepakt en baande zich een weg door driftig de planten weg te maaien, tot aan zijn knieën in het water. Straaltjes zweet liepen over zijn lijf, maar de opwinding over de vondst leek iedere inspanning uit te wissen.

Hij kon niet zien waar hij naar toe ging. Toen deelde hij een laatste houw uit en bleef met een schok stilstaan, terwijl achter hem de met afschuw vervulde stemmen van de mannen van de bargello opstegen.

Vóór hem was een reusachtige bebaarde man verschenen, meer dan zes armlengten hoog. Op zijn monsterlijke met een kroon versierde hoofd keken twee gruwelijke tegenovergestelde gezichten met een tweeledige vileine blik nauwkeurig de hele horizon af. De reus was gezeten op een massieve uitgehouwen boomstam die eindigde in een bronzen punt, half verscholen in de modder van de bedding.

In de lucht klonk een aanhoudend gezoem. De insecten, die hen de hele tocht lang hadden lastiggevallen, leken nu nog talrijker en agressiever. Als een afstotelijke wolk omringden ze de kop van het boegbeeld.

'Beëlzebub, de heer van de vliegen,' mompelde Dante, terwijl hij met afgrijzen een zwerm wegwoof.

Een windvlaag veegde door de lucht en voerde een ijzingwekkende rottingslucht aan. 'We moeten aan boord,' besloot de prior na een korte aarzeling.

Op de boeg hing uit de ankeropening een touwladder. Dante deed de sluier van zijn muts voor neus en mond, hees zich op de restanten van de afgehakte ram en begon vandaar aan boord te klimmen. Halverwege draaide hij zich om om de bargello aan te sporen, die schaapachtig naar het boegbeeld bleef staren. Hij wachtte tot de ander naar boven begon te klimmen en hees zich met een laatste inspanning op het kasteel.

Ook het hoofd van de wachters had puffend de brug bereikt. Hij kwam naast hem staan om zelf te kijken, toen bracht hij met een snik zijn hand naar zijn mond. 'Maar ze zijn...'

'Dood. Zoals uw mannen hadden gezegd.'

Tientallen roeiers, op een rij op hun banken gezeten, leken verwikkeld in een macabere parodie, gebogen over de roeispanen als in de krampachtige krachtsinspanning van het roeien. Andere gestalten lagen achterover naar de achtersteven, rond het roer. De lijken waren opgezwollen en bedekt met een olieachtig vocht, alsof ze dagenlang aan de kokendhete zon waren blootgesteld.

Gedesoriënteerd keek Dante om zich heen. Een warme windvlaag woei over de brug, waardoor er van de banken een rottingslucht opsteeg. 'Aan boord heerst de pest!' fluisterde de bargello, die zich met zijn hand probeerde te beschermen tegen de van onder opstijgende stank.

Dante schudde zijn hoofd. Dat schip moest met uiterste vakkundigheid gemanoeuvreerd hebben om tot dat punt de stroom van de rivier op te varen. Hoe had het dat kunnen doen met een bemanning die ziek was? Nee, de oorzaak van die sterfte was beslist een andere. De dood moest aan boord hebben rondgewaard als een stille gast die lang met zijn klauwen heeft gevoeld alvorens toe te slaan. Hij sloeg zijn ogen op, aangetrokken door het wapperen van de lap aan de vlaggenstok. Voordat de vlag weer slap ging hangen kon hij nog net de afbeelding van een doodshoofd zien, met twee gekruiste beenderen eronder.

Halverwege de brug was een luik dat naar het ruim leidde. Misschien zou de vracht van het schip het raadsel onthullen. Hij raapte een pin op en wikkelde er snel een reep pekdoek omheen dat op de grond lag. Met een paar vuurslagen stak hij die geïmproviseerde fakkel aan, vervolgens dook hij het gat in en lichtte zichzelf bij.

Hij zag geen gerei, ra's of reservezeilen, noch enige vorm van levensmiddelen of water- of wijnvoorraden. Geen enkele vorm van kooien voor de bemanning, noch een kombuis of wapens. Zelfs de ballaststenen waren verwijderd, waardoor de galei was veranderd in een grote lege peul.

Het leek alsof het de enige zorg van de gezagvoerder was geweest om de diepgang zo veel mogelijk te beperken. Hij wendde zijn blik naar de officiershut onder het kasteel. De deur van de hut van de gezagvoerder ging lichtjes heen en weer, alsof iemand daarbinnen hem uitnodigde verder te komen.

De kajuit lag in de schaduw. In het midden van de officiershut, onder een ijzeren fakkelhouder die boven hun hoofd hing, zaten drie mannen roerloos rond een kleine tafel, achteroverhangend in hun versierde zetels, alsof ze net een gesprek bij een beker wijn hadden gestaakt, overvallen door een plotselinge slaap. Er lag een hoop metaaldelen aan hun voeten in het midden van een poel licht.

Nieuwsgierig geworden bukte Dante en hield de toorts bij. Het was een soort apparaat vol hendels en tandwielen, met een glimmend houten en koperen buitenkant waar de vlam talloze weerkaatsingen op wierp. Het was twee voet hoog, misschien even breed en lang, maar het was niet eenvoudig om je een precieze voorstelling te maken van de oorspronkelijke vorm, want iemand moest er hard op tekeergegaan zijn en het kapotgemaakt hebben. Op de grond lag nog de bijl die voor de ravage had gediend.

Hij raapte een van de raderen op en voelde met zijn vingers de scherpte van de fijne tanden. Op de rand stonden kleine letters die hij niet kon ontcijferen.

Op dat moment ging de galei met een gekraak heen en weer, alsof er in de rivier een onverwachte kolk was ontstaan.

De bargello was dichterbij gekomen en keek verbaasd om zich heen. 'Maar dat... dat zijn Saracenen! Allemaal dood!' riep hij uit, het verruïneerde toestel negerend.

Dante sloeg zijn ogen op naar de lijken. Twee van hen droegen de onderscheidingstekenen van zeeofficieren: dat moesten de gezagvoerder en de *comito*, zijn tweede man, zijn. De derde was in weelderige kleren gestoken die om hem heen leken te golven als gespreide vleugels. Kleren van ongewone snit, zoals de grote tulband op zijn hoofd. Ook zijn baard was golvend, naar oosters gebruik. Op hun gezichten de tekenen van gevorderde ouderdom.

'Allemaal... allemaal dood,' zei de bargello weer, als verdoofd.

'Zwijg,' siste Dante geërgerd. 'Laat me luisteren.'

'Waarnaar?'

'Naar wat de doden zeggen. Deze man hoorde niet bij de bemanning. Hij was geen zeeman. Hebt u zijn handen gezien? En zijn kleding? Het was een passagier. En ze waren allemaal al omgebracht toen het schip vastliep. Op een na.' Hij wees op een lege stoel en op een van de bekers op tafel, nog vol. 'Ze waren met zijn vieren. Maar een van hen heeft niet gedronken. En kijk daar eens,' vervolgde hij, wijzend op de tegenovergestelde zijde van de kajuit. 'Er zijn vier linnen bedden, allemaal gebruikt. De man die niet gedronken heeft, leeft nog.'

Zijn afgrijzen overwinnend keerde Dante het hoofd van de oude man naar het licht van het raam toe, waarbij hij de samengetrokken kaken van elkaar deed. Door de halfgeopende mond zag hij een serie onregelmatige tanden en kiezen onder een roodachtig schuim. In de paarsige lippen zaten diepe kloven. Alsof de ongelukkige er in de laatste ogenblikken van zijn leven tot bloedens toe op had gebeten. Vervolgens berook hij de resten van het vocht in de beker.

'Hoe zijn ze gestorven?'

De dichter wees de bargello op het lijk, terwijl hij het gezicht ervan bijlichtte met de fakkel. 'Ziet u die opgezwollen lippen en tong? Alsof hij in te dikke lucht verdronken is,' verklaarde hij, de vlam bij het gezicht van de dode weghalend omdat de baard door de hitte van de vlam was gaan krullen. 'Gif. Geen aanval op de ingewanden; eerder een substantie die de ademhaling heeft uitgeschakeld.'

Terwijl hij het hoofd van de dode losliet, kwam er wat van de hals naar beneden kronkelen als een slang. Het leek een verguld medaillon aan een leren koord met kleine tekens en Arabische letters erop.

Een astrolabium, stelde hij vast, en wel van uiterst verfijnde makelij. De vizierstang, de beweegbare aanwijzer, was beschadigd door een klap die een van de kleppen had verbogen. Maar de rete, een bundel nervenpatronen die opengewerkt waren als een kostbaar kleinood, was intact, met zijn ongelooflijke hoeveelheid pennen en vlammen om de vaste sterren aan te geven.

Met een snelle berekening schatte Dante dat er minstens zo'n honderd waren. Hij had er nooit een gezien die er meer dan dertig weergaf. Als een engel de koers tussen de sterren had moeten bepalen, had hij niets beters kunnen vinden.

Een engel... of een duivel.

Snel onderzocht hij de andere twee lijken. Daarop had de dood hetzelfde wrede spoor achtergelaten.

'De vierde man heeft zijn kameraden gedood door de voorraad wijn te vergiftigen. Het gebruik wil dat men de mannen te drinken geeft wanneer het doel is bereikt. Zodoende is de bemanning op dezelfde manier te gronde gegaan,' mompelde Dante. 'Laten we liever iets van het schip zien te weten te komen.'

Hij keek om zich heen. Op de vloer van de kajuit stond een met ijzer beslagen kast tegen de wand. Met de punt van zijn dolk ontwrichtte hij de hengsels van het deurtje. Er zat een in leer gebonden cahier in. Dat moest het scheepsjournaal zijn. Na een vluchtige blik stopte hij dat eveneens in zijn tas.

De stank van ontbinding was niet meer te harden. Hij kreeg een hevige hoestaanval, terwijl het gevoel van misselijkheid toenam. Hij kon alleen nog vaststellen dat er in hun kleren geen andere voorwerpen zaten die aandacht verdienden, alvorens hij de kajuit verliet.

Eenmaal buiten bleef hij even staan om op adem te komen. Zijn gedachten gingen uit naar de vreselijke dood van de roeiers. Nu begreep hij de gruwelijke verstijving van de ledematen. De mannen die aan het gif waren ontsnapt, waren in de ketenen achtergelaten om van dorst te sterven in de verzengende zon, zonder dat de moordenaar de moeite had genomen hun boeien los te maken. Tot op het laatst hadden ze geprobeerd zich te bevrijden, en hun wanhoopskreten moesten dagenlang over het moeras hebben geschald. Maar in plaats van iemand naar hen toe roepen had hun koeterwaals de weinige inwoners afgeschrikt, doodsbenauwd voor geesten als ze waren.

Dante meende nog steeds het gebrul te horen opstijgen van de banken. Hij wendde zich tot de bargello: 'Beveel uw mannen om netjes elk onderdeel van het apparaat te verzamelen dat zich in de officiershut bevindt, en het met de grootste zorg naar Florence te vervoeren. Trek een zeil los en maak er een zak van.'

'En... die lui hier?'

De dichter keek besluiteloos om zich heen. Hij kon niets meer voor die arme donders doen. Maar hij zou ze daar niet in hun ketenen laten wegrotten. 'Steek het schip in brand. Laat het een dodenbrandstapel worden, en laat onze en hun God hun zielen tegelijk opnemen,' beval hij. 'En laat voorlopig zo min mogelijk van deze geschiedenis bekend worden.'

'Maar de galei was leeg. Geen kostbare lading, alleen ouwe troep. Waarom zoveel geheimzinnigheid?' wierp het hoofd van de wachters argwanend tegen. 'Afgezien van die doden.'

'Ja. Afgezien van die doden,' kapte de prior hem af, terwijl hij van boord ging.

De mannen haastten zich om hun taak uit te voeren en popelden om die godsgruwelijke plaats te verlaten.

'Laten we naar onze paarden terugkeren,' beval Dante toen hij zag dat het schip vlam begon te vatten. Terwijl ze wegliepen, wierp hij vanaf de top van de duin een laatste blik. Rode tongen laaiden steeds hoger op, naarmate het vuur zich meester maakte van het geraamte. Het leken wel vingers die van de brandstapel naar de hemel opstegen om gerechtigheid te vragen.

Of wraak.

Zonsopgang, 6 augustus

Aan het begin van de volgende dag, na een gedwongen nachtelijke tocht die man en paard had afgemat, terwijl boven hun hoofd de sterrenbeelden van de dierenriem daalden, bereikten ze Florence. De bovenzijden van de muren weerkaatsten in de eerste zonnestralen, alsof ze van koper waren in plaats van steen en baksteen.

's Nachts was er nu en dan, tussen heldere perioden door, een zandregen gevallen. In een uur waarop de sterrenhemel zichtbaar was, had Dante naar boven gekeken om de verstreken tijd in te schatten. Op dat moment flonkerde Tweelingen, zijn geboorteteken, aan de hemel. De tweeledige luister van Castor en Pollux leek hem te leiden en hem de kracht te geven om de onrust die bezit van hem genomen had te overwinnen. Door het gemopper van zijn mannen had de bargello meermalen een korte stop voorgesteld. Telkens weer had Dante dat idee afgewezen vanuit een onoverkomelijk verlangen om haast te maken.

Het vuur van het schip had de zichtbare sporen van de massamoord uitgewist, maar niet het recht van de zielen om gewroken te worden. Hij moest de verantwoordelijke zien op te sporen, de man die was gevlucht nadat hij die gruwelijke misdaad had gepleegd.

Voor hem golfde de zak met de onderdelen van het mechaniek. Het paard deed schichtig een stap opzij wanneer de vracht kreunde met zijn metaalgeluid, alsof het zich ervan bewust was dat het hellefragmenten vervoerde.

'Open de poort voor het gezag van Florence!' riep hij aan het einde van zijn krachten naar de schildwacht op de toren, die probeerde beneden iets te zien door zijn fakkel door een opening in de kantelen te steken. In het schemerlicht vormde de rij uitgeputte paarden en mannen een vage massa donkere gestalten. 'En niet treuzelen met mijn bevelen!' riep de dichter opnieuw.

'Krijg de tering!' toeterde de man van boven als reactie; hij had zijn handen aan zijn mond gezet om beter gehoord te worden. 'Het is vandaag geen marktdag, en voor het derde uur kom je niet binnen. Ga maar een eind van de muren vandaan bivakkeren met je schurken, of ik kom met de wacht eraan om je botten te aaien.'

'Vervloekte tevenzoon!' brulde Dante, terwijl hij woedend op de grond sprong. De onvoorziene beweging en de schreeuw verschrikten zijn rijdier, dat een schuiver opzij maakte zodat hij de steun van de stijgbeugels verloor. Hij kwam zwaar neer, waarbij hij modder deed opspatten en ternauwernood op de been wist te blijven. Achter hem barstte een smadelijk gelach los van de mannen van de bargello, die solidair waren met hun wachtercollega. Ook de bargello had een lachje niet kunnen onderdrukken.

Intussen aangelokt door het rumoer dromden de andere soldaten van de wacht samen onder luidruchtig gegeeuw en pantsergekletter. Rode, nog slaperige koppen doken op tussen de kantelen, vuurden verwensingen af en maakten obscene gebaren naar beneden.

'Doe die poort open, stelletje tuig!' riep de bargello uiteindelijk, hij maakte zich bekend. Van boven hield het gluren opeens op en maakte even later plaats voor het geluid van de ketting die werd weggehaald.

Dante, die zijn paard aan de teugels meetrok, schreed langzaam onder de lage boog door. Hij probeerde de wachters in het gezicht te kijken om zich ieder apart te herinneren en vervloekte hen binnensmonds.

Juist op dat moment steeg achter hem een vaag gezang op, een soort van psalmodie met niet uit elkaar te houden woorden. Even dacht hij dat hij het zich verbeeld had en hij draaide zich om. Voorbij de bocht in de weg zag hij een zonderlinge rij mensen langzaam dichterbij komen. Van hen was dat gezang afkomstig.

De groep leek samengesteld uit overlevenden van een schipbreuk. Helemaal vooraan liep een lange man in een grove donkere pij met zijn bebaarde hoofd in de kap gehuld. Onder het lopen leunde hij op een lange stok die bovenaan eindigde in een kruis met letters in een kring eromheen. Achter hem een kleine schare mannen en vrouwen die aan hun kleding te zien zo door hun leider uit hun dagelijkse bezigheden waren weggeplukt. Boeren en kooplieden, edellieden en vissers, krijgslieden en lichtekooien, artsen en woekeraars, een soort chaotische, droevige afspiegeling van de mensheid.

Midden in de meute bestofte reizigers vielen een paar muilezels op, onwaarschijnlijk bepakt en bezakt. Een met name spartelde voortdurend onder de last van een grote kist, ondanks de stevige hand van de man met een militair voorkomen die hem bij de halster leidde. Over de vracht lag een witte wollen doek met een rood kruis erop.

Na een korte onderbreking werd de psalmodie hervat, geleid door de monnik vooraan. De stoet trok langzaam onder de poort door zonder dat een van de tolwachters problemen maakte.

'Wie zijn dat?' vroeg de dichter.

'Pelgrims op weg naar Rome, denk ik,' antwoordde de bargello.

'Allemaal uit op verlossing aan het hof van Bonifatius?'

'Ze verenigen zich in groepen en hopen zo de grenzen over te komen zonder te worden beroofd. Voor zover er bij die schooiers nog wat te halen valt!' antwoordde het hoofd van de wachters met een laatdunkende blik op de menigte die de poort was doorgegaan. 'En ontkomen ze aan de struikrovers, dan maken onze logementhouders het karwei wel af!' vervolgde hij grijnzend.

Dante keek de groep na en besteeg toen weer zijn paard.

'Waar moeten we de boel lossen?' vroeg de bargello nadat ze zo'n honderd passen binnen de stad hadden afgelegd, alsof hij popelde om van die lading troep af te komen.

'Escorteert u mij tot aan het Priorpaleis, in de San Piero. Geeft u de zak maar aan meester Alberto, de Lombard die zijn werkplaats heeft in de Santa Maria. Zeg dat hij hem met de grootste zorg bewaakt. Morgen ga ik bij hem langs.'

De kloosterhof van de San Piero werd aan een kant beschenen door de zon, die nu boven het dak van het gebouw uitkwam. De dichter betrad het nog beschaduwde gedeelte waar zich de trap bevond naar de cellenverdieping. Hij was juist op weg naar boven toen hij werd belaagd door iemand die halsoverkop naar beneden kwam. Het was een meisje, met enkele lompen aan haar lijf. De prior wreef zijn ogen uit toen hij de magere trekken van haar gezicht en haar groene ogen vol geilheid herkende.

'Pietra...' kon hij nog net met stokkende stem uitbrengen. Met een botte gelaatsuitdrukking barstte het meisje midden in zijn gezicht in lachen uit, voordat ze verder liep naar de uitgang. Een walm van wijn trof zijn neusvleugels. Even voelde hij de aanvechting om achter haar aan te gaan, maar een zwaar geluid van voetstappen hield hem tegen. Boven aan de trap was buiten adem een man verschenen, eveneens halfnaakt, die bij zijn aanblik opeens bleef staan. Hij wierp Dante een samenzweerderig lachje toe toen de dichter zonder hem een blik waardig te keuren voorbijliep op weg naar zijn cel.

'O, messer Alighieri, doe toch niet zo uit de hoogte nu we hier twee maanden binnen moeten zitten, alsof het de gevangenis is!' riep de ander hem na. 'Het schijnt dat u anders kans ziet om naar buiten te gaan 's nachts...'

Dante keerde zich met een ruk om en deed een paar passen in de richting van de man. Het bloed was weer met het geraas van een waterval in zijn slapen gaan kloppen. Ook zijn blik werd omfloerst van vermoeidheid en onbehagen. Zijn krachten gingen achteruit, besefte hij met de afstandelijkheid van een buitenstaander, terwijl hij zijn handen uitstak naar zijn gespreksgenoot, die snel verder de trap af ging, in de richting van de wachters.

'U bent toch niet jaloers op uw hoer? U kunt haar vinden wanneer u maar wilt, in het Paradijs!' snauwde de man, die zich nog steeds op veilige afstand hield. 'Waar ik haar vond!'

Dante balde zijn vuisten en hervatte de wandeling naar zijn doel. 'Lapo, alleen de ironie van het lot heeft gewild dat wij hetzelfde gezag delen. Dat ik tracht te eren met verdienste en vernuft, terwijl u het neerhaalt met onbeduidendheid en ondeugd. Maar voor de rest, naar de kerk met de kwezels en naar de taveerne met de smulpapen.'

Hij had de woorden kil en luid gescandeerd. Geen enkele deur ging open toen hij langskwam, maar hij hoopte dat ook de anderen al wakker waren en het hadden gehoord. Hij zwaaide zijn celdeur open en omvatte met een gespannen blik het interieur van de kleine ruimte. Alles leek er te zijn. Hij ging zijn papieren na die opgestapeld lagen op zijn schrijftafel voor het raam, en het kostbare manuscript van de *Aeneis*. Met zijn hand bevoelde hij het perkament, dat versleten was door het veelvuldige raadplegen. Ze waren er allemaal, ja, maar niet in de bekende volgorde waarin hij ze had achtergelaten. Iemand moest ze in zijn afwezigheid overhoop hebben gehaald, op zoek naar zijn geheimen, om ze vervolgens tegen hem te gebruiken.

Een smalende lach plooide om zijn dunne lippen. Die blinde ezels. Zijn geheimen stonden in het boek van het geheugen, veilig voor alles en iedereen.

Ook de boodschap lag nog op zijn plaats, verscholen tussen de versregels van het zesde canto. Zijn onbehagen nam toe, terwijl hij voelde hoe zijn krachten hem verlieten. Hij stopte het geschrift weg in zijn kast en wierp zich uitgeput op bed; uiteindelijk sukkelde hij in slaap.

2

7 augustus, laat op de ochtend

Door een snijdend licht dat pijn deed aan zijn ogen werd hij wakker. De zon stond al hoog aan de hemel, maar zelfs de klok van het derde uur had nu de vermoeidheid die hij voelde niet de baas kunnen worden. Heel de dag ervoor had hij doorgebracht in een koortsdroom. Hij ging overeind zitten in bed. De kamer tolde om hem heen, deinend als het schip dat almaar door zijn visioenen heen was gevaren. Een donkere galei vol geesten, die telkens als zijn bewustzijn doofde in een doffe sluimer weer opdook met zijn lading verteerde gezichten.

Hij wachtte tot een en ander ophield te bewegen en kneep met zijn ogen. Vervolgens bereikte hij wankelend de kast en haalde er zijn codex van de *Aeneis* uit. Tussen de bladzijden had hij een vel papier verstopt.

Een tolwachter had het gevonden in een anoniem ogende zijden baal. Voor de honderdste keer las hij het over.

Vertrouw op ons werk, o Dienaren van Amor, en verwelkom uit de vier windstreken de mannen die het ontwerp komen uitvoeren. Eerst wordt de nieuwe Tempel opgericht, daarna de prachtige poorten ervan. Als laatste komt het schip, en het heeft een ongelooflijke omvang. Daar ligt de sleutel van Frederiks schat, die de poort van het Rijk van het Licht zal ontsluiten.

Een verzegeld perkament zonder vermelding van de geadresseerde. Een teken dat deze van de komst ervan wist en er in het pakhuis op wachtte, als er niet een toevallige inspectie aan vooraf was gegaan.

Hij stak zijn hand uit naar zijn tas die hij op de dekenkist aan het voeteneinde van het bed had gegooid en haalde er het cahier uit dat hij op de galei had gevonden. Voorzichtig sloeg hij de bladzijden om, die door het zeevocht aan elkaar vastzaten. Het moest het scheepsjournaal zijn, te oordelen naar de navigatieaantekeningen die met de regelmaat van de klok voorkwamen. Hier en daar was de inkt uitgelopen, zodat de tekst onleesbaar was geworden. Hij ontcijferde enkele namen van plaatsen aan de Middellandse Zee en een lijst van goederen. Een van de laatste aantekeningen behelsde een paar namen, misschien de leden van de bemanning, gevolgd door een lijstje van reparaties die op Malta waren verricht.

Een christelijk schip. Met een ongewone bemanning, als die namen echt waren wat ze leken. Veel Fransen uit de Languedoc. En verder de passagiers, aangeduid als 'mensen van Overzee'.

Maar waarom moest een christelijk schip heidenen vervoeren, en dan niet als slaven aan de riemen, maar ondergebracht in de kajuit van de kapitein? En dan ook nog onder die macabere vlag. Aan hen was de keizerlijke schat toevertrouwd. En wat was het Rijk van het Licht?

Toch was er wel iets begrijpelijks aan die tekst. De naam, de Dienaren van Amor. De sekte waar hij als jongeman ook bij had gehoord, de geheime groepering die streed tegen de dwingelandij van de pausen. Gejaagde gedachten en hartstochtelijke liefdes.

Sinds zijn vertrek om zich aan de politieke strijd in zijn stad te wijden had hij niets meer van hen vernomen. En nu waren ze er weer, in gezelschap van de dood.

De dood. Al een tijd was die met hem opgegaan. Hij hoorde zijn geruisloze pas wanneer hij de zonbeschenen straten van Florence afging, hij werd zijn ademhaling gewaar wanneer zijn haren zomaar overeind gingen staan, als de haren van een hond.

Hij leefde in elke versregel van zijn volgende werk. Het grote dichtwerk over hemel en aarde. De dialoog van een pelgrim met de grote zielen uit de oudheid, waarin hij elk geheim van het hiernamaals zou onthullen.

Zijn blik gleed over het stapeltje papieren op de schrijftafel, paperassen en perkamenten lukraak bijeen, met zorg afgeschraapt om ze nog een keer te kunnen gebruiken. Hij liet een paar vellen door zijn vingers gaan.

Op een van de eerste had hij een afbeelding van de aarde getekend, met de volmaakte verdeling in aarde en water. En in het binnenste ervan de grote spelonk waar in een onmetelijk amfitheater de verdoemden waren geplaatst in kringen rond de afgrijselijke put waarin Lucifer voor eeuwig zucht. En verder de onmetelijke uit het water oprijzende rots, waar de zonden worden gelouterd. En verder... en verder niets. Zijn fantasie leek wel blind, niet bij machte iets te vinden dat met dezelfde precisie de gelukzaligheid en de zichtbare vorm van de hemelsferen kon weergeven.

Wat was het kwaad dan toch eenvoudiger.

Sinds enige tijd al hoorde Dante uit het raam een ongewoon rumoer van voorbijtrekkende mensen in de richting van de Ponte Vecchio. Alsof er een menigte van Oltrarno kwam op weg naar de noordelijke wijken. Aanvankelijk had hij, verdiept in het herlezen van zijn geschriften, niet op de geluiden en de stemmen gelet. Maar nu was het kabaal hevig geworden. Instinctief wierp hij een blik op de deur. Misschien was er een rel aan de gang, of erger nog, een opstand van de kaarders, die nog altijd op het randje van revolutie stonden. Snel ging hij naar buiten en belandde midden in een opgewonden meute die over de smalle weg stroomde als een krankzinnig geworden rivier.

Onder de voornamelijk in arbeidersplunje gestoken menigte mensen vielen hier en daar de verfijndere kleren op van een paar leden van de hogere gilden en het uniform van enkele wijkwachters. Hij herkende een gezicht.

'Messer Duccio, wat doet u hier? Wat doet iedereen?'

De gemeentesecretaris, een compleet kale man van middelbare leeftijd, had hem in het gedrang bijna omvergelopen.

'Iedereen gaat naar de Santa Maddalena, mijnheer de prior!' ademde de man hem in het gezicht. 'Daar is de relikwie uit het Oosten!'

Dante dook opzij en ontweek de massa die als een zeegolf oprukte over de straat.

'Uit op relikwieën? Dat schorremorrie?' siste de dichter ongelovig.

De secretaris haalde zijn schouders op, terwijl hij met een duw een boer wegwerkte. De man leek het niet eens door te hebben, zo graag wilde hij snel verder met de anderen.

'De monnik Brandaan, de mirakelprediker, is uit de Franse landstreken aangekomen!'

'Uit de Franse landstreken is nog nooit iets fatsoenlijks gekomen, behalve het verval van onze rechtschapen zeden en de ergste pestziekten. En zeker sinds de trouweloze Filips er aan het bewind is. Ze lijken wel allemaal gek geworden.'

'U hebt gelijk, ze lijken wel allemaal gek geworden. Maar als u met eigen ogen...'

'Wat zou ik moeten zien?'

'De Wondermaagd. Kom mee!'

Dante keek hem verbijsterd aan. Maar de ander was al naar voren geschoten, door de menigte voortgestuwd, en gebaarde hem te volgen.

'Kom mee, kom mee!' hoorde hij hem nog roepen, terwijl hij door de menigte werd opgeslokt en verdween.

De Maddalena-abdij stond achter het oude Forum, iets voorbij de Santa Maria in Campidoglio. Een massief bouwwerk, neergezet op de fundering van een oude Romeinse *insula*, waarvan het de rechthoekige omtrek volgde. Ervoor stond de abdijkerk met de eenvoudige voorgevel in baksteen, gevolgd door een tweede gedeelte achter de apsis, dat vroeger een kleine gemeenschap benedictijner monniken had gehuisvest. Een hoge blinde muur, links, onttrok de kloosterhof aan het oog, die tussen de kerk en de aangrenzende bouwsels in lag.

'Zeg eens, messer Duccio,' sprak Dante zijn metgezel aan, terwijl hij bezig was zich een weg te banen in de menigte die zich voor de poort verdrong om binnen te komen, 'ik dacht dat de abdij verlaten was.'

'Dat is ook zo. Nu is de gemeenschap die er woonde bijna uitgestorven. De laatste abt is zo'n tien jaar geleden overleden, ten tijde van Giano della Bella.'

'Van wie is het gebouw dan nu?'

De gemeentesecretaris haalde zijn schouders op. 'Dat is moeilijk te zeggen. Het had weer moeten toevallen aan de San Piero. Maar in de praktijk is het, omdat het aan de huizen van de Cavalcanti's grenst, aan hun bezittingen op de twee aangrenzende wegen toegevoegd.'

Dante keek op naar de naburige gebouwen. Hij kende die muren. De tot vijftig armlengten afgekapte toren en de andere eromheen drommende huizen, die door galerijen en loopgraven verbonden waren. Op die manier, door de openingen aan de buitenkant dicht te metselen en de poorten te versterken, waren de woningen van de familie veranderd in een kleine vesting in het hartje van de oude stad.

'Misschien heeft messer Cavalcanti voor zijn dood het verlangen gevoeld naar een kapel voor de familie. Maar hij is verlaten, nu zijn zoon Guido, de onruststoker, is verbannen wegens partijdigheid,' zei messer Duccio.

Dante knikte. Hij had zelf de ban getekend. En zijn hart werd er nog steeds door verscheurd.

In de kerk verdrong zich een menigte mannen en vrouwen in het schip, tegen de pilaren en de kale stenen wanden aangedrukt door de niet aflatende stroom toeschouwers die binnenkwamen. Tussen de twee laatste pilaren was een ijzeren keten gespannen die de ruimte afsneed en de verdere weg naar het altaar versperde. Achter de simpele marmeren tafel bakende een muurtje het koor af, waarmee het als een coulisse het zicht op de apsis afsloot.

Achter de keten, naast het altaar, was een bijna manshoge houten kist geplaatst met een witte wollen lap eroverheen die geborduurd was met een opzichtig scharlaken kruis. Dante had het gevoel dat hij dat merkwaardige object al eens eerder had gezien. Hij was zijn geheugen aan het raadplegen toen hij door een duw achter hem naar de barrière werd gedreven. Naast hem was ruimte gemaakt door een jongeman in studententenue die zich met een snelle verontschuldiging naast hem posteerde.

Dante draaide zich om op zoek naar messer Duccio, maar de man was achter de zee van hoofden verdwenen. In de menigte hoorde hij een gegons opklinken.

Vanachter het altaar was een lange gestalte verschenen, van top tot teen gehuld in de grauwe stoffen tenue van pelgrims naar het Heilige Land, met om zijn middel een hennepkoord met een dik houten kruis eraan. Van de man was alleen het deel van het gezicht zichtbaar dat door de kap werd vrijgelaten, hij had een gitzwarte golvende baard tot halverwege de borst. Zijn handen gingen schuil in wijde mouwen.

Het was de monnik die hij had gezien als leider van de ongewone horde pelgrims bij de poort. Dante wist het zeker. En de kist was dezelfde die hij bij de Porta al Prato had gezien. Maar nu, staande voor het altaar, had de gestalte van de geestelijke niets meer van de broodmagere bezetene die hem in het aarzelende licht van de vroege ochtend was verschenen.

Met een dramatisch gebaar sloeg de man de kap naar achteren, waardoor een compleet kale schedel met een statig voorhoofd zichtbaar werd. Het leek of het marmeren beeld van een oude Romein uit de grond was gekomen om zich weer onder de mensen te begeven. Hij had niets nederigs, bedacht Dante, terwijl hij hem aandachtig opnam. Hooguit vertegenwoordigde hij het volmaakte beeld van de soldatenmonnik, met zijn brede vechtersschouders, zijn indrukwekkende postuur en vooral de rechte houding van iemand die het eerder te doen is om uit te dagen dan om te vragen.

Zonder een woord liep de man op de kist af, haalde de lap weg en onthulde een kostbaar gedecoreerde aedicula, die deed denken aan de draagbare kapelletjes die Dante vaker gebruikt had zien worden door rondtrekkende predikers. Toen deed hij de deurtjes open.

Binnenin rustte een bijna drie voet hoge bronzen relikwiehouder op een voetstuk in het midden. Het beeld, fijn geciseleerd en gedecoreerd met een groot aantal veelkleurige stenen, stelde het bovenlijf van een vrouw voor. De dichter had iets soortgelijks wel eerder gezien, kunstwerken om de resten van heiligen in te bewaren. Houders voor benen, handen, soms hoofden. Maar deze was zo groot dat er een heel bovenlijf van een mens in paste.

Het eigenaardige van het weergegeven gelaat verontrustte hem. De kunstenaar had er de trekken van de meest ongebreidelde wellust en verdorvenheid aan gegeven. En tegelijkertijd van een intens verdriet in de vertrokken mond waar de paarlemoeren tanden doorheen schemerden. De hand die het had geciseleerd moest wel buitengewoon vaardig zijn geweest om met zoveel perfectie een godin uit de onderwereld in het metaal op te roepen. Dante keek om zich heen om de reactie van de menigte te peilen, maar niemand leek verontwaardigd over die schandelijke vertoning op een heilige plaats.

Nadat hij had gewacht tot de menigte de spanning van het moment zou beseffen, liep de monnik op de relikwiehouder toe en raakte hem met zijn handen aan, alsof hij het kille brons wilde verwarmen. Eerst leek hij een gesp los te maken die het voetstuk aan het bovenlijf moest bevestigen. Toen, morrelend aan onzichtbare sluitingen, onthulde hij een opening boven het hoofd door een deel van het uitgehouwen hoofd weg te draaien. In de holte flitste een schittering. Het doodshoofd van een heilige of martelaar, bedacht Dante geërgerd. Hij had nooit veel op gehad met het gebruik om hun lijken op te delen in plaats van ze ongeschonden de bazuin van het tweede oordeel af te laten wachten. Maar misschien ging het gewoon om een ivoren beeld, zoals die van de goden uit de oudheid.

Intussen had de monnik zijn armen gespreid om de menigte om stilte te vragen. Toen hield hij zijn hand bij de relikwiehouder en bediende een soort kleine klink die uit het bovenlijf stak. Hij trok die naar zich toe, maakte het open en gaf de inhoud helemaal aan het zicht bloot.

Daar verscheen de romp van een jong meisje tot aan haar middel. Het beeldschone, onbewogen gelaat leek bedekt met een laagje glinsterend materiaal, lichter dan ivoor, dat haar ogen sloot in een serene slaap. Haar hoofd was gevat in een met parels en gouddraad geborduurd kapje dat amper iets van het zacht gewelfde voorhoofd onbedekt liet. Haar handen, net als op de relikwiehouder op haar borst gekruist, sloten zich om de lieflijkheid van haar kleine boezem te verbergen. Een wassenbeeld, te oordelen naar de geschakeerde vleeskleur en de roerloosheid van het gezicht.

'Kijk, de relikwie!' hoorde hij menigeen om zich heen roepen.
'De profeet!' riep iemand anders.
Hij keek nog eens goed naar dat naakte bovenlijf, ditmaal met een gevoel van ergernis. Zo was het geen beeld, maar een stuk gemummificeerd lichaam, bedacht hij gruwend. En toch verleenden de huid op het gezicht, de volheid van de wangen en de oogbollen die je onder de geloken oogleden vermoedde, haar een vitale aanblik die ver afstond van die uitgedroogde gruwelen die steeds vaker in de kerken werden tentoongesteld.
Hij opende een doorgang in de massa en stelde zich achter de keten op. Op een paar passen van hem vandaan had de profeet, zoals de menigte hem noemde, zijn armen wijd uitgespreid, zijn gelaat ten hemel geheven.
'Dit is de Maagd van Antiochië, die om wraak schreeuwt voor het arme Heilige Land!' riep hij bevlogen uit. Hij had een diepe stem met iets hards dat zijn zuidelijke afkomst verried. 'Zij is hier, de vermaning voor uw geweten!'
Er volgde een spectaculaire pauze, alsof de man al zijn krachten wilde verzamelen.
'Toen de heidenen door onze verdediging waren gebroken en de straten en huizen binnendrongen, nam het verschrikkelijke bloedbad een aanvang. En de verwoestingen. Dit vrome meisje had zich in haar huis verstopt, maar toen de heidenen het binnenvielen, onttrok haar vader zelf haar aan de slachting die de duivels haar zouden toebrengen. Met een houw van het zwaard deelde hij haar maagdelijke lichaam. En toen gebeurde het wonder dat de belagers verblindde. Zie de kracht Gods!'
Opeens liet de prediker zijn armen zakken en wees met zijn rechterhand naar het beeld. Even later zag Dante duidelijk de oogleden van de Maagd omhooggaan, de irissen verlicht door een schijnsel.
Een doodse stilte had de honderden opeengepakte mensen in het schip doen verstijven. Vervolgens steeg er een gegons op, waarbij als uit één mond dezelfde uitroep van verbazing klonk.
Ook de dichter had iets gemompeld, verbaasd, gefascineerd door de relikwie, die bleef bewegen. Nadat de ogen helemaal open waren gegaan en om zich heen hadden gekeken, spreidden zich met een vloeiend gebaar de armen en ging de rechterhand omhoog om de omstanders te zegenen. De prille boezem met de amper uitstekende borsten leek ritmisch op en neer te gaan.

'Ze ademt... ze leeft!' hoorde hij iemand naast hem roepen onder de talloze andere uitroepen die om hem heen opklonken. De relikwie was met het hoofd gaan draaien, waarbij de roerloze ogen de ruimte aan het afspeuren waren, alsof ze iemand zochten. De relikwie leefde echt, hoe ongelooflijk het ook mocht lijken.

De eerste rijen waren op hun knieën gevallen, met daarachter de massa die hardhandig naar voren drong en de hals rekte om beter te zien.

'Het zwaard heeft haar lichaam afgehouwen ter hoogte van haar onderrug. Toch is ze door Gods wil blijven leven! Zij sprak vreselijke woorden tegen de heidenen, zij brak hun blinde arrogantie en bracht hen door de schrik in verwarring. En terwijl zij rondtastten in hun duisternis, konden de weinige overlevenden zich in veiligheid brengen en namen haar mee naar hun door Gods genade verlichte landstreken.'

De Maagd bleef met haar ijzige blik de menigte afgaan. Het blauw van de irissen was zo licht dat het bijna wit leek. Toen haar ogen die van Dante kruisten, kreeg de dichter even het gevoel dat zij van iedereen juist hem zocht.

'Zij zal ons naar de herovering van het verloren Oosten leiden. Daar zullen wij terugkeren om het Graf te bevrijden en de rijkdommen die de heidenen onze broeders afnamen weer de onze te maken. Luister naar haar woord, wanneer u dat wordt aangekondigd! En steun intussen haar zaak met de bijdrage die eenieder kan geven,' vervolgde Brandaan, wijzend op een korte, grove gestalte in net zo'n pij als de zijne, die tot aan zijn voeten reikte en hem geheel aan het oog onttrok.

Al een paar seconden was de nieuwkomer rond gaan lopen in de menigte, zwaaiend met een buidel waarin hij het geld vergaarde dat door velen haastig werd aangeboden. Dante merkte dat hij afstand van hem bewaarde, zijn hoofd in de kap gedoken, alsof hij bang was zijn blik te kruisen. Misschien omdat hij op zijn gezicht duidelijk alle verbazing kon lezen die in hem omging, bedacht hij.

Intussen leek het ritueel van de tentoonstelling van de Maagd ten einde te lopen. De relikwie sloot langzaam weer de ogen en vouwde de armen weer over de borst. Ze leek weer te zijn teruggekeerd naar haar diepe slaap, weer opgegaan in haar dromen van glorie en gerechtigheid. Na de platen gesloten en de riemen bevestigd te hebben die de verschillende, met halfedelstenen bezaaide delen bijeenhielden, wendde de monnik Brandaan zich naar de weer rumoerige menigte, het deurtje dat de aedicula sloot achter zich dichttrekkend, en dekte de wonderaanbrengende kist weer af met de geborduurde lap.

Dante was ontzet. Hij voelde zich echter geenszins van zijn stuk gebracht door de stomme verbazing van de extatische menigte om hem heen. Zo vaak had hij op jaarmarkten al misvormde, verminkte wezens vertoond zien worden, op het oog schofferingen van het leven zelf. Er moest een verklaring voor zijn, die de rede kon en zou vinden.

En toch leek de Maagd een triomf op het onmogelijke. Hoe kon een lichaam overleven zonder de helft van zijn vitale organen, verscheurd in zijn diepste vezels? En ademhalen zonder te kronkelen in de ergste pijnen? Hoe kon dat wezen zich voeden, zonder dat de hand Gods het op elk moment van zijn afwijkende leven te hulp schoot?

Ook de Ouden waren tegenover elkaar komen te staan naar aanleiding van het wonderbaarlijke, en ten aanzien van het bovennatuurlijke had zelfs Aristoteles toegegeven dat er gelijkwaardige redenen waren om te geloven en om te loochenen.

Maar waarom zou een hogere macht die manier kiezen om zich te manifesteren? Zijn verstand weigerde het te aanvaarden. Kon de majesteit Gods zich op die krampachtige manier openbaren, in de gruwelijke verminking van een lichaam? In de voorstelling van een kunstenmaker? En dit om het gepeupel aan te zetten tot een onderneming die juist door geestdrift en deugd moest worden ingegeven? Had God dit nodig om de geboortegrond van Zijn Zoon te bevrijden van zijn vijanden?

'Ze brengt ongeluk... ze is vervloekt,' mompelde iemand achter hem.

Dante draaide zich om om te kijken waar die stem vandaan kwam. Die woorden belichaamden het gevoel van onbehagen dat hem meteen al bevangen had toen hij de relikwie had gezien. Het was een oude man, door de jaren kromgegroeid, in eenvoudige, maar niet volkse kledij gestoken. 'De Maagd? Waarom is die vervloekt?' riep hij ongerust uit.

De oude man staarde nog steeds naar de doorgang waardoor de twee mannen met de relikwie waren verdwenen. 'Niet de Maagd van Antiochië... wie ze ook is, maar het schandelijke omhulsel waarin ze wordt bewaard. Ik heb die vorm al eerder gezien, in mijn jonge jaren. Ik ken de hand die dat gelaat heeft geciseleerd. Ik heb het meer dan een halve eeuw geleden gezien, in de werkplaats van de klokkengieter meester Andrea, waar we het gietersvak leerden. Hij en ik.'

'Wie hij?'

'Guido Bigarelli. *Magister summus. Magister figurae mortae.*'

'Guido Bigarelli? De bouwmeester van Frederik II? De grote Bigarelli?'

'O, groot ja... in het bedenken van het kwaad. Die relikwiehouder... Ik weet hoe hij die heeft gemaakt...'

De oude man schudde zijn hoofd. Dante was verbaasd: misschien verkeerde het verstand van de oude in de schemering, of was het al in de duisternis afgedaald. Maar die naam, Guido Bigarelli, galmde in zijn hoofd als een alarmklok.

De bouwmeester van de keizer, de rechterhand van Frederik in al zijn meest verdorven dromen. Het verhaal ging dat hij zijn geheime kapel in Palermo had gedecoreerd, nadat de Hohenstaufenvorst van overzee was teruggekeerd. Ook hij had de beeldhouwer leren kennen toen hij een korte periode voor de monniken van de Santa Croce had gewerkt. Toen was de dichter amper nog een jongeling en net begonnen met de woordkunst. Maar hij herinnerde zich nog goed de gebroken neus en de onverzorgde baard die de man iets van een sater gaven, en zijn in zwadderige beelden verloren blik.

'De meester van de doodsfiguur... waarom?' vroeg Dante weer. Hij hoorde niets meer van het kabaal om hem heen, enkel in beslag genomen door die vraag.

'Ik weet hoe hij die heeft gemaakt,' herhaalde de man. 'Gegoten op het lichaam van zijn gestorven geliefde. Verloren vlees in de plaats van was... Ik heb het zelf gezien.'

Op dat moment kwamen er een paar mensen tussen hen in staan, geduwd door anderen die drongen en achteromgluurden. De prior merkte de jonge student op die eerder al tegen hem aan was gebotst. Hij keek naar hen alsof hij aandachtig had geluisterd naar het verhaal van de oude man, die intussen in het gedrang verdween. Hij had hem nog meer willen vragen, maar bedwong zich om hem achterna te gaan toen hij luid zijn naam hoorde.

Hij draaide zich om, trachtte over de meute heen te kijken en schrok. De man die hem had geroepen en hem met zijn donkere ogen aanstaarde, stak ruim een handpalm boven de hoofden van de menigte uit. Dante ging zijn kant uit, tot hij hem had ingehaald.

'Messer Alighieri, u ook aan het hof der wonderen?' vroeg de man met een glimlach, terwijl ze samen de luwte van een pilaar opzochten.

Dantes mond stond halfopen van verbazing. 'Ja... net als u overigens,' mompelde hij bij gebrek aan beter.

De ander bleef glimlachen, waarbij hij zijn massa nog zwarte haar naar achteren schudde; het vertoonde her en der grijze strepen in opmerkelijk contrast met de reeds sneeuwwitte baard. Hij kwam dichter naar hem toe, slepend met zijn rechterbeen, dat wat korter was dan het linker. 'Nieuwsgierigheid is het eerste beginsel van elke wetenschap. U zou dat moeten weten: u hebt toch ook gepoogd in de geheimen van de natuur door te dringen toen we kennismaakten in Parijs.'

De beelden van de korte periode die hij aan de faculteit der kunsten had doorgebracht schoten de dichter door het hoofd. En daaronder bevond zich het gelaat van deze man, Arrigo da Jesi, die toentertijd de leerstoel natuurfilosofie bekleedde.

'Sinds wanneer hebt u Parijs verlaten?' vroeg de dichter.

'De tijden zijn veranderd in de Franse landstreken. Na de aanslagen van de volgelingen van de paus was het onmogelijk geworden om nog rustig te doceren. Dus ben ik de Alpen overgestoken en heb ik enige tijd in verschillende steden in het Noorden verbleven. Ten slotte ben ik gaan doceren in Toulouse.'

Dantes aanvankelijke verbazing verdween naarmate het vaderlijke beeld van de man weer vaste vorm aannam in zijn geheugen. Arrigo was de leermeester geweest die hem destijds het meest had geraakt door de luciditeit waarmee hij de stellingen van de grote wijsgeren uit de oudheid had verspreid.

'Waarom hebt u mij niet opgezocht, meester?' verweet de dichter hem liefdevol. 'Ik zou u met het vereiste respect hebben ontvangen, zij het dan met mijn bescheiden middelen.'

Arrigo glimlachte wederom en sloeg hartelijk een hand op zijn schouder. 'Ik dank u, maar u moet in mij geen arme balling zien. Ik heb genoeg om van te leven, en van tijd tot tijd geef ik nog college. Ik hoopte u juist op een ervan te ontmoeten en zo onze kennismaking te vernieuwen binnen de ruimte van de woorden, die voor een verstandig mens de enig waardige is. Zijn enige rijk,' besloot hij na een korte stilte, terwijl hij naar de chaos om hen heen keek.

'De publieke dienst heeft me verre van dat rijk gehouden. Maar ik ben uw college niet vergeten. Zoals ik zie dat u mijn naam niet bent vergeten.'

'Had ik mijn meest briljante student kunnen vergeten?'

'Uw aandacht lijkt zich niet alleen te richten op de mysteriën van de natuur en van God,' vervolgde Dante, met verwijzing naar het spektakel achter hem.

'Kennis is de missie van de wijze. En alles weten is het hoogste streven,' antwoordde Arrigo een moment later.

'Alles weten is ook een manier om de alwetendheid uit te dagen. En alwetendheid wordt toegeschreven aan de enige God, zoals onder meer Thomas van Aquino en de heilige Bonaventura leren,' repliceerde de dichter. Ongemerkt was hij weer de degens gaan kruisen met zijn oude leermeester, had hij een onderbroken debat hervat.

'Er bestaan nog wel meer leermeesters om onze duisternis te verlichten. Behalve de groten die ik noemde hebben nog anderen het licht gezocht en zoeken het nog steeds. Over sommigen hebben we destijds gesproken. Maar bij anderen was het verstandig dat niet te doen, ook niet op Franse bodem.'

'En hier in Florence?'

'Misschien.'

Dante voelde dat ze zich op glad ijs begaven. 'En wat denkt u dan van wat we net hebben gezien?' vroeg hij om het over een andere boeg te gooien.

'Wat we hebben gezien... Weet u zeker dat we allebei hetzelfde hebben gezien?'

'Natuurlijk zijn onze ogen verschillend, net als onze handen en neus. Maar in wezen moet het beeld dat ons verstand aan onze zintuigen ontleent hetzelfde zijn: omdat ons verstand de spiegel is van dat van God, die één is.'

'En als er nu geen God was?' repliceerde Arrigo kalm.

'U vloekt, Arrigo!' Dante dreigde hem gekscherend met zijn vinger. Hij had niet gedacht dat een man met een leerstoel aan de faculteit der godgeleerdheid er die twijfel op na kon houden. Maar de ander sloot zich niet bij zijn hilariteit aan. 'Ik bedoel: als er niet maar één God was. Als ook het goddelijk principe verdeeld zou zijn in een rijk van het Goede en het tegendeel ervan, net als bij licht en schaduw? Tot welk van de twee rijken zou in dat geval wat we hebben gezien behoren?'

De dichter was ontsteld. Arrigo haalde zijn schouders op. 'Neemt u mij niet kwalijk, messer Alighieri. Dat krijg je met twijfel, die verandert gemakkelijk de visie bij iemand die, zoals ik, de natuur onderzoekt. Maar laten we terugkeren naar het monsterlijk schouwspel dat ons werd geboden. Het lijkt wel of God Zijn wetten heeft opgeschort. Nooit ben ik tijdens mijn bestudering van de natuurverschijnselen gestuit op een wezen dat kon overleven zonder de helft van zijn organen.'

'Denkt u ook aan een pop met een mechaniek dat er leven in blaast?' vroeg Dante.

'Misschien. Of misschien niet. In Frankrijk heb ik menige van die tot leven gewekte marionetten gezien die de torenklokken sieren. Maar nooit een die er ogenschijnlijk zo natuurlijk uitzag als deze. Je zou haast denken...'

Verdiept in hun dialoog probeerden ze de uitgang te bereiken. Maar daar vooraan leek de menigte te zijn vastgelopen, en er klonken opgewonden stemmen op, alsof er een woordenwisseling gaande was. Dante ging op zijn tenen staan om de oorzaken van het rumoer te ontdekken, en hij herkende de bargello die zich, gedekt door een groepje soldaten en om zich heen kijkend, door het gedrang heen werkte.

'Messer Durante!' wees hij hem terecht, toen hij hem zag. 'Men zei al dat ik u hier zou aantreffen!'

'Vanwaar die grote wens om mij te spreken?' reageerde de prior, die instinctief in de verdediging schoot.

'U bent nodig in taveerne De Engel. Er is een dode.'

Dante boog het hoofd, zijn vuisten ballend en zijn ogen sluitend om de duizeligheid die hem had overvallen te boven te komen. Zijn hart was als een bezetene gaan kloppen, terwijl een doffe woede bezit van hem nam. Alweer! Hij dwong zichzelf diep adem te halen.

Alsof de straten van Florence die van de Hades waren. De warme lucht die zijn longen binnenkwam leek verstikkend te zijn geworden. Hij zocht een ander beeld in zijn geheugen. Pietra's gezicht, haar laatdunkende glimlach. 'Gaat u er maar achteraan... ik ben moe. Onder de andere priors is wel iemand die ervoor kan zorgen. Vraag een van hen maar.'

'Nee...' De bargello was na dat ene woordje stilgevallen alsof hij niet de woorden vond om verder te gaan. Hij wierp een argwanende blik op Arrigo, die uit discretie een stap achteruit had gezet. 'De dode is iemand... die er niet zou moeten zijn. Hij is hoogbejaard. En gehuld in Turkse kleren,' vervolgde hij, het adjectief beklemtonend.

Dante kierde zijn ogen. De vierde man. Dus de zeis van Magere Hein had zijn vlucht onderbroken? Door die onverhoedse ommekeer voelde hij een plotselinge energie door zijn ledematen stromen. Ook zijn onbehagen leek minder geworden.

'Taveerne De Engel, zei u... Dan gaan we maar. Misschien zijn we op tijd om het gesprek te hervatten dat op dat schip was gestaakt.'

'Maar ik zei u dat de man dood is!'

'Ik wil gewoon met hem praten. We kunnen altijd naar zijn stilzwijgende getuigenis luisteren. Als we in staat zijn dat op te vangen.'

Intussen was hij naar de ingang van de kerk gelopen, gebruikmakend van een nauwe doorgang in de menigte die door de mannen van de bargello opengehouden was, nadat hij met een knikje afscheid genomen had van de filosoof. De overste van de wachters kwam hoofdschuddend achter hem aan.

Taveerne De Engel lag aan een zandweggetje achter de oude Romeinse muren, op de weg naar de Santa Maria Novella. Oorspronkelijk moest het een van de uitkijktorens geweest zijn, waarvan de spits lang geleden was ingestort. Nu stak het pand als de laatste schildwacht van een verdwenen leger uit de resten van de muur die inmiddels bedolven was onder de latere bebouwing op het platteland. In de ronde structuur was op de begane grond een ruime gelagkamer van stevige houten balken gebouwd, waar ook de keuken was en waar de armste reizigers te slapen werden gelegd op ruwe bedden, die wel drie personen konden bergen.

Aan de andere kant liep het steegje dood op een muurtje van gestapelde stenen dat wijngaarden afbakende. Zwermen vliegen gonsden boven de uitwerpselen waarmee de paarden op doorreis de modder hadden bedekt, alvorens ze aan de grendel voor de deur werden vastgemaakt.

'Van wie is dat land?' vroeg de dichter, voor zich uit wijzend.

'Van de Cavalcanti's... meen ik,' antwoordde de bargello na enig nadenken. 'Ook de taveerne moet vroeger van de familie geweest zijn. Het was een van hun molens, en de toren was een opslagplaats, voordat hij werd omgebouwd tot een pleisterplaats voor pelgrims.'

Alweer de Cavalcanti's. En alweer datzelfde akelige schuldgevoel. De prior schokschouderde om zich ervan te bevrijden en concentreerde zich weer op de taveerne. Op het uithangbord stond een engel met gespreide vleugels. Een onbekende hand had een laag verf over het opschrift na het woordje 'engel' gekalkt. Maar door weer en wind was dat afgebladderd, zodat het weggewerkte woord weer vaag leesbaar was. De Gevallen Engel... dat was de oorspronkelijke naam van de taveerne. Een flauwe glimlach krulde om de lippen van de dichter: die naam was vast en zeker van Guido afkomstig, echt iets voor hem.

'Waar is de dode?' vroeg hij, zich uit zijn gedachten losmakend.

'Komt u maar mee. Boven in de toren zijn een paar cellen vrijgemaakt. Die verhuurt de waard aan welgestelde reizigers die alleen willen slapen. In een van die cellen ligt hij, op de bovenste verdieping.'

Dante aarzelde nog even: hij wilde een totaalbeeld in zijn geheugen prenten, voordat de vooringenomenheid van de zintuigen daarbinnen het voortouw zou nemen. Vervolgens ging hij, zonder op de ander te wachten, de kleine deur door en beklom in zijn eentje de wenteltrap met eikenhouten treden die langs de muur liep.

Om zich heen bespeurde hij meteen een merkwaardige sfeer, zonder te kunnen zeggen waarom.

Hij was haastig naar boven gegaan, maar halverwege de trap voelde hij zijn krachten plotseling wegvallen, terwijl hij aamborstig de verzengende, dikke lucht van die stenen trechter inademde. Op elk van de eerste drie verdiepingen waren twee kleine deuren. De vierde had er maar een: het hele bovenste deel van de toren bestond uit slechts één ruimte, bovenin afgesloten door imposante kastanjehouten balken. De lucht hing stil en stonk, alleen enigszins in beweging gebracht door een flauwe tocht die uit twee raampjes in de tegenoverliggende wand kwam.

'Waar...' begon hij, terwijl hij naar binnen wilde gaan, maar nog voor hij antwoord kreeg, hield hij stil, getroffen door het schouwspel dat zich aan hem voordeed. De ruimte voor zijn ogen herhaalde de ronde vorm van het gebouw, met een middellijn van zo'n ruim tien armlengten. Achterin stond een klein houten bed, net groot genoeg voor een man van gemiddelde lengte. Vlak bij een kledingkist, waar het licht van een brandende kaars op scheen. De vlam was inmiddels bijna uitgebrand.

In het midden van het vertrek stond een stoel met een hoge rugleuning achter een kleine schrijftafel. Daar zat het lichaam van een man, stijf, roerloos. Dood, maar niet achterover in de vrede van de eeuwige rust, noch naar voren om om wraak te schreeuwen, want die schreeuw had hij helemaal niet kunnen uiten. Zijn hoofd, bijna van de romp geslagen door een woeste houw, hing scheef op een schouder.

Dante onderdrukte de kreet die bij die aanblik op zijn lippen kwam. Toen ging hij de drempel over en liep erop af. Uit de wond was een dikke stroom bloed gegulpt die de kleding had doorweekt en op een vel papier was gedrupt waarop de rechterhand van de dode nog lag, precies in het midden van een achthoek die met houtskool op het perkament was getekend. Het schuine hoofd leek zich naar het lichaam waarvan het bijna was losgeraakt te wenden. De prior moest een plotselinge duizeligheid overwinnen voordat zijn ogen wisten waar ze naar moesten kijken tussen de twee elkaar weerspiegelende delen van de dode.

Het lijk droeg kleren van goede kwaliteit, merkte hij op. Ruim en licht vielen ze om het stoffelijk overschot met de zwierigheid van een Romeinse toga; het voorhoofd ging gedeeltelijk schuil achter een gevlochten sluier. De makelij ervan had iets ongewoons, en dat verklaarde het idee van de bargello dat de man op zijn Turks gekleed was. Eigenlijk was het kleding die meer geschikt was voor op reis dan voor handel in de stad. Misschien een pelgrim met ruime economische middelen, zoals zijn aanwezigheid in het deftige gedeelte van het logement al aangaf. Zijn instinctieve afkeer overwinnend raakte de prior het hoofd zachtjes aan, schoof de lange strepen grijs haar die aan weerszijden van het gezicht vielen en het aan het oog onttrokken opzij en hief het vervolgens naar zich op.

Het gelaat van het slachtoffer werd getekend door een angstige uitdrukking, zijn ogen stonden wijdopen. En toch, dat wist hij zeker, was het niet van pijn of verbazing geweest. Nee, de man had tot op het laatst geprobeerd te zien. De doodservaring te leren kennen in plaats van zich eraan te onttrekken. In het zwart van de verwijde pupillen zocht hij die schaduw van het laatst geziene beeld, dat naar verluidt in de ogen van de stervenden wordt geprent. Maar zijn onderzoek ontmoette enkel een duistere leegte. De diepe rimpels in zijn voorhoofd en in de hoeken van zijn halfgeopende mond, die een onvolledig gelig gebit te zien gaf, alsmede de structuur van de huid, die getekend was door de tand des tijds, wezen op zijn gevorderde leeftijd. Misschien schoot hem door de kledij weer het gezicht van de oosterling op de galei te binnen. Ook die was oud, en evenals deze man geveld door een onnatuurlijke dood.

Toch leek het lichaam van de man vóór hem massief en welgebouwd. Onder die kleren liet zich een nog krachtig stel spieren raden.

Even bekroop Dante de argwaan dat hij te maken kon hebben met resten van verschillende lijken, en dat het stuk vlees dat ze nog aan elkaar hield alleen maar een truc was. Hij tilde het hoofd op en plaatste het tegen de geteisterde hals van het lijk. De kenmerken van de verwonding vielen volkomen samen en de huid die de twee gedeelten aaneenvoegde was ongeschonden.

Tijdens die operatie was zijn blik zich weer gaan concentreren op het gelaat van de dode. Diens trekken deden hem ergens aan denken. Vanaf het eerste moment waarop hij het hoofd naar zich toe had gedraaid, dat besefte hij pas op dat ogenblik, roerde zich in zijn geheugen een onbestemde geest bestaande uit zachte stemmen en kleuren. Hij legde het hoofd weer tegen de rugleuning en bleef ernaar kijken.

Om hem heen leek de kleine ruimte overhoop gehaald. De kledingkist stond open en was doorgewoeld, en ernaast lag een leren tas met doorgesneden riemen, misschien door hetzelfde mes dat de man te grazen had genomen.

Aandachtig speurde Dante het interieur af op zoek naar sporen, maar het was helemaal leeg. Een fijne geur van was trof zijn neusgaten, tegelijk met de duidelijker galnotenlucht van de inkt. Er waren daarbinnen papieren geweest die door de moordenaar waren meegenomen. De mogelijkheid werd versterkt door een donkere vlek in een hoek van de tas, vlak bij een stukje gebroken ganzenveer. In de kist zaten een koperen liniaal en een kompas.

'Roep de logementhouder,' beval hij de bargello.

Kort daarop keerde de ander terug in gezelschap van een bevend mannetje dat bijna langs de wand strijkend dichterbij kwam, in een overduidelijke poging om zo min mogelijk van de dode te hoeven zien.

De dichter wierp een onderzoekende blik op hem. 'Bent u Manetto del Molino, die deze taveerne uitbaat voor de Cavalcanti's?'

De logementhouder knikte. Het klapperen van zijn tanden was duidelijk hoorbaar in de stilte. En op dat moment begreep Dante de oorzaak van de bevreemding die hij voelde sinds hij het pand betreden had: het gebruikelijke lawaai van dat soort gelegenheden ontbrak. Geen geschreeuw, geen gelach, geen vrouwenstem. Zelfs geen gerinkel van vaatwerk of het geklepper van klompen op het plaveisel. Alles leek even dood als het slachtoffer.

'Wie was die man?'

'Een pelgrim op weg naar Rome. Hij zei dat hij Brunetto da Palermo heette, een decorateur. Ik dacht aan een van de velen die naar de paus gaan voor de werkzaamheden van het Jubeljaar...'

De blik van de dichter vloog naar de handen van de dode. Knokig, onder de donkere ouderdomsvlekken. Maar nog wel sterk. 'Hebt u hier niets vandaan meegenomen?'

'Nee, mijn God! Ik durfde niet eens naar binnen toen ik werd gewaarschuwd dat... dat...'
'Wie heeft de moord ontdekt?'
'Een van de hoeren van monna Lagia. Ze was hier naar boven gegaan om te kijken of een van de gasten nog zin had om te... Enfin, u weet wel...'
Dante knikte afwezig. Een bijzonderheid had hem getroffen. 'U zei gasten. Wie logeerden er in de andere kamers?'
De waard schraapte zijn keel. 'Er zijn zes klanten. Behalve... behalve die daar,' zei hij, wijzend op het lijk, nog steeds zonder ernaar te kijken.
'Geef me precies hun namen en waar ze logeren.'
'Ik weet nog iets beters, mijnheer de prior. Ik kan ze u persoonlijk laten zien. Ze zitten bij elkaar wat te drinken in de gelagkamer beneden. Als u met me meeloopt...'
Dante ging achter hem aan, op zijn beurt gevolgd door de bargello. In de planken vloer van de eerste verdieping zat een groot luik, misschien de laadopening van de oude hooizolder. De logementhouder tilde het luik op en spoorde hem aan om naar de opening toe te komen.
Onder hen zat een groep mannen rond een eikenhouten tafel te drinken uit aardewerken kruiken. Ze waren in een rustig gesprek verdiept dat ver afstond van het gebruikelijke vuur der stemmen in een taveerne. In afwachting van iets leken ze de tijd te doden.
'Zijn dat uw gasten?' vroeg de dichter zachtjes.
Na een snelle blik knikte de ander.
Dante ging met zijn ogen de hele groep af, bij elk van hen even verwijlend. Hij wees naar degene die aan het hoofd van de tafel zat, een stugge uitdrukking op het gelaat met de fijne trekken. Hij meende hem al eens ergens gezien te hebben. Hij was de jongste, om en nabij de twintig.
'Franceschino Colonna, een Romein,' fluisterde de logementhouder. 'Op de terugweg van Bologna. Hij is student en gaat naar Rome.'
Opeens herinnerde de prior zich de jongeman die hij in de kerk van het wonder had gezien.
'En dat is Fabio dal Pozzo,' ging de logementhouder verder, terwijl hij zijn hand volgde die was opgeschoven naar een gedrongen, naast de eerste gezeten man met een beker wijn in zijn hand. 'Lakenkoopman. Komt uit het Noorden om wol uit Schotland te verkopen.'

Nog steeds stilzwijgend wees Dante op de andere twee, die aan de andere kant op de hoek van de tafel zaten te dobbelen. De een, met een bolle buik en daarover een jas die spande als het vel van een trommel, schudde langzaam met de beker, alsof hij het lot niet graag wilde beproeven. De ander, een man met trekken zo donker als zijn pak, angstwekkend mager, sloeg verstrooid de verrichtingen van zijn makker gade.

'Rigo di Cola, die dikke daar,' smoesde de logementhouder. 'Ook een lakenkoopman. Eveneens op weg naar Rome voor het Jubeljaar. En de ander heet Bernardo Rinuccio. Die reist met veel papier en inkt. Ik denk dat hij iets schrijft. Hij is altijd bij de monniken in de Santa Croce om in hun paperassen te neuzen,' vervolgde hij met een uitdrukking van angst op zijn gezicht.

Op de ingevallen wangen van die man leken de jukbeenderen elk moment door de huid heen te kunnen scheuren en naar buiten te steken, zodat de schedelbeenderen bloot kwamen te liggen. Er liep een rilling over de rug van de dichter.

Ook de baas van het logement leek verontrust. 'Hij lijkt al dood... nietwaar?'

Dante knikte. Bonifatius was kunstenaars aan het werven om Rome te verfraaien met het oog op het *Centesimus*. Ook zijn vriend Giotto stond op het punt van vertrek. 'En die daar?' fluisterde hij, met zijn vinger wijzend naar een massieve man die ondanks de helse hitte in een witwollen overjas gehuld zat. Zijn gezicht met de haviksneus viel op door een lang litteken dat van zijn ene wenkbrauw naar zijn wang liep. Een houw waardoor hij wonderwel niet was gedood.

'Jacques Monerre, een Fransman,' siste de logementhouder.

'Een Fransman? En wat voert hem hierheen?'

De logementhouder haalde zijn schouders op. 'Geboortig uit Toulouse, zei hij. Hij komt uit Venetië. Een *literatus*, net als die ouwe achteraan.'

'Toulouse... maar hij komt uit Venetië,' herhaalde de dichter, aan zijn lip plukkend. 'En wie is de laatste?'

Hij wees naar degene die als eerste zijn aandacht had getrokken, een bejaarde met lang grijs haar dat in twee banen verdeeld over zijn tengere schouders golfde. De man was lang en gekleed in het sobere, donkere tenue van artsen. Zijn gelaat met twee heldere, jeugdig staande ogen leek getekend door een netwerk van diepe rimpels. Een intense ijzigheid leek zich meester te hebben gemaakt van zijn leden, die tot aan zijn nek bedekt waren door dikke kleding. Zelfs zijn handen werden beschermd door donkere leren handschoenen.

'Messer Marcello,' antwoordde het mannetje en in zijn stem klonken eerbied en wantrouwen. 'Een groot arts, naar het schijnt. Uit het Noorden. Hij gaat naar Rome om een gelofte af te leggen. Of dat zei hij althans tegen zijn kameraden. Een dienstmeisje van me heeft dat gehoord.'

Dante wierp nog een blik op de groep, trok zich toen terug om niet het risico te lopen gezien te worden. Hij wilde niet dat ze erachter zouden komen dat ze bestudeerd werden. 'Sluit de deur en zorg dat niemand probeert binnen te komen. En als iemand dat toch doet, laat het me dan weten,' beval hij het mannetje, voordat hij de kamer weer verliet. Toen wendde hij zich tot de bargello. 'Laat het lijk naar het hospitaal van de Santa Maria overbrengen. In het geheim, voor zover mogelijk in deze stad van kletskousen. En zonder iemand tekst en uitleg te geven over wat er is gebeurd.'

'Tekst en uitleg? Het zou al mooi zijn als wij die kregen,' repliceerde de overste van de wachters sarcastisch.

'Dat klopt. We beschikken over niet veel gegevens, maar het verstand van een wijs man tast graag de hoeken en gaten van het denken af, waar dat van een lompe boer de moed opgeeft en de kluts kwijtraakt. En mijn verstand... maar dat komt nog wel.'

'Wilt u die mannen verhoren? Misschien...'

Dante schudde zijn hoofd. 'Als de moordenaar een van hen is, heeft hij nu wel de tijd gehad om ieder spoor uit te wissen. En hem samen met de anderen verhoren zou hem alleen maar voordeel bieden. Hij zou zijn woorden met die van iedereen vermengen, als een wolf onder de wolven. Het is beter hem in de waan te laten dat we meer weten dan in werkelijkheid. Zo boezemen we hem angst in en tegelijkertijd de valse zekerheid dat hij veilig is. En tussen die Scylla en Charibdis ga ik mijn netten spannen.'

Hij liep naar de trap. Op de treden deed hij zorgvuldig de plooien van zijn kleed goed en schikte zijn muts, waarbij hij zorgvuldig de sluier over zijn rechterschouder drapeerde. Vervolgens ging hij naar beneden, waar hij de zittende mannen voorbijliep, en zich naar de vlek licht begaf die hij achter de ingang zag.

Met zijn hand moest hij zijn ogen afschermen, voordat hij weer aan het buitenlicht was gewend.

3

De ochtend van 8 augustus,
in het Priorpaleis

'Hier is de verlangde informatie over de gasten van de taveerne,' zei de secretaris, terwijl hij Dante een vel papier liet zien. 'Het was niet eenvoudig: ik heb alle oversten van de wacht bij de poorten moeten ondervragen.'

'Verwacht u een lofrede, messer Duccio?' snoof Dante, die hem het papier uit handen griste. Bovenaan stond een lijst met namen met naast elk ervan een paar woorden. 'Het resultaat van uw werk lijkt niet veel soeps.'

'Florence is een gebied van vrijheid. Wij verhoren geen reizigers, behalve om redenen van de veiligheid in de stad,' antwoordde de ander gepikeerd.

De dichter haalde zijn schouders op, vervolgens verdiepte hij zich in de lectuur. Het rapport voegde niet veel toe aan wat de logementhouder al had onthuld.

Het enige nieuwe element was de registratie van de data van binnenkomst van elk van hen binnen de muren. De pelgrims waren door verschillende poorten binnengekomen, vanuit de vier windstreken. Als eerste Brunetto, het slachtoffer, op 2 augustus. En tegelijk met hem Rigo di Cola. De volgende dag Bernardo, daarop de jonge Colonna en Fabio dal Pozzo. Vervolgens de Franse chevalier en ten slotte de oude arts, pas twee dagen terug. Alsof ze afgesproken hadden in afwachting van een laatste pelgrim. Maar in plaats daarvan was als laatste de Dood gekomen, de meest ongewenste van alle gasten.

Of misschien wachtte de Dood hen daar al op, het gelige doodshoofd verscholen achter het gelaat van een van hen. En bereidde hij zich erop voor het roer van hun leven in die bouwvallige toren over te nemen, zoals hij had gedaan op het dodenschip.

De zon was bezig ter kimme te gaan en kleurde de gevels van de huizen rood. In de buurt van Orsanmichele gekomen bedacht Dante via de toren van de Castagna te lopen, bij de huizen van de Cerchi's. Dat bood de gelegenheid voor een snelle begroeting van zijn familieleden, die in dezelfde straat woonden. Hij veranderde echter van gedachten toen hij zag hoe de schaduw van de zonnewijzer op de loggia al weer het zevende uur van de dag aanwees. Hij had nog een hele afstand te gaan, als hij voor het einde van de werkzaamheden bij meester Alberto in de werkplaats wilde komen.

Hij dook onder in de wirwar van straatjes achter de ruïnes van het oude amfitheater, met daarlangs een wemeling van simpele bakstenen huizen en houten barakken waar een groot deel van de Florentijnse handwerkslieden zijn verblijf- en werkplaats had. Meer zuidwaarts, in de richting van de oever van de Arno, werd het pad afgesloten door de rij droogrekken van de ververs en door de grote watermolens van de kaarders, die voor anker lagen op de oever. Zigzaggend tussen de buiten staande werkbanken van de ketellappers legde hij een laatste stuk af, totdat hij een punt bereikte waar de smalle straat wat breder werd en om de ruïnes van een Romeinse boog liep. Meteen daarna werd hem de pas afgesneden door een muurtje dat uit de ruïnes van het oude bouwwerk was opgericht en waarin een poort leidde naar een kleine binnenplaats waar het huis van Alberto de Lombard op uitkwam.

Op het pleintje voor de werkplaats was een oploop. Tussen gelach en geschreeuw door keken mannen en vrouwen opgewonden naar iets vóór hen. Omdat hij dacht dat een kunstenmaker zijn povere kwinkslagen ten beste gaf, baande de prior zich een weg door de mensen, gereed om hem opdracht te geven op te krassen.

Maar het was niet wat hij had verwacht. Op de hoek van de straat was een schandpaal opgericht, waarin een man in boerentenue met zijn handen en nek in de houten klem luidkeels stond te jammeren. Om hem heen werd het gelach van de toeschouwers met het toenemen van zijn geweeklaag harder, terwijl er van meerdere kanten met stenen en straatvuil naar hem werd gegooid.

Hij liep erop af, vastbesloten om door te lopen. Maar iemand moest hem herkend hebben, want een bezorgd gefluister ging door de menigte, gevolgd door een plotseling zwijgen. In die stilte weergalmde plotseling de stem van de veroordeelde, een verward gestamel gelardeerd met Latijnse woorden.

Dante, die naast de schandpaal was aangekomen, bleef nieuwsgierig staan. 'Wat heb jij te jammeren, schurk? Waarom ben je veroordeeld?' vroeg hij, zich bukkend zodat hij de blik van de stumper kruiste. Omdat de ander naar de grond bleef kijken, greep hij hem bij zijn weinige haar en dwong hem zijn hoofd op te richten.

De man draaide zijn hals zover hij kon om de blik te beantwoorden en krijste het uit van de pijn. Op zijn opgezwollen gezicht zat een blauw oog dichtgeslagen, maar het andere schitterde van kwaadaardigheid. 'O, messere, ik zweer u dat ik aan deze hoon ben blootgesteld alleen vanwege een *quaestio irresoluta*, een andere uitleg,' riep hij op kalme toon uit.

'Heeft de bargello je vanwege een filosofische discussie aan dit kruis vastgebonden?' antwoordde de dichter verbaasd, terwijl hij zijn greep verslapte.

'Precies, messere. Ik zie aan uw schoeisel dat u een aanzienlijk en geleerd man moet zijn,' sprak de veroordeelde, die door zijn ongemakkelijke positie weer naar de grond was gaan kijken. 'En dus kunt u mijn onschuld wel begrijpen.'

'De gevangenissen en de hel zitten vol onschuldigen, dat is bekend,' ironiseerde Dante.

'En toch zult u het met me eens zijn, wanneer u het verhaal van mijn ongeluk kent. Alles komt door mijn verlangen om de kleine wijngaard van mijn vaderen uit te breiden, waarvoor ik een stuk land op de grens heb gekocht. We zijn met mijn buurman overeengekomen de grens zo'n dertig passen op te schuiven – en ik vroeg of ik die persoonlijk mocht meten, met mijn eigen voeten.'

'Welnu?'

'Welnu, ik heb precies dertig passen uitgemeten, maar hij maakte me uit voor oplichter... en daar ben ik dan.'

'Waarom? Volgens mij heb je je aan de afspraak gehouden.'

De ander barstte onverwachts in hoongelach uit, alsof al zijn leed verdwenen was bij de herinnering aan het voorval. 'Ik heb die dertig passen al rennend afgelegd, messere. Maar in plaats van die grap nou te waarderen is die snoodaard van een buurman mij als een haas gaan aangeven.'

Ongewild had Dante zich bij het gelach aangesloten. 'Het is wel zaak dat je op één lijn staat, beste vriend. De maat neemt natuurlijk toe als de meter snel is,' erkende hij.

De ander leek ingenomen met zijn oordeel. 'Wilt u een goed woordje voor me doen?' vroeg hij gespannen.

'Nee. Maar aangezien je filosoof bent, moet je je straf met wijsgerigheid nemen en wachten tot de vesper aanbreekt. Een paar meppen nog en je bent vrij.'

De *mechanicus* was bezig een serie katrollen op een affuit te monteren voor een van de hijskranen die ingezet werden op de bouwplaats van de nieuwe Dom. Bij binnenkomst van de dichter staakte hij het werk.

'Wat ik u heb laten bezorgen... waar is dat?' was Dante hem voor.

De ander wees hem op een hoek van de werkplaats, tussen een boekenkast en een kleine deur. De zak lag daar nog dichtgebonden. 'Ik heb nergens aan gezeten, overeenkomstig het bevel van de mannen van de bargello,' antwoordde meester Alberto. 'Maar wat er ook in zit, het zal beter zijn om het er zo snel mogelijk uit te halen. De stof is doornat van het water.'

De dichter maakte snel de strik los, haalde de onderdelen eruit en gaf ze door aan de man, die ze weer op de werkbank legde.

Naarmate de onderdelen van de machine door zijn vingers gingen, steeg de verbazing op zijn gezicht. Dante nam aandachtig zijn reactie waar. 'Wat denkt u dat het is?' vroeg hij toen de zak leeg was.

Zonder antwoord te geven pakte Alberto van een plank een lamp, die achter de lont een koperen schijf had om het licht te concentreren. Ofschoon de werkplaats nog zonverlicht was, stak hij de lamp aan en richtte zijn bijziende ogen op de op een rij gezette delen van het apparaat voor zich. 'Het lijken wel onderdelen van een tijdwijzer voor een toren... maar anders dan die ik ken. Afgezien van...'

'Wat?'

'De inkervingen op een van de raderen.'

Dante hield zijn hoofd bij het punt dat de ander aangaf. 'Moorse lettertekens,' zei hij na een kort onderzoek.

De ander knikte. 'Die machine is door de ongelovigen gebouwd. Waar hebt u haar gevonden?'

De prior antwoordde niet. Het beeld van de galei met zijn doodslading flitste even door zijn hoofd. Hij maakte een vaag gebaar, terwijl hij een paar woorden liet vallen over vertrouwelijke handelskwesties.

De ander leek echter geen aandacht aan hem te schenken, in beslag genomen door wat hij voor zich had. 'Ze waren ook altijd de besten in dit vak. Ook de grote Frederik moest bij hen zijn voor de klok van Palermo,' merkte hij op.

'Bent u in staat de betekenis ervan te vatten?' vroeg de dichter, terwijl hij met zijn vinger over de inkervingen ging.

‘Ik niet, maar mijn slaaf wel. Hij kan het schrift van zijn vaderen lezen.’

De mechanicus liep even weg om terug te keren in gezelschap van een jongeman van gemiddelde lengte; de jongen had een olijfkleurige huid en de scherpe trekken van iemand die honger lijdt en wrok koestert. ‘Dit is Amid, gevangengenomen op zee voor de Egyptische kust. Ik heb hem van de galeien gered toen ik zijn vaardigheid in metaal bewerken ontdekte. Maar ik weet niet of hij me er wel dankbaar voor is.’

De oude man reikte de slaaf het raderwerk aan en toonde hem de tekst. De ander keek even naar het aangeduide punt en wendde toen opeens zijn blik af. Zijn gezicht, dat eerst onbewogen had gestaan, leek nu ontdaan.

‘Welnu?’ spoorde Dante hem aan, geërgerd door die aarzeling.

De jongeman gaf nog steeds geen antwoord, zijn blik steeds ontstemder. ‘Dat is godslasterlijk. Het is een belediging voor Allah, de machtige en genadige,’ mompelde hij uiteindelijk. ‘Waarom wilt u dat ik deze schennis herhaal door een vertaling in de taal der ongelovigen?’

Bij de woorden van die heiden stoof Dante op. Maar hij hield zich in: op het gelaat van de jongeman was een oprechte mistroostigheid te lezen. En misschien was een schennis van God dat wel in alle talen.

‘In mijn spraak is het vast een minder erge belediging voor jouw god. Vooruit!’

‘Allah is groot,’ besloot de Saraceen over de brug te komen, ‘maar al-Jazari... is groter.’ Hij was in zijn schouders gedoken, alsof hij bang was dat Allah meeluisterde.

‘Al-Jazari. Wie is dat?’ vroeg Dante.

‘Dat weet ik,’ riep de handwerksman uit. ‘Al-Jazari, van de grote Perzische familie van automatenbouwers. De grootste van hen.’

‘Automaten?’

‘Machines om het leven na te bootsen. Gouden pauwen die hun staart van lapis lazuli kunnen ontvouwen. Bronzen leeuwen die kunnen brullen boven de poort van de tronen uit het Oosten en nog meer van dat soort duivelse uitvindingen. Het ziet ernaar uit dat de keizer hem iets had opgedragen om zijn hof verder luister bij te zetten,’ vervolgde Alberto. ‘Hij had een paar werken van die ongelovige gezien in Jeruzalem, toen hij daar als kruisvaarder was. Een buitengewoon talent.’

Dante had zijn blik afgewend en staarde voor zich uit. Hij dacht aan de relikwie in de kerk, het nagemaakte leven ervan. De gedachte dat het niet meer was dan een beeld dat tot leven gewekt was door een verborgen mechanisme, had hem niet verlaten.

'Maar ook een talent... vol verdorvenheid,' zei Alberto.

'Verdorvenheid? Hoezo dat?' vroeg Dante, getroffen door die woorden.

'Er schuilt iets schaamteloos in het leven te willen nabootsen, de scheppingsorde te willen omkeren en de reeks wezens terug te brengen tot dingen van hout en metaal, om uiteindelijk de plaats der levenden te bedreigen.'

'De logica en de natuur omkeren?' vroeg de prior. Die woorden hadden hem ergens aan doen denken. Ook de galei die hij had onderzocht leek een ongelooflijke omkering van de zin der dingen. Een voorwerp dat ontstaan was om het leven op de vijandige zee te beschermen veranderd in een hels vaartuig. 'Maar God heeft ons opgedragen om de Aarde te bezitten, om haar schatten te beheren, om de veranderlijkheid ervan te regelen. Ook uw klokken, meester Alberto, zijn regelaars. Is uw vak dan ook niet godslasterlijk? Zou u dan ook niet iets dergelijks op uw tandraderen moeten schrijven?'

Alberto schudde zijn hoofd, gereed voor een weerwoord, maar Dante onderbrak hem. 'Vertelt u mij intussen of u het doel van de machine kunt begrijpen, als u de overblijfselen ervan bekijkt.'

De ander haalde met een weifelend gezicht zijn schouders op. Hij keek weer naar de onderdelen, verlegde meermalen de volgorde en probeerde ze op verschillende manieren met elkaar te verbinden. Zijn gesloten lippen en gefronste voorhoofd verrieden zijn groeiende ontevredenheid. Ten slotte hield hij na een laatste poging op. 'Misschien. Maar slechts ten dele. Er ontbreken een paar wezenlijke onderdelen aan. Het heeft in bepaalde opzichten veel weg van een grote klok. Ziet u deze getande as en dit stukje ketting? Dat is de kern van het mechaniek, dat weet ik zeker. Rond de as gedrukt brengt deze strook staal het eerste rad in beweging, dat de andere, kleinere raderen aanzet door een daaropvolgende versterking van de draaisnelheid in een te berekenen maat... als ik over alle delen zou beschikken...'

'En volgens u heeft die al-Jazari het gebouwd,' hervatte Dante na een korte pauze waarin hij de verklaringen van de ander had trachten te wegen.

'Al-Jazari is de grootste meester van machines in heel de bekende wereld, de glorie zelfs van ons vak. Beschikten we maar over zijn constructies...' Met een blik vol plechtige eerbied keek Alberto weer naar de metaaldelen. 'Was hij maar niet vermoord...' vervolgde hij.

'Is al-Jazari vermoord? Waarom?'

'Hij werd door zijn eigen geloofsgenoten terechtgesteld. Hij schijnt krankzinnig te zijn geworden. Of dat raakte althans jaren later in de christelijke wereld bekend.'

De prior streelde nadenkend over zijn kin. Hij leek zijn onderkaak te willen verlengen, zo streek hij erover. In gedachten ging hij met een vinger over de ingekerfde lettertekens, waarvan hij de krullen natrok. 'Allah is groot, maar al-Jazari is groter.' Godslastering. Blinde trots. Zelfs de besten werden er soms het slachtoffer van.

'Wanneer is hij gestorven?'

'Zo halverwege de eeuw. Net voor keizer Frederik.'

Dante wierp weer een blik op het mechaniek. Dus als het echt zijn werk was, waar alles op wees, moest dat ingewikkelde ding al ten minste vijftig jaar geleden gebouwd zijn. Waar was het al die tijd bewaard? En waarom was het nu in gezelschap van de dood gekomen, in landstreken die zo ver van zijn herkomst lagen? En bovenal, waar kon het voor dienen?

'Er werd nog wel meer over hem gezegd.' De mechanicus had gedempt gesproken, maar het was voldoende om de draad van zijn gedachten af te breken.

'Wat dan?'

'Dat hij krankzinnig was geworden door een ontdekking.'

'Een instrument?'

De ander schudde zijn hoofd. 'Nee, die vormden zijn trots, zijn geluk. Al-Jazari werd krankzinnig omdat hij de grenzen van God had ontdekt.'

'De grenzen van God?'

'Dat zei men.'

Dante zweeg even. De gezichten van de doden dansten voor zijn ogen. Toen herinnerde hij zich het astrolabium dat de mannen van de bargello op het schip hadden gevonden. Hij zocht het op in zijn tas. Nu, in het volle licht, merkte hij op dat de minuscule tekens geen versiering waren, maar regelmatige inkervingen van graden en banen. Op de rand opnieuw een krans van Arabische lettertekens. Een voorwerp van buitengewoon verfijnde makelij.

Hij draaide zich om op zoek naar de Saraceense jongeman. Amid zat geknield op een klein tapijt en bad met zijn gezicht naar de muur gekeerd.

Dante liep op hem af en reikte hem het instrument aan. 'En wat staat hier?'

De slaaf aarzelde, alsof hij bang was aan nog een vloek te worden blootgesteld. Toen, na een snelle blik, leek hij opgelucht. 'Het is een opdracht. "Voor degene die de sterren meet." Een geschenk van de sultan aan het hoofd der astrologen van Damascus.'

De dichter en de mechanicus keken elkaar aan, wachtend tot de jongeman verder ging. Maar er viel niets meer te zeggen. Met in gedachten wat hij net had gehoord, wendde Dante zijn blik af, aangelokt door de ruimte rondom. Behalve de grote werkbank waren er ook enkele rekken bedekt met gereedschap en mechaniekonderdelen. In een hoek van het vertrek zag hij een kleine nis waar een mat lag en een opgerold nachthemd. Dat moest de slaapplaats van de jonge slaaf zijn, bedacht hij, terwijl zijn oog op de rand van een codex viel die onder het hemd uitstak.

Nieuwsgierig geworden boog hij zich over de nis en pakte hem op. Het was een verluchte codex waarin de arabesken van de lettertekens harmonieus opgingen in de versieringen in de kantlijn. Bezorgd had de jongen zijn bewegingen gevolgd. Dante ving zijn blik toen hij opkeek om hem te ondervragen.

'Dat is een kostbaar boek, heiden. Wat is de titel?'

'De geschiedenis van een droom. Het is het *Kitab al-Mi'raj*.'

Ongemerkt hield de prior zijn vuisten gebald boven de tekst, alsof hij hem wilde tegenhouden. Jaren tevoren had zijn leermeester Brunetto het met hem gehad over dat zeldzame werk, het *Liber scalae Machometi*. De reis van Mohammed naar het schimmenrijk, tot aan de troon van God. Hij had er graag de inhoud van willen kennen. En nu had hij die in handen, maar de tekst was in een voor hem niet te ontcijferen taal. Hij reikte de codex aan de Saraceen over, maar bleef hem wel krachtig dichthouden. 'Je zult me vertellen wat erin staat. Als je niet wilt dat de stad hem van je afneemt en hem verbrandt, als blijk van ketterij.' De jongeman boog het hoofd. 'Maar nu niet. Ik kom terug om te horen wat ik wil.'

Naar het hospitaal van Santa Maria Nuova

'Hé, Dante! Altijd haast, alsof de Furiën je op de nek zitten!'

De dichter hield abrupt stil toen hij de onwelluidende stem herkende die hem had toegesproken. De nieuwkomer stond daar wijdbeens aan de overkant van de straat en knipoogde naar hem met een lepe uitdrukking in zijn scherpe ogen. Toen hief hij zijn hand naar hem op, sierlijk wuivend met zijn vingers, als een verliefde maagd. Op zijn brede gezicht stond een ironisch lachje te lezen.

'Mag ik je ook op straat groeten? Of is het alleen de Beatrices en je andere geliefden vergund om een lichtend gebaar naar je te maken? En toch zou ik de lucht net zo kunnen laten trillen als zij... met mijn scheten dan wel!'

De dichter begaf zich naar zijn kant, zijn vuisten ballend en rood aangelopen.

De ander maakte een afwerend gebaar, een komische uitdrukking van schrik voorwendend. 'Bij God, mijnheer de prior, wat een enge kop! Dezelfde die ik bij je gezien heb op de vlakte van Campaldino. Daarom hebben we ook gewonnen: onder de inwoners van Arezzo was er niemand zo eng als jij.'

Intussen had Dante hem bereikt. Hij nam hem van top tot teen op, verwijlend bij de opzichtige kleren die de ander droeg. 'Cecco, ben je nog steeds hier?' siste hij. 'Terwijl je weet dat er in Florence geen plaats is voor pierewaaiers en gokkers. Ik dacht dat je al op weg was naar Rome: in de Eeuwige Stad is vast en zeker meer ruimte voor jou en je heldendaden, en een gunstiger klimaat voor ontaarde lieden.'

Cecco Angiolieri ging op de hoek van het kruispunt op een steen zitten, nadat hij met zorg zijn paarsige kousen had rechtgetrokken en zijn wambuis opgesjord, zodat zijn hozen goed te zien waren.

'En je zou moeten weten dat de wetten van Florence slonzige, smerige kleding verbieden. Wat heb je voor de duivel aangetrokken?' joeg de dichter hem op.

De ander leek er echter niet mee te zitten. Hij wees met zijn hand op de mensen om hem heen. 'Beste vriend, dat er in de stad van Bonifatius meer taveernes zijn dan wijwatervaten en meer hoerenkasten dan biechtstoelen, dat klopt wel. En daarheen voert mijn gesternte me dan ook, om spijt te betuigen over mijn handelen, en mijn zakken te vullen met de aflaat van de *Centesimus*. Maar een kort oponthoud in jouw deugdzame stad is vaste prik voor iemand die de weg van fatsoen en inkeer bewandelt. En wat mijn hozen betreft,' hervatte hij, zijn lompe benen uitstrekkend en er een voldane blik op werpend, 'ik moet zeggen dat er in Florence eerlijk gezegd geen mens over klaagt.'

Dante barstte in lachen uit. 'Als je in plaats van onze taveernes onze collegezalen en onze bedehuizen bezocht, dan zou je wel wat minder triomfantelijk en minder tevreden over jezelf zijn.'

'Helaas, Dante, ik word verpletterd onder het gewicht van de gruwelijke weemoed en die trekt me ook van de rechte weg af. En vooral een irritant gebrek aan geld. Als mijn ouweheer niet besluit te creperen en het beetje dat hij nog heeft aan mij na te laten, zal ik moeten gaan bedelen. Tenzij ik op een buitenkansje stuit. Hier lijkt het of het jullie bepaald goed gaat, jullie vervloekte Florentijnen. Wie weet schiet er voor mij ook wel een homp brood over. Ik ben hier om mijn diensten aan te bieden.'

'Aan wie dan wel, als ik het vragen mag?'

'O, er is altijd wel iemand die een scherpe tong of een vaardige hand kan gebruiken. Maar zeg es...' Cecco knipoogde naar Dante en gaf hem een peut in zijn ribben, 'vertel es over je werken. Wat gaat de vorst der Toscaanse dichters de wereld offreren? Ik heb onder de Dienaren een gerucht opgevangen. Een reis naar het dodenrijk.'

'De doden en degenen die niet sterven.'

'Toe maar...' mompelde Cecco ironisch. Maar Dante was alweer in zijn eigen gedachten verdiept. 'Het lijkt of jullie de Fransen willen evenaren in hovaardij,' zei de Siënees, wijzend op de muur van de nieuwe Dom die achter de Santa Reparata gebouwd werd. 'Daar worden immense kathedralen opgericht, met hoge pinakels en onmetelijke spitse gewelven. Het lijkt wel of ze naar God omhoog willen klimmen in plaats van Hem nederig onder ons te roepen, zoals in onze kerken.'

Bij die laatste opmerking werd Dante wakker. 'Opklimmen naar God... Ja, dat is het punt...'

'Wat bedoel je?'

'Het drievoudige dodenrijk, in de duisternis en het licht. In mijn hoofd heb ik de eerste twee omstandigheden al geschetst, de verloren zielen en degenen die in het vuur hun zonden louteren. Maar van het derde rijk...'

'Het paradijs? Hoe stel je je dat voor?'

'Dat is nog een gesloten poort, Cecco. In mijn hoofd heeft het rijk van het Goede nog geen vaste vorm aangenomen. Niets van wat ik tot nu toe heb bedacht doet recht aan de macht van de troon Gods. Soms flitst er door mijn hoofd het wankele beeld van een meer vol licht, waaromheen zich de zielen der rechtvaardigen warmen...'

'Een kring van slangen rond een kampvuur, als kameeldrijvers in de woestijn. En dat moet je paradijs zijn? De beloning voor de gal en de stront die we in dit leven moeten slikken?' barstte de ander hoonlachend uit. 'Op mijn woord, ik snap meer van het geloof van de mohammedanen, met hun paradijs vol melk, honing, wijn en mooie vrouwen.'

Een uitdrukking van misselijkheid verscheen op Dantes gezicht. Hij gebaarde met zijn hand en schudde zijn hoofd alsof hij het gesprek van zich af wilde duwen.

Intussen liepen ze verder, uitwijkend voor de menigte mensen en dieren die hen nu en dan omver dreigde te lopen. Cecco leek zich te laten afleiden, alsof zijn denken weer naar iets vaags was teruggekeerd.

Onder aan de trap gekomen bleef Dante staan en pakte zijn vriend bij een arm. 'Cecco, ik ben hier voor een treurige taak. Het lijk van een vermoorde man inspecteren.' Hij liep naar de ingang van het hospitaal, maar na een paar passen hield hij stil en draaide zich weer naar Cecco om. 'Loop maar mee naar binnen, als je wilt. Voor één keer kunnen jouw slimheid en cynisme me wel van pas komen.'

Zonder een weerwoord liep de Siënees achter hem aan.

Ze daalden af naar de kelder waar de lichamen van de doden waren uitgestald. De lucht was nagenoeg verstikkend, verpest door de walm van op afvalolie brandende olielampen en door de stank van onder de vlekkerige lakens die over de lijken waren geworpen. Zijn gezicht afschermend met de sluier liep Dante op de laatste tafel af, waar de mannen van de Misericordia de naakte leden van de dode hadden uitgestrekt. Het hoofd was tegen het bovenlijf aangelegd en alleen het rafelige stuk van een deel van de hals getuigde van de verminking.

Een medelijdende hand had het lijk uitgekleed en gewassen. Dante kwam naderbij om opnieuw dat gelaat te bekijken, terwijl Cecco op een afstand was blijven staan, zijn gezicht vertrokken in een grimas. Hij bekeek de zware trekken, getekend door de tand des tijds. En de neus, die scheef stond alsof hij ooit gebroken was geweest.

Weer kreeg hij dezelfde gewaarwording die hij in het logement had gehad. Hij had dat gezicht al eens gezien, bedacht hij, terwijl hij de ingevallen wangen beroerde. Zijn afkeer overwinnend pakte hij het hoofd beet en bracht het bij zijn eigen gezicht. 'Wie ben je?' fluisterde hij.

Het was of hij rondliep op de rand van een donkere put. Vervolgens borrelde er als een luchtbel uit een modderpoel onverwachts een naam in zijn geheugen naar boven.

Hij had die man meer dan twintig jaar terug leren kennen toen hij de franciscanenschool in de Santa Croce bezocht.

Cecco wachtte in stilte achter hem, met een onpasselijk gezicht. 'Wat betekent dat?' waagde hij te mompelen toen hij zag dat Dante bleef zwijgen.

Bij wijze van reactie wees de dichter voor zich uit, alsof hij iets achter de muur van de kelder wilde aanduiden. 'Daar... eerder...' zei hij. Hij bewoog zijn vingers alsof hij in de lucht de woorden zocht die zijn gedachten hadden achtergelaten. Daarop keerde zijn verstand terug uit het landschap van gissingen dat het had verkend. 'Daar, in de kerk. De relikwiehouder van de Maagd. Deze man is Guido Bigarelli, de beeldhouwer van de doden.'

Cecco richtte een verbaasde blik op het slachtoffer, alsof die naam hem niets zei. Dante leek juist steeds meer overgeleverd aan een ongeruste verbijstering. Bigarelli kon toch niet naar Florence zijn teruggekeerd om er vermoord te worden terwijl net een van zijn werken zo schitterend weer opdook. Het kon niet om een simpel toeval gaan.

Toen was hij er met zijn gedachten weer bij. Cecco bleef met een ondoorgrondelijk gezicht naar het lijk staren.

'Bigarelli... Bigarelli leek op hen te wachten,' riep Dante opeens uit, zich tot de Siënees wendend. 'Op hen allemaal.'

Cecco stond weer over het lijk gebogen. 'Hoe is hij eigenlijk vermoord? Daar moet een enorme kracht aan te pas zijn gekomen.'

Nu de wond was uitgewassen en het hoofd weer in zijn natuurlijke houding was teruggebracht, leek het spoor van de slag indrukwekkend. Tussen de repen gehavend vlees door schemerden de nekwervels.

De dichter bevoelde met zijn wijsvinger de randen van de opengereten hals. 'Het is gek...' mompelde hij.

'Wat?'

'Hier zijn sporen van twee diepe houwen. Het lemmet is er met de punt doorheen gegaan en heeft de hals doorboord. Daarna heeft de moordenaar het naar rechts bewogen, waarmee het vlees en beenderen heeft losgerukt. Wel twee keer, op dezelfde manier. Twee van die houwen, maar duidelijk apart, net als...' de dichter onderbrak zichzelf.

'Alsof er twee moordenaars waren?' spoorde Cecco hem aan.

Dante schudde zijn hoofd. Plotseling had hij een idee gekregen. Hij wierp nog een blik op het naakte lichaam dat voor hem lag, draaide zich toen zoekend om. 'Waar zijn zijn kleren?'

Ook Cecco keek in het rond. In een hoek van de ruimte, in een rieten mand, lagen bebloede kleren door elkaar op een hoop.

Dante liep er snel op af en begon ze te bestuderen. Terwijl hij zorgvuldig het weefsel bevoelde, werd hij onder zijn handen in een binnenzak iets zachts gewaar. Het was een dubbelgevouwen vel papier met een paar tekens erop geschreven. Hij herkende een achthoek, snel met de ganzenveer geschetst, met kruisjes op enkele punten. En ernaast een paar woorden: *Templum lucis, haec arca thesauri Federici.*

'Dit is de tempel van het licht, de schrijn van de schat van Frederik.' En toen een snelle zinsnede in de volkstaal: 'Hier opent zich de poort naar het rijk der duisternis.' Weer die woorden, dezelfde van de boodschap. Er ging een flits door het hoofd van de dichter. Nog eens onderzocht hij de kleding van de dode, eveneens van oosterse snit. 'Mensen van Overzee' stond er in het scheepsjournaal van de galei. Kon degene die nu voor hem lag de ontbrekende man zijn?

Dante wendde zich tot zijn vriend, die naderbij was gekomen om met een uitdrukkingsloos gezicht beter te kijken.

'Cecco, waarvoor ben je naar Florence gekomen? Ik bedoel... de ware reden.'

Zijn vriend keek hem recht aan. 'Om de kennis van liefde te vernieuwen,' riep hij met zijn bekende spottende tronie uit.

Ongeduldig haalde Dante zijn schouders op. Hij kende die formule wel, het herkenningsteken van de Dienaren van Amor.

'Maar wat geld zou ook geen kwaad kunnen!' besloot de Siënees.

Middaguur

De prior nam afscheid van zijn vriend. Hij wist niet zeker wat hij zou gaan doen, aarzelend tussen het verlangen om het onderzoek uit te diepen en de noodzaak om terug te gaan naar de San Piero. De zinderende hitte gloeide op de kasseien en liet snoeihete stofwolken opstuiven. Hij voelde de stofdeeltjes in zijn ogen branden, en zonder nadenken liep hij naar het midden van de straat om bij een schaduwgedeelte aan de andere kant van de steeg te komen. Een brul achter hem deed hem opschrikken, net op tijd om niet overreden te worden door een kar die plotseling was opgedoken. Hij drukte zich tegen de muur, de voerman verwensend die zonder naar hem om te kijken de paarden bleef aanvuren.

'Aan de kant, lamlul!' hoorde hij hem schreeuwen. Hij deed een stap om hem achterna te lopen, maar de kar maakte een hevige schuiver op een steen en slipte nog dichter naar hem toe.

'Kijk uit, messere!' riep iemand van de overkant naar hem. Een lange, donker geklede oude heer.

Dante schermde zich met zijn hand af tegen het licht om zijn gezicht te onderscheiden. Het was de man die de logementhouder hem onder de gasten had aangewezen als Marcello, de arts. Op slag vergat hij zijn woede. 'Bedankt voor de waarschuwing,' antwoordde hij, op hem af stappend. Hij had het gevoel of de man op een of andere manier op hem stond te wachten. 'Volgens mij ken ik u,' zei hij toen hij bij hem stond, en hij groette hem met een lichte buiging.

'Ik ken u ook, messere Alighieri. Van naam dan, niet persoonlijk,' antwoordde de oude man, die op zijn beurt het hoofd boog.

'Soms reist iemands naam sneller dan zijn schreden. En wat voert uw schreden naar deze plaats?'

'Als u mij kent, dan kent u ook mijn vak. De bestudering van de noden van het lichaam, en die van de bewegingen van de hemellichamen die ze bepalen of genezen. Ik bedacht het hospitaal te bezoeken om te zien of ik daarmee mijn arme metgezel uit het logement zou kunnen helpen. Maar de medische wetenschap schijnt niets meer voor hem te kunnen betekenen, behalve dan constateren dat hij het land der levenden heeft verlaten.'

'Zelfs met het grootste vakmanschap had u maar weinig voor hem kunnen doen. Hij moet op slag zijn overleden. Kende u hem? Was hij een vriend van u?'

Even zweeg Marcello, alsof hij over het antwoord moest nadenken. 'Kennen we elkaar uiteindelijk niet allemaal op aarde?' vroeg hij toen. 'Maken we in onze menselijkheid niet allemaal deel uit van eenzelfde familie? Het leek me gepast om hem op deze eerste schreden naar de eeuwigheid te begeleiden.'

'Maar wist u wie hij was?' hield Dante aan.

De oude man aarzelde, alsof hij niet de woorden vond om uit te drukken wat hij in zijn hoofd had. 'Nee, ik kende hem niet. Behalve in de korte tijdspanne dat we samen in het logement zaten. Toch had ik de indruk dat hij míj wel kende. Dat hij zelfs...'

'Wat?' moedigde de dichter hem aan.

'Dat hij met opzet zijn intrek in dat logement genomen had. Om op me te wachten. Alsof hij wist dat ik daar zou komen,' fluisterde de ander.

'Verklaar u nader.'

'Hij had iets over zich... de vertrouwelijke toon waarmee hij me sinds de avond van onze aankomst aansprak. Hij stelde me voortdurend vragen, alsof hij verwachtte dat ik ze aan hem ook zou stellen. Hij deed hetzelfde bij Bernardo.'

'De literatus?'

'Hij had van zijn onderzoeken gehoord en onderhield zich lang met hem, waarbij ze over het verleden spraken.'

'En wat vertelde hij?'

'Over zijn passie, het leven van keizer Frederik. Ze bespraken of de vorst misschien in Florence was geweest. En nu deze... maar het is nu te laat voor wat dan ook.'

'De dood van een mens rekent af met het medische vak. Maar niet met het gerecht,' repliceerde Dante, terwijl hij hem strak aankeek.

De ander knikte. 'Dat is waar. Ja, het gerecht is oneindig veel machtiger dan mijn bescheiden kennis.'

Dante was intussen zo dicht naast de oude heer gaan staan dat hij zijn rechterarm raakte. Hij bespeurde onder zijn jas de stevige weerstand van de spieren, alsof het lichaam jonger was.

Marcello had zich instinctief teruggetrokken, alsof hij zich aan de aanraking van de dichter wilde onttrekken. 'Neemt u mij niet kwalijk, messere,' zei hij haastig toen hij het verbaasde gezicht van de prior zag. 'Dat is een oude gewoonte van mij, nog uit de tijd toen ik overzee leprozen behandelde.'

'Denkt u terug te keren naar uw logeeradres?' vroeg Dante.

'Ja... maar uw stad is erg veranderd sinds ik er de vorige keer was, heel wat jaren geleden,' antwoordde de oude man, terwijl hij met zijn blik de gebouwen rondom afging. 'Zou u het erg vinden om een stukje met me mee te lopen?'

Zonder te spreken nam de prior hem bij de arm en toog langzaam naar de ruïnes van de oude thermen, langs de straat die naar het logement leidde.

Zwijgend legden ze zo'n honderd voetstappen af. Marcello bleef om zich heen kijken, alsof hij in zijn geheugen een verband zocht tussen zijn herinneringen en wat hij te zien kreeg. Vervolgens hield hij plotseling stil voor een marmeren zuil die op de hoek van een gebouw was ingevoegd. 'De eeuw lijkt naar het einde toe sneller te gaan,' mompelde hij. 'Maar in de zucht naar groei zijn de jaren begonnen zichzelf te verslinden, als vossen die gevangen zitten in een zak, gek van angst.'

Ze liepen langzaam verder. 'Wat heeft u op de weg naar Rome gebracht?' vroeg de dichter.

De ander bleef staan en draaide zich naar hem toe. 'Aan het eind van het leven komt het moment om zich met God te verzoenen en de schulden te delgen. Voor mij is het *redde rationem* nu nabij, wanneer Petrus de plussen en minnen tegen elkaar zal afwegen. En ik wil dat mijn ziel voor die dag gereinigd is. Ik ga naar Rome om een oude gelofte in te lossen en vergeving af te smeken voor de zonden die ik heb begaan op mijn lange doortocht in dit levensdal.'

'Is uw last zo zwaar?'

'Welk mens draagt niet net zo'n zware last, vooral als hij net als ik een hoge leeftijd heeft bereikt? Lang leven betekent lang zondigen.'

Middag, voor de Santa Croce

Als hetgeen hij in het logement had vernomen klopte, zou Bernardo bijna al zijn tijd doorbrengen in de bibliotheek van de franciscanen. Voor de deur van het scriptorium wachtte Dante tot de monniken na afloop van het werk naar buiten kwamen. Eindelijk verscheen dan zijn gelaat met de lijkbleke, ingevallen trekken in de deuropening.

Hij zag hem aankomen met een bundel perkamenten en zijn schrijfkistje. Hij leek geplaagd en moe; traag en moeizaam trad hij naar voren. Toch leek hij niet bereid te zwichten voor de vloek van de hitte. Nu en dan bleef hij staan, zette zijn voet op een steen en haalde uit de tas zijn wastafeltjes, waar hij met een metalen stift iets op schreef.

Bij een openbare fontein liep hij gretig op de bronzen buis toe en dronk met volle teugen. Zijn dorst leek onlesbaar. Dante kwam met een beleefde groet naast hem staan. Bernardo groette terug, terwijl hij met de omslag van zijn mouw het zweet van zijn voorhoofd wiste.

'Al lang wilde ik een paar woorden met u wisselen, mijnheer,' zei de dichter.

'Ik ken uw opdracht, messer Durante. En ik ken uw stem als dichter. Ik denk zo dat u de feiten wilt weten met betrekking tot de gruwelijke moord op de decorateur, Brunetto. Maar eigenlijk kan ik u in geen enkel opzicht helpen. Ik heb de man pas in het logement leren kennen en hem een paar keer tijdens de maaltijden gezien. Mijn onderzoek voert me vaak naar buiten om informatie te verzamelen. Of naar de beslotenheid van mijn slaapkamer om wat ik heb gehoord op schrift te stellen,' vervolgde hij, op de perkamenten wijzend.

Dante kwam nieuwsgierig geworden dichterbij. 'Wat is de aard van uw onderzoek?'

'Ik probeer het derde deel van een geschrift, de *Res gestae Svevorum*, te voltooien. De geschiedenis van de grote keizers. En vooral van de grootste onder hen, Frederik. De heldendaden van zijn leven en dood.'

'En wat hebt u voor bruikbaars gevonden in Florence? Mijn stad heeft de keizer nooit ontvangen, meen ik.'

'Hij is er bij zijn leven nooit geweest omdat Florence hem vijandig gezind was, ondanks de aanwezigheid van vele Ghibellijnse getrouwen binnen de muren. Maar ook omdat de keizer de voorspelling van Scotus vreesde: Gij zult *sub flore* sterven. Maar misschien kwam er iets van hem hier na zijn dood.'

'Na zijn dood? Wat bedoelt u?'

De historicus haalde zijn schouders op, zijn lippen opeenklemmend alsof hij bang was te veel te hebben gezegd. 'Ik heb in de bladzijden van de *Cronica* van Mainardino iets gevonden wat me hier naartoe heeft verwezen.'

'Mainardino da Imola? De bisschop die de keizer trouw was en die zijn laatste jaren naar verluidt aan het schrijven van een biografie van Frederik heeft gewijd? Maar zijn werk is voor zover bekend verloren gegaan. Of misschien wel nooit geschreven!'

De ander kierde zijn oogleden, waarbij hij een raadselachtige blik op de dichter wierp. Vervolgens keek hij snel om zich heen, als om er zeker van te zijn dat niemand hen afluisterde.

Dante volgde hem instinctief na, zonder iemand te zien die op hen lette. Bernardo had intussen een langere stengel van een struik gerukt en leek tekens in het stof op straat te tekenen.

'Als dat geschrift dan bestaat,' drong de dichter aan, 'en u hebt het kunnen lezen, wat hebt u er dan van opgestoken dat u hier bent? En wat is er van de keizer hier gekomen na zijn dood?'

Bernardo gaf niet meteen antwoord en zocht naar de meest geschikte woorden. 'Mainardino schreef iets naar aanleiding van een schat van de keizer. Aldus schreef mijn leermeester: *Thesaurus Federici in Florentia ex oblivione resurgeat*: de schat van Frederik zal in Florence aan de vergetelheid worden ontrukt.'

'Bent u daar dan naar op zoek?'

Bernardo schudde resoluut zijn hoofd. 'Ik ben niet uit op rijkdom.

In de marge van het leven vormt goud het meest zinloze van alle materie. Maar ik zou willen dat mijn nederige werk de vraag beantwoordt waarop zelfs mijn leermeester geen antwoord kon geven. Maar ik wil het aan Arrigo da Jesi voorleggen. Ik heb gehoord dat hij ook in uw stad is.'

'Waarom de filosoof?' vroeg Dante verbaasd.

'Dat staat in de papieren van Mainardino. Arrigo is novice geweest bij Elia da Cortona, de franciscaan die met Frederik bevriend was. En naar verluidt is hij zeer rijk. Net als Elia. Van hem zei men dat hij het alchemistische geheim had geleerd om goud te maken. Of misschien had hij de keizerlijke schat gevonden.' Hij leek hardop te denken. 'Maar misschien is alles verloren,' zei hij toen, droef zijn hoofd schuddend. 'Alles is met Frederiks dood in het stof verdwenen.'

'En zou het bewijs hier in Florence zijn? Samen met zijn schat?'

'Mainardino wist het zeker. Ik probeer die zekerheid na te trekken. Voordat de dood me wegneemt en mijn lippen verzegelt zoals die van mijn leermeester.'

Dante greep de man bij een arm. 'Denkt u dat u in gevaar bent? Vertel mij wie u bedreigt en al mijn gezag zal in het geweer treden om u te beschermen!'

Er speelde een trieste glimlach om de mond van de ander. 'Zelfs alle legioenen van het oude Rome zouden me niet bij kunnen staan, messere. Al een tijd ruikt mijn plas naar honing en een innerlijk vuur verscheurt mijn ingewanden. Ik bid alleen tot God dat Hij me de tijd geeft om mijn werk af te maken,' besloot hij, opnieuw bukkend om bij de fontein te drinken.

De prior wachtte tot hij zijn brandende keel enigszins had gelaafd.

Toen richtte de man zich weer op, zijn lippen aflikkend alsof hij de laatste druppel nog wilde opvangen. Hij leek zich beter te voelen. 'Ik had ook het verdrag van Jeruzalem moeten sluiten,' mompelde hij.

Dante wierp een vragende blik op hem en zag een flauwe glimlach zijn gelaat verlichten. 'Naar verluidt had Frederik, tijdens zijn kruistocht, in Jeruzalem een verdrag met de ongelovigen gesloten, die hem in ruil daarvoor het geheim onthulden van de panacee, het geneesmiddel dat alle kwalen geneest en de dood terugdringt tot voorbij de grenzen van het rijk der duisternis. Door deze legende denkt men dat Frederik nooit gestorven is, en dat hij wacht om terug te keren tot er sinds zijn verscheiden vijftig zonnen zijn verstreken. Stel u voor, messer Durante: de terugkeer van de Antichrist in het Jubeljaar. Zou dat geen vreselijke klap in het gezicht van Bonifatius zijn?'

'Je zou denken dat de paus zijn *Centesimus* juist heeft uitgeroepen om deze mogelijkheid te bezweren,' mompelde Dante.

Kort daarop nam Bernardo afscheid en liep met vermoeide tred weg.

Even dacht de dichter erover hem te volgen, toen besloot hij weer naar Alberto te gaan. Misschien was er nieuws over het mechaniek. Bovendien bleef dat boek, *al Mi'raj*, door zijn gedachten spelen. Het gekwelde gezicht van de doden wisselde zich in zijn hoofd af met het nog verwarde beeld van de hemelsferen van zijn toekomstige werk. Alsof de niet gevonden vorm van het paradijs en de duistere vorm van de moord in eenzelfde blindheid verloren gingen.

Hij liet zich van zijn gedachten afleiden door de aanblik van een massieve gestalte die uit een zijstraat was opgedoken en de bocht van het oude amfitheater nam. 'Gegroet, messer Monerre!' riep hij van achter naar hem.

De ander draaide zich met een ruk om en zocht met zijn ogen naar de man in de menigte die hem bij zijn naam had genoemd. Hij leek ongerust, maar zijn omzichtige manier van doen verdween meteen toen hij hem had herkend.

'U zult het hopelijk niet erg vinden om onderweg een paar woorden te wisselen,' zei Dante toen hij hem had ingehaald.

'Messer Durante, het is voor mij een eer om met u kennis te maken. Al heb ik zo een idee waar uw belangstelling voor mijn nederig persoontje vandaan komt. Misschien zou ons onderwerp in andere omstandigheden de wetenschap zijn, en niet dood en geweld.' De man had die woorden uitgesproken in zuiver Toscaans met een licht Frans accent.

'Ik hoor dat u mijn taal goed kent. Maar op welke wetenschap doelt u?' repliceerde de dichter.

Monerre stak zijn vinger op naar de hemel. 'De wetenschap van Urania, waar ik heel mijn leven aan heb gewijd. In Toulouse, waar ik ben geboren, daarna in de Languedoc en ten slotte in Venetië. Daar heb ik de hemelsferen bestudeerd op de kaarten van de Ouden en vooral van Ptolemaeus. Soms ook van die onvolkomenheden verbeterend die de groten over het hoofd hadden gezien. En ik heb gepoogd vanaf mijn leerstoel deze kennis te verspreiden, maar zonder succes. En het bewijs daarvan is wel dat mijn naam u niets zegt!'

Met een bittere glimlach had de man zijn betoog afgesloten. Bij die grimas kwam het litteken sterker uit.

Een sterrenkundige, dacht Dante, die stond te kijken van het toeval.

Hij moest een verbaasd gezicht hebben opgezet, want de ander lachte. 'Als u zich afvraagt wat ik in uw stad doe, dat is enkel een etappe op mijn laatste reis.'

'Waarheen bent u op weg?' vroeg Dante, steeds nieuwsgieriger. 'En waarom is dit uw laatste reis?'

Die twee woorden weergalmden met een lugubere echo in zijn oren. Voelde hij ook zijn einde naderen, net als Bernardo?

Monerre was voor de ruïnes van de Romeinse poort stil blijven staan. In de verte zag je de hoek van de Stinche-gevangenis met zijn sombere blinde muur. Hij ging met een hand over zijn voorhoofd als om een plotselinge pijn te verjagen. 'Mijn doel ligt in Afrika, in de vijandelijke landstreken van de Moren. En verder zuidwaarts, in het rijk van de manticora, voorbij de verre equator, tot onder de nieuwe australe hemel die nog nooit door een christenoog is gezien. Het verhaal gaat dat zich daar de pracht van onbekende sterren en nieuwe constellaties bevindt, die de tekenen van ongelooflijke lotsbestemmingen op het hemelgewelf drukken. Dat is het grote gebrek in het overzicht van Hipparchus, dat ik voor een deel althans hoop goed te maken.'

Terwijl hij aan het woord was, was het gelaat van de astronoom opgelicht, alsof de ogen van zijn geest echt door die nieuwe lichten waren getroffen. Verdiept in zijn visioen leek hij te zijn vergeten waar hij was. Dante hoorde hem iets lispelen in het Frans, in gedachten verdiept, waarna de man weer overging op het Toscaans. 'En ze spreken van een goddelijk teken, vier sterren in een volmaakt kruis. Alsof het de oorsprong van de ware godsdienst betekent of er de lotsbestemming van aangeeft. Maar u wilt misschien iets anders horen, stel ik me voor.'

De spanning op zijn gezicht was geweken. De laatste woorden sprak hij kil uit.

'U had het over een laatste reis,' zei Dante in gedachten verzonken. Florence was vaste prik op weg naar het einde geworden, bedacht hij bitter.

'Ik heb al gereisd door het land der ongelovigen. Maar de wond die me daar is toegebracht heeft het gezichtsvermogen van mijn rechteroog aangetast. En door de mysterieuze sympathie die tweelingorganen verbindt, breidt de aandoening van het ene langzaam uit naar het andere. Spoedig zal ik in het duister verkeren, en het enige voor mij zichtbare licht van de sterren zal dat van de herinnering zijn. Daarom moet ik haast maken.'

Lange tijd bleven ze zwijgen. De dichter trachtte zijn metgezel bij te houden, die in weerwil van de helse hitte krachtig en snel was. 'U loopt als een Barbarijs paard, messere. Hebt u op uw reizen soms dat tempo ontwikkeld?' barstte hij los, nadat hij meermalen had moeten rennen om naast hem te blijven.

De ander bleef glimlachend stilstaan. 'Dat is zo, mijnheer de prior. Er zijn landen die ik heb bezocht, waar zelfs een uur vertraging het verschil tussen leven en dood kan uitmaken. In de woestijn, tussen twee oases in, en in de door de heiden onveilig gemaakte gebieden, waar de steunpunten van onze mensen precies op een dagreis van elkaar verwijderd liggen, en elke onzekerheid betekent dat men in de openlucht door de nacht reddeloos wordt overvallen. Op die plaatsen is het gebruikelijk om met zijn tweeën één paard te berijden, zodat het tweede kan uitrusten en gereed is voor de rest van de tocht.'

'Elk land is op zijn manier vijandig,' mompelde Dante. 'U weet wat er gebeurd is in uw logement, hoe uw kameraad is afgeslacht.'

Monerre knikte. 'Brunetto. Een decorateur, nietwaar? In de korte tijd dat we er samen logeerden heb ik hem vaak in zijn tekeningen verdiept gezien.'

'Hij was geen decorateur. En dat was niet zijn naam. Het slachtoffer is Guido Bigarelli, de grootste beeldhouwer van onze tijd.'

Onbewogen nam de Fransman de onthulling op.

'Hebt u nooit iets vermoed?' drong de dichter aan.

'Nee. Maar het is niet ongebruikelijk dat reizigers hun identiteit verborgen houden. Om de meest uiteenlopende redenen.'

'Welke?'

'Om de plaatselijke autoriteiten te ontwijken, als ze tegen de regerende factie zijn. Of de scherpe blik van schurken, als ze iets kostbaars bij zich hebben.'

Dante deed bedachtzaam zijn lippen op elkaar. Bigarelli was een hardnekkige Ghibellijn, op doorreis in een Welfenstad. Dat kon wel eens de verklaring zijn.

'En misschien... misschien was dat bij hem wel het geval,' hervatte de ander.

Dante schrok op. 'Wat?'

'Toen ik de avond voor zijn dood naar mijn kamer ging, liep ik hem tegen het lijf. Hij stond stil op de trap, samen met de rijke koopman Rigo di Cola. Ze waren in een geanimeerd gesprek verwikkeld. Bij mijn aanblik hielden ze opeens hun mond, maar niet voordat ik hun laatste woorden nog kon horen.'

Dante kwam wat dichterbij. 'Waarover spraken zij?' vroeg hij gespannen.

'Goud, messer Alighieri. Een berg goud. Maar dat je om die te krijgen het licht binnen de cirkel moest sluiten.'

'Wat betekent dat?' vroeg de dichter verbaasd.

Monerre haalde zijn schouders op. 'Dat weet ik niet. Maar dat is wat ik gehoord heb. Ik ben sterrenkundige, u een man van de geest,' besloot hij met iets van ironie in zijn stem.

Middag en avond

Met een onvoldaan gevoel nam Dante afscheid van de Fransman. De gedachte dat de moord nauw verband hield met de mannen die ogenschijnlijk om verschillende redenen in logement De Engel waren beland, werd steeds sterker.

Die gedachte kwam voort uit de indruk dat zij allemaal op nog onverklaarbare wijze door iets verbonden waren. En toch waren ze in hun karakter, hun gewoonten, zelfs hun uiterlijk zo verschillend als je maar kon bedenken. Afgezien van het feit dat ze allemaal buitenlander waren, en ogenschijnlijk slechts op doorreis in Florence.

Vaststond dat de vorm van de moord de geest van de schuldige weerspiegelde. Altijd lijkt het slachtoffer zijn beul bij zich te roepen en degene te kiezen die het meest op hem lijkt. Een gewelddadige persoon vindt de dood in de wreedheid van een daad met voorbedachten rade, een verliefde geest put zich uit in wellust en onmatigheid. Wie had dus de beeldhouwer opgezocht om een einde aan zijn leven te maken?

Guido Bigarelli, de meester van de doodsfiguur, was na lange afwezigheid onder een valse naam weer teruggekomen, als om de dood te ontmoeten. Zijn leven lang had hij haar het hof gemaakt in zijn werken. Hij had met haar een akkoord gesloten, hij had haar stilzwijgend geroepen om in zijn bronzen beelden te verwijlen, hij had haar beenderen geliefkoosd onder het warme vlees van zijn minnaressen. En toen was de dood gekomen om haar loon op te eisen. Hij herinnerde zich de grove gissing van de bargello, die hij aanvankelijk geërgerd had afgewezen. Maar nu dook die mogelijkheid weer op in zijn gedachten. Was híj de vierde man van de galei? Had híj de massamoord aangericht om in gezelschap van een legioen naar de onderwereld te gaan?

Zijn gedachten snelden naar het wonder van de Maagd. Kon het simpel toeval zijn, de verschijning van dat oude, ongewone beeld van hem, net zo ongewoon als het mensachtige voorwerp waaraan het onderdak bood? En bestond er wel toeval?

Op een gegeven punt werd de straat smaller door opgerichte timmerpalen rond een palazzo in aanbouw. Weer een blijk van de hoogmoed van de nieuwe rijken, dacht Dante. Hij week uit naar de palissade om een wagen door te laten. Iemand haalde hem snel in en stootte hem daarbij lelijk met zijn elleboog in het gezicht. De pijn van de klap versufte hem even.

Terwijl hij even bij stond te komen, om zich heen kijkend om te beseffen wat er was gebeurd, viel er met een droge klap een grote kei op de planken wand achter hem, gevolgd door een andere die zijn schouder schampte. Instinctief dook hij bij de stelling vandaan omdat hij dacht aan een dreigende instorting.

Vóór hem was het plein het toneel van een grote rel: omvergeschopte kramen, manden kruiden her en der op de grond tussen scherven aardewerk en stroompjes olie en wijn, onder de voet gelopen door een horde uitzinnige mensen die elkaar woedend te lijf gingen in een werveling van vechtende lichamen. Rondom zochten mannen en vrouwen haastig een veilig heenkomen.

Weer een kei, afkomstig van iemand in de menigte, raakte hem, met talloze projectielen erachteraan. Aan de overkant van het plein waren een paar vechtersbazen begonnen elkaar met stenen te bekogelen, terwijl ze boven hun hoofd geïmproviseerde katapulten zwaaiden van repen stof die ze tussen de omvergeschopte kramen van de grond hadden geraapt. Met behulp van her en der gevonden planken en paaltjes hadden ze eerst geprobeerd de kasseien uit te rukken: vervolgens hadden ze, omdat de oude Romeinse bestrating hun krachten weerstond, zich op de ruïnes van de oude muren van het Campidoglio gestort, waaruit ze onder getier en gevloek de bakstenen met hun vingers losrukten.

'Wat is er aan de hand?' riep Dante, toen hij achter een wagen dekking had gezocht, tegen een oude man die ineengedoken met zijn hoofd tussen zijn handen zat.

De ander keek naar hem op, bemoedigd door de aanblik van zijn kledij. 'Lui van de Cerchi's en de Donati's. Ze kwamen elkaar op de markt tegen en meteen vlogen de scheldwoorden over en weer. Ze hadden niet anders verwacht dan op de vuist te gaan.'

'Vervloekte schurken,' verbeet de dichter zich. Hij wachtte tot er rondom een nieuw salvo was losgebarsten, kwam toen vastberaden overeind en rukte op naar het midden van het plein, hopend dat de waardigheidstekenen van zijn priorschap goed zichtbaar waren. 'Stop, in naam van de wet der stad!' brulde hij met stentorstem, terwijl hij een van de vechters die voor zijn voeten was gerold bij een schouder greep en hem met een trap in zijn achterste de straat afschopte.

Hij voelde hoe een hand zijn elleboog tegenhield. Met een ruk onttrok hij zich aan de greep en draaide zich als een furie om.

De man achter hem stak zijn handen op ten teken van vrede; er speelde een glimlach om zijn mond. 'Neem mij niet kwalijk, messer Durante. Ik probeerde u alleen maar te helpen,' riep hij uit, waarna hij bukte om de muts van de dichter op te rapen, die wat verderop was gerold.

De dichter herkende het glimlachende gezicht van Arrigo da Jesi. Hij lachte op zijn beurt en probeerde zijn gewaad te ontdoen van het stof en het vuil waarmee het bedekt was. 'Neemt ú mij mijn handelwijze niet kwalijk. Maar in deze hellekring van uitzinnigen valt het niet mee om de hand van een rechtvaardige te herkennen.'

'Misschien zijn er ook niet veel van die rechtvaardigen hier in de stad,' mompelde Arrigo, terwijl hij met zijn blik de horden volgde die aan weerszijden van het plein bijeenstonden, elkaar grimmig aan bleven kijken en dreigende kreten uitwisselden. 'Het lijkt of alles ineenstort, en of het ontwerp van de stichters van de stad verloren gaat in de interne strijdperikelen.'

'Dat ontwerp, zo er ooit een was, werd op vellen papier geschreven, net als de uitspraken van de sibille, die met een enkel zuchtje wind in duigen vielen,' wierp Dante hoofdschuddend tegen.

Ook de filosoof keek somber geworden om zich heen. 'Wat heeft uw stad in deze treurige staat gebracht?'

Woedend wees Dante op de groep relschoppers die elkaar nog in de haren zaten. 'Dat zootje ongeregeld is als een niet te stuiten vloedgolf onze muren binnengestroomd. Het is vanuit de vier windstreken van Toscane aangelokt door de gemakkelijke verdiensten die er door het verval der zeden, de onwetendheid van de bestuurders, de simonie van de priesters, de corruptie van de magistraten en de grandioze domheid van de ontwikkelde man werden voorgespiegeld. Het heeft zich in onze straten gevestigd na te zijn uitgebraakt door de riolen, die er de eerste schuilplaats van vormden, en speelt nu de baas op het grondgebied dat onze vaderen met hun bloed uit de barbaarsheid hebben verlost. Florence lijkt nu een op hol geslagen merrie.'

De prior onderbrak zichzelf, terwijl hij kwaad naar die etterbakken bleef kijken. Intussen wreef hij zijn kaak en wiste met de rug van zijn hand een stroompje bloed af dat uit zijn gebarsten lip kwam.

Arrigo leek zijn woorden met grote aandacht te hebben gevolgd. 'Andere steden in Italië zijn er niet beter aan toe. Maar een goed bestuurder zou ze allemaal weer tot rede kunnen brengen, als hij maar de hulp kreeg van alle mensen van goede wil. Mensen zoals u, messer Alighieri.'

'Konden mensen zoals ik, die u zo goed bent te prijzen, maar gehoor vinden. Hadden ze maar de middelen en de kracht die die schurken juist hebben door hun kwalijk verdiende geld.'

'Misschien is de tijd nabij dat de adelaar weer de hemel van Italië gaat domineren, en de honden van de nacht, die het zijn binnengevallen, met zijn klauwen voorgoed zal verblinden.'

Dante glimlachte flauwtjes, terwijl hij opnieuw met het puntje van zijn tong over zijn lip ging. Al sprekend volgde hij de verrichtingen van de vechtjassen, die nu naar het tegenover gelegen deel van het plein opgeschoven waren en uitzwermden naar de zijstegen. 'Steden zijn grote dieren, in alles gelijk aan de kleinere dieren die er wonen,' zei hij bitter.

'En ze worden door dezelfde misdaden bezocht. Je kunt een stad neersteken als een mens,' ging de filosoof door.

Dante keek hem aan. 'Dat is waar. En het lot wil dat u me juist treft bij het onderzoek naar een misdaad. De dood heeft logement De Engel aangedaan.'

'Ik heb het gehoord. Die arme Brunetto...'

'Dat was niet zijn echte naam,' repliceerde Dante onverschillig, nog bezig de rand van zijn gewaad af te kloppen.

Arrigo reageerde niet op zijn woorden. Hij leek rustig te wachten tot de ander verderging.

'Zijn naam was Guido. Guido Bigarelli.'

'O ja?' De filosoof handhaafde zijn kalme houding, alsof die naam hem geheel onbekend was. Dan wel alsof hij de ware identiteit van de dode al kende. 'En bent u op de goede weg om de verantwoordelijke te vinden?' vroeg hij, terwijl hij in de luwte van een muurtje ging zitten.

Dante haalde zijn schouders op en volgde hem na. 'Stukken van een intrige die niets voorstellen. Geen duidelijke drijfveer, geen hoe of waarom. Alleen het gevoel dat de moord beraamd is in de nabijheid van het slachtoffer, misschien door iemand die hem kende, stellig door iemand die hem na stond. De reisgenoten van de dode: daar voert mijn intuïtie me heen, en de rede, die haar versluiert.'

'Verhoor ze dan, met al uw scherpte.'

'Wat zou het opleveren? Ik zou er een glibberige opeenstapeling van waarheid en leugen door krijgen waarin het licht van de rechtvaardige werd aangetast door de list van de schuldige. Ik heb niet de gave om in hun hoofd door te dringen.'

'U lijkt geen vertrouwen te hebben, mijnheer de prior.'

'Dat niet,' repliceerde de dichter. 'Maar ik heb hun woorden niet nodig. Er is een logica die de dingen stuurt, en die logica wordt gedragen door noodzaak. Ik moet de noodzaak ontdekken waaruit die moorden voortgekomen zijn. Dan krijg ik daarna de logica, en ten slotte de woorden.'

'Wat houdt u dan tegen?'

'Iets wat me in verwarring brengt. De moorden zijn gepleegd om een toevallige, directe reden. En toch vinden ze hun bestaansreden in iets van veraf. Dat ontstelt me: dat eenzelfde gevolg twee oorzaken heeft. Aristoteles lijkt dat te ontkennen.'

Arrigo schudde glimlachend zijn hoofd. 'Ik bewonder uw vertrouwen in de wijsgeer. Maar wat zegt u van de meer eigentijdse leermeesters uit Parijs? Bacon, bijvoorbeeld. Leert hij niet dat het in de natuur ligt om ons de regel van het redeneren te geven? En is de natuur niet het domein van verandering en wording, en van de tegenspraak? Maar u sprak van 'moorden': dus niet alleen Guido Bigarelli is voortijdig de drempel van de Hades overgegaan?'

'Niet alleen hij. Een paar mijl ten westen van de stad heeft een massamoord plaatsgehad, misschien om één afzonderlijke moord af te dekken. De moordenaar heeft een heel schip met lijken gevuld.'

Arrigo opende zijn mond voor een nieuwe vraag, maar deed toen zijn lippen opeen alsof hij een ander idee had gekregen.

'Wat is het Rijk van het Licht?' vroeg de dichter onverwachts.

De ander keek hem verbaasd aan. 'Een plaats waar de geest zegeviert, denk ik zo. Of bij wijze van metafoor, dat wat men bij u het paradijs noemt.'

'Bij ons?'

'Ik bedoel bij u godgeleerden, die er de schijn, het wezen en de grenzen van beschrijven. Of ook bij u dichters, die proberen het in woorden gestalte te geven. Waarom vraagt u dat?'

'Het lijkt of er velen naar die plek op zoek zijn. En als het nu eens om een tastbare plek ging? Of om een voorwerp met buitengewone eigenschappen? De klootzakken!'

Bij die onverwachte verwensing sprong de filosoof op, zelf ook overvallen door een lauwe straal gouden druppels die uit de hemel regende, samen met een vals gezongen deuntje. Boven hen, op de ruïne van het hoofdgestel van de oude Romeinse poort, had een lid van de familie Donati zijn hozen laten zakken en stond in de straal van een reusachtige triomfboog op zijn tegenstanders te pissen.

Dante sprong vloekend op, niet lettend op de stenen die om hun oren bleven vliegen. Hij was op handen en voeten gevallen om koortsachtig iets op de grond te zoeken, toen kwam hij overeind met een stuk steen in zijn hand. Hij bleef even roerloos staan voor een snelle berekening, gooide toen de steen naar de man die al zingend bleef doorpissen.

Arrigo zag hem zich naar zijn doelwit uitstrekken, zijn ogen strak op het projectiel alsof hij er met zijn denkkracht de baan van kon leiden. Ook hij boog zijn hoofd om het projectiel te volgen, tot aan de droge klap en de kreet van de man, die op zijn voorhoofd werd geraakt. 'Bij God, mijnheer de prior!' schreeuwde hij beduusd. 'Een worp uit de bijbel! U Florentijnen zouden David op de munten moeten slaan in plaats van de lelie. Of op zijn minst een beeld van hem moeten maken om de poort te bewaken!'

De gewonde man was onder aan de muur gevallen, zijn gezicht een masker van bloed dat rijkelijk uit een snee boven zijn wenkbrauw stroomde. Zijn kreten van pijn overstemden even die van de strijd.

Arrigo staarde de dichter aan met een uitdrukking vol verbazing en ontzetting. Toen kwam er een glimlach om zijn mond. 'Gelukkig ligt ons verschil van inzicht in de geestelijke sfeer. Maak dat u wegkomt, mijnheer de prior. Laat soortgenoten maar aan hun soortgenoten over. Deel echter nog even uw tijd met mij op weg naar mijn onderkomen in de Santa Maria Novella.'

Dante wierp nog een verbolgen blik op het plein, wendde zich toen naar de filosoof, terwijl de rimpels in zijn voorhoofd langzaam weg-trokken. 'Welja, misschien is het maar goed ook dat deze troep hon-den elkaar lekker te grazen neemt. Kom mee,' antwoordde hij, er de pas in zettend.

'Denk aan mijn hogere leeftijd. Ik kan niet tegen de vaart van uw jeugd op,' zei Arrigo, die met een geplaagd gezicht al trekkebenend achter hem aan probeerde te komen.

'Jeugd? In mei heb ik mijn vijfendertigste lente beleefd. Mijn le-vensboog bereikt zijn hoogtepunt. En mijn weg wordt er niet beter op,' antwoordde hij, wachtend op zijn metgezel.

'Mijn tijd ligt nog verder weg. Maar de dromen ervan niet, noch die van u waarschijnlijk... Iemand met zo'n nobel hart moet nog wel dro-men koesteren.'

''s Nachts spreken de dromen tot ons in een onbegrijpelijke taal. Maar ook overdag versmelt alles om me heen tot een mengelmoes van symbolen. Ik voel me verloren in een donker woud als in het duister van de dood.'

'U lijkt wel op de drempel van de hel, beste vriend,' fluisterde Ar-rigo.

'Juist naar de hel gaan mijn gedachten uit, en naar de staat van de ziel in het rijk van de eeuwigheid.'

'Maar waarom zou u u tot de Hades richten? Uw liefdesverzen zijn er toch ook nog? En de opwinding van onze tijd? En de ontroering van het leven? Biedt dat alles geen stof meer voor uw verskunst?' drong Arrigo aan.

Dante zweeg. De filosoof schudde hem vriendelijk door elkaar, wij-zend op de weg voor hen. Even buiten de haard van het conflict ging de bedrijvigheid door alsof twee verschillende steden onbewust van elkaar samenleefden.

'De plaats van de onderhandeling en van de woede,' zei Arrigo weer, om zich heen kijkend. In de lucht hing een dichte wolk stof die door de wagens was opgeworpen, tussen het geschreeuw van de voer-lieden en het gehinnik van de paarden door. 'In heel Toscane wordt er jaloers over gesproken. De grootste kerk van de christelijke wereld. Het meesterwerk dat Arnolfo di Cambio onsterfelijk zal maken. En waar het leven zegeviert keert u zich tot de dood? Luistert u eigenlijk wel?' vervolgde hij, terwijl hij hem harder aan zijn arm schudde.

Pas toen leek de dichter weer in de werkelijkheid te komen. 'Neem me niet kwalijk, meester. Ik heb uw woorden gehoord, maar mijn geest liep op mijn lichaam vooruit, en ik kon u geen antwoord geven. Amor schrijft in mij altijd zijn woorden voor, maar sinds ik heb geprobeerd het goede te doen voor het bestuur van de stad, hebben wellicht twee andere goden zijn plaats in mijn dagen en mijn nachten ingenomen.'

'Welke dan wel?' vroeg Arrigo.

'Goed en Kwaad. En de vraagstukken rond de aard ervan: waarom ze verdeeldheid brengen in het hart van de mens en waarom en hoe het een het ander bestrijdt. Waarom het lichtrijk nog niet overheerst, en vaak juist achterloopt op de gang van de Slang.'

'Pas op, waarde vriend,' viel Arrigo hem in de rede. Zijn ogen stonden plotseling ernstig. 'In het Noorden heeft menigeen door dit denkbeeld de vlammen van de brandstapel leren kennen. Heel de Provence tot aan Toulouse draagt nog de sporen van verwoesting na de kruistocht tegen de katharen.'

Dante barstte in lachen uit. 'Nee, meester, wees niet bang. Ik ben geen manicheeër geworden. God is Eén. En het licht van Zijn genade spreidt zich geleidelijk uit in heel het universum. Maar terwijl het ongeschonden in de volmaakte helderheid van de kristallijnen hemelgewelven doordringt, slaat het in het ondermaanse uiteen als de branding tegen een rots. En op de drabbige bodem van onze ziel is het afwezig. Dat is de hel, en die wil ik weergeven. Daarom zal ik de gang der doden bezingen. Na Odysseus en Aeneas is dit de reis die we nog niet kennen.' Arrigo greep hem bij een arm. Hij leek nog iets te willen zeggen. Toen schudde hij zijn hoofd en vertrok stilzwijgend met zijn wankele tred.

4

De vroege ochtend van 9 augustus,
in het Priorpaleis

Op de binnenplaats bespeurde Dante een bepaalde opwinding. In een hoek sloeg een nog gezadeld paard bezweet met zijn hoef tegen de kasseien. Een gewapende man was in een druk gesprek met de bargello gewikkeld. Om hen heen volgden andere soldaten belangstellend wat er werd gezegd.

Nieuwsgierig geworden stapte de dichter op de groep af. 'Wat is er aan de hand?' vroeg hij, vanuit zijn ooghoek de koerier volgend die weer in het zadel was gesprongen, zijn paard de sporen had gegeven en nu in galop de poort van het klooster doorging.

'Er is bericht gekomen van een brand op de weg naar Pisa. Op het land van de Cavalcanti's is iets in vlammen opgegaan.'

'Iets? Wat bedoelt u?'

'Mijn mannen konden dat niet zeggen. Een hooiberg misschien. Wel iets groots. Helemaal in de as.'

Ook het logement van de moord was van de Cavalcanti's, herinnerde de prior zich. Misschien ging het om simpel toeval. Maar inwendig was hij ongerust. Dat feit leek verband te houden met de andere ongelukken. Als een uitgewiste tekening die op papier begon op te komen. 'Hoe ver is die brand?'

'Een paar mijl, even buiten de nieuwe ommuring.'

Dante zweeg een moment, bijtend op zijn lippen. 'Geef uw mannen bevel voor een escorte dat meteen twee paarden voor ons zadelt. Ik wil gaan kijken.'

'Maar de brand is geblust, er is geen gevaar meer...' probeerde de ander tegen te werpen.

'Die branden zijn het punt niet,' repliceerde Dante kortaf.

Het duurde bijna een uur voordat de rijdieren gereed waren. Het middaguur was allang verstreken toen Dante en de bargello met nog zes andere soldaten oostwaarts trokken.

Achter de weiden van de Santa Maria Novella verrees de roodachtige massa bakstenen van de nieuwe ringmuur die het stadsbestuur liet oprichten rond de massa bouwwerken die recentelijk om de oude stad opgetrokken was. De stukken muur werden her en der ogenschijnlijk zonder logica onderbroken, alsof hun bouw het gevolg was geweest van het spel van een wispelturige reus. Het leek of de bouwmeesters het in hun hoofd hadden gezet om de oude Romeinen naar de kroon te steken door het land met nieuwe ruïnes te bezaaien.

Voorbij de toekomstige poort, waarvan weinig meer dan het fundament was gelegd, volgden ze een kort stuk van de zandweg, om vervolgens naar het noorden af te buigen langs een landelijk pad dat tussen afgronden en allerlei vegetatie door licht omhoogliep langs de helling van lage heuvels. Toen ze een bosschage van eikenbomen uit waren, verscheen achter in een valleitje dan eindelijk hun doel: een groot rond terrein met verbrande vegetatie waar resten van verkoolde palen en balken uit staken. Het gebouw was tot op zijn grondvesten afgebrand.

Wat het ook was, het moest indrukwekkend zijn geweest. Rondom hing nog een scherpe brandlucht, des te feller wanneer een warme windvlaag weer zachte kringen rook op deed waaien. Op een afstandje waren enkele imposante stapels timmerplanken te zien die niet door het vuur waren aangetast.

In de buurt van de brandstapel steeg Dante van zijn rijdier af en liep naar het verbrande terrein. Achter hem was ook de bargello log afgestegen, met een zucht van ongeduld, nagevolgd door zijn soldaten.

'Bent u erachter wie dit... hier heeft gebouwd?' vroeg de prior.

'Nee, nog niet. Dit is land van de Cavalcanti's, dat zei ik u, allang braak, zonder inkomsten aan het kadaster van de voedselvoorziening en ook niet belast. Er is hier alleen een boerderij, maar dan op meer dan twee mijl afstand. De boer heeft de wachters bij de poort van de brand op de hoogte gesteld.'

'Had hij niets meer te vertellen? Wie heeft hier gewerkt?'

De bargello haalde zijn schouders op. 'De mensen hier zijn ruw en primitief. Op en top ezels, amper in staat zich uit te drukken; niet zoals wij stadsmensen. Alles wat de boer wist te zeggen was dat hier duivels waren, en dat ze het erop aanlegden de ring van Satan te bouwen. Hij moet erop af zijn gegaan om te gluren, maar is van iets geschrokken en vanaf dat moment is hij uit de buurt gebleven, tot aan de nacht van de brand.'

Dante was perplex. De ring van Satan... Hij keek weer naar de massa verkoolde palen om hem heen. Een infernaal woud dat door de toorn Gods was getroffen. 'Verspreid je hier in de buurt,' riep hij tegen de mannen die stonden te wachten. 'En ga zoeken.'

'Wat moeten we zoeken?' vroeg een van hen.

'Weet ik niet. Wat dan ook. Wat maar opvalt.'

De mannen gingen behoedzaam het gebied van de brand in, oplettend om niet op nog brandende houtskool te stappen. Op het oog was het niet eenvoudig te bedenken wat het verbrande gebouw kon zijn geweest. Te oordelen naar de resten van balken die nog in het terrein staken zou je aan een soort paviljoen of een grote hooischuur denken. Of misschien een stal, maar dan wel ongewoon van vorm. En was het aan het vuur ontsnapte hout bestemd voor opslag in het gebouw? Of moest er verder mee gebouwd worden?

Langzaam liep Dante door naar het midden van het denkbeeldige bouwwerk. Na zo'n tien passen zag hij hoe de zwartige punten opeens niet meer uit de grond staken en in het middengedeelte plaats maakten voor een flinke lege ruimte.

Het leek echt op een ring. De ring van Satan. Nijdig onderdrukte hij die hersenschim. Hij moest verder met de steun van rede en wetenschap. 'Hebt u touw bij u?' vroeg hij de bargello.

'Al mijn mannen hebben een paar armlengten daarvan bij zich in de zadeltas.'

'Laten we proberen ons een preciezere voorstelling te maken van de vorm van dit hier,' mompelde Dante. 'De vorm is doorgaans bijzaak, maar kan in sommige gevallen ook hoofdzaak zijn,' vervolgde hij als het ware bij zichzelf. De bargello had de laatste woorden verbaasd aangehoord en wilde reageren, maar de prior was alweer in beweging gekomen en liep naar buiten.

Hij had opgemerkt dat er tussen de resten punten uitstaken waarbinnen de afgekapte balken talrijker en van grotere dikte waren, alsof ze een soort van steunberen vormden, of bouwelementen met een speciale functie.

'Zoek langs de omtrek van de brand dit soort resten en blijf ernaast staan. Geef mij een uiteinde van jullie touw en hou het ieder voor zich vast,' beval hij de mannen.

Iedereen ging tussen de verkoolde resten dwalen en sleepte de onderling vastgemaakte touwen mee. De een na de ander bleven ze staan en hielden de touwen op om ze zichtbaarder te maken.

Voor de ogen van de dichter had zich een volmaakte achthoek gevormd.

Dante bleef een mogelijke betekenis zoeken in wat hij zag. Om hem heen vervlochten zich de commentaren van de mannen van de bargello, die vanaf de hoogste punten van het gebouw opmerkingen met elkaar uitwisselden. Zijn verbazing nam steeds meer toe. Op dat moment hoorde hij een van de soldaten luidkeels zijn naam roepen.

'Hier, mijnheer de prior. Misschien is dit iets!'

Hij stapte op degene die hem had geroepen af. De man leek iets te zoeken tussen de verkoolde resten en ging koortsachtig tekeer, almaar schreeuwend.

Het was inderdaad iets. Aanvankelijk leek het om een verbrande plant te gaan. Vijf takken met klauwen hemelwaarts. Een verkoolde mensenhand.

Het lijk lag ruggelings, verworden tot een beeld van houtskool. De ontzaglijke hitte die op dat punt moest zijn afgestraald had elke lichaamsvloeistof verdampt en er een broze mummie van gemaakt. Maar in grote lijnen was het lichaam er niet door veranderd. Misschien waren zijn kleren, die uit een leren wambuis leken te bestaan, versmolten met de huid en was daardoor de vorm in stand gebleven. Ook het hoofd was ongeschonden en nog gehuld in de resten van een lap stof.

Dante bestudeerde het gezicht, dat nu van zwart glas leek. Rigo di Cola, een van de twee lakenkooplieden uit logement De Engel.

Uiteindelijk was de duivel echt in zijn ring verschenen, bedacht hij. En iets soortgelijks moest ook door het hoofd zijn gegaan van de mannen die op hun beurt dichterbij gekomen waren, aangetrokken door het geschreeuw. Hij zag menigeen een kruis slaan, maar dan om bescherming voor zichzelf af te smeken, niet uit eerbied voor de dode.

Naast het lijk lagen stukjes glas, nog bedekt met een donkere schaduw. Met zijn vingertoppen depte Dante wat van die substantie op. 'Lampolie,' zei hij tegen de naderbij gekomen bargello.

'Zonneklaar,' riep de man uit, die op zijn beurt een glazen kruik besnuffelde. 'Die vriend heeft de olie aangestoken om brand te stichten. Maar hij moet zich verkeken hebben. Er is iets misgegaan en hij is het slachtoffer van zijn eigen opzet geworden. De gerechtigheid Gods is waakzaam en komt vroeg of laat.'

De dichter boog zich opnieuw over het lijk en keek naar de scherpe trekken van het gelaat, dat een vreselijke uitdrukking van verwondering bewaard leek te hebben in het donker van de kassen, die door het smelten van de oogbollen leeg waren. Toen keerde hij hem op zijn buik en onderzocht hem verder.

'Het is vast gegaan zoals u zei, mijnheer de prior,' riep de overste van de wachters uit, en wel zo luid dat zijn mannen het zouden horen.

Dante richtte zijn wijsvinger op Rigo's rug ter hoogte van zijn hart en wees hem iets aan. Twee parallelle diepe sneden in het verkoolde wambuis. Hij haalde zijn dolk uit de binnenzak van zijn gewaad en stak het lemmet voorzichtig in een van de twee sneden. Het staal drong erin door zonder in het gescheurde weefsel enige weerstand te ontmoeten.

Nog altijd zwijgend probeerde hij ook de andere wond, met dezelfde uitkomst. Toen keek hij weer naar de bargello met een uitdrukking van tevredenheid op zijn gezicht. 'En door de marteling van de vlammen en door de wroeging om de begane misdaad heeft hij zichzelf in de rug gestoken?'

De man deed geen mond open.

'Hebt u in plaats daarvan,' ging Dante onverbiddelijk verder, 'niet wat anders opgemerkt?'

Hij stak zijn arm naar de dode uit en wees op iets bij het lijk. Resten van dikke perkamenten vellen, volledig verbrand. Wat er ook op geschreven stond, het was verloren gegaan.

'Nog meer teksten?' zei de bargello vol walging. 'Een boek?'

De prior schudde zijn hoofd. 'Te groot. En geen spoor van bindwerk,' zei hij, terwijl hij er een opraapte en de rand ervan bestudeerde, die onder zijn vingers afbrokkelde. 'Eerder een bepaald soort tekeningen,' ging hij verder. Zijn gedachten gingen uit naar de grote lege tas in het vertrek van Bigarelli met zijn geur van inkt.

'De vierde man? De moordenaar van de anderen? Maar wie heeft hem dan vermoord?' mompelde de bargello opeens, verward. Hij leek te wachten tot Dante dit onverklaarbare mysterie zou ontraadselen. De dichter dacht echter alleen maar na, zijn kin stijf tussen zijn vingers.

Zijn blik speurde voortdurend de ruimte om hen heen af en gleed van de verkoolde resten naar het lijk. Er moest een logische samenhang zijn. Hij voelde dat hij dicht bij de waarheid was, maar die glipte tussen zijn vingers door.

De zon ging onder. Nog even en het zou zinloos zijn om op die plek te blijven. Nadat hij gecontroleerd had dat er niets in de zakken van de dode zat, gaf hij bevel om het lichaam te begraven in de schaduw van een pijnboom buiten het verbrande gebied.

Niemand die een gebed uitsprak boven dat arme stoffelijk overschot.

Ze waren halverwege de terugweg toen Dante het volle geluid opving van galopperende paarden. Hij kreeg amper de tijd om zijn mannen te sommeren stil te houden toen er uit een van de struiken een groep ruiters in jachtkostuum opdook gewapend met pijl en boog.

Bij hun aanblik trokken ook de nieuwkomers aan de teugels en hielden een paar passen van hen vandaan stil. De dichter wist zeker dat hij geen van hen eerder had gezien, afgezien van de jongste, die aan het hoofd van de groep leek te staan.

'Goedenavond, messer Alighieri!' riep Franceschino Colonna, terwijl hij demonstratief zijn muts lichtte. 'En betuigen jullie eens je respect aan de prior van Florence!' riep hij naar zijn kameraden. De drie mannen bogen licht het hoofd bij wijze van groet en bromden iets.

'Wat voert u naar deze contreien, Colonna? Bent u niet wat ver van de weg naar Rome?'

'Mijn stad staat al twintig eeuwen stil op haar heuvels, en zal dat nog eeuwenlang blijven doen. Het heeft geen haast om daar te komen, want uw grondgebied wemelt van het wild,' riep de jongeman uit, terwijl hij een bloederig konijn uit zijn zadeltas opdiepte.

'Het lijkt geen vette buit voor vier grote kerels,' merkte de prior op met verwijzing naar Franceschino's kameraden, die zich op afstand hielden. 'Uw vrienden?'

'Vrolijke reisgenoten. Eveneens pelgrims voor het Jubeljaar, die ik na Bologna onderweg heb leren kennen. Alvorens we de reis hervatten genieten we van een ritje te paard.'

'Weet u waar u bent?'

'Ergens ten noorden van de nieuwe muren, volgens mij. Maar we hebben gezworven zonder op de weg te letten. Zijn we soms op verboden gebied?'

Dante schudde het hoofd.

'Goede reis dan maar, messer Alighieri, en tot ziens wanneer God het wil,' reageerde de jongeman, terwijl hij aan de teugels trok en het paard de sporen gaf.

Dante zag ze voorbijrijden, waarna ze verdwenen in de richting van de brand. 'Tot ziens, wanneer Florence het wil,' mompelde hij.

Zijn intuïtie zei hem dat ze rechtstreeks op weg waren naar de plaats waar Rigo di Cola was vermoord. Hij had horen verluiden dat de moordenaar vaak terugkeert naar de plaats van de misdaad, door die geheimzinnige aantrekkingskracht die geweten en schuld verbindt. Maar hij had altijd gedacht dat dat onzin was.

Toch waren die mannen daar niet toevallig. Hij had net tijd gehad om de prooi te zien die Franceschino hem had getoond. Het dier zat onder het opgedroogde bloed, alsof het al uren dood was. Wat hun doel ook was, die mannen waren geen jagers.

Eenmaal de poort door kwam de bargello naast hem rijden. 'Weet u, mijnheer de prior? Ik heb een idee gekregen. Ik dacht aan die stapel in rook opgegaan hout en aan die andere die klaarligt voor gebruik. Er is een flinke timmermansgeest voor nodig om aan zo'n klus te beginnen. De vraag is wat een koopman daartussen moest.'

'Misschien was het ook wel geen koopman. En iemand moet hem geholpen hebben. Maar ik weet zeker dat hij op het moment van zijn dood alleen was.'

'Denkt u aan die Fabio dal Pozzo die in logement De Engel logeert?' vroeg hij aan de dichter, die knikte. Ook hij had aan de metgezel van de dode gedacht. 'Het is een vreemdeling. Het is niet een van ons. En er is al iemand uit zijn omgeving gedood.'

Dante bedacht met een huivering hoe het gerecht in zijn stad werd toegepast. 'Misschien is het nuttig om hem te verhoren. Ik wil hem aan de tand voelen als ik weer in Florence ben. Pas op dat hij niet de benen neemt.'

In het Priorpaleis, voormiddag

Hij moest een tijdje weggesukkeld zijn, overmand door vermoeidheid. Met een nog wazig hoofd vol droombeelden stond hij op van het bed. Hij zwaaide de deur van zijn cel open, ging de zuilengalerij op en zoog zijn longen vol. In de middaglucht begon hij al een geur van nachtelijke vochtigheid waar te nemen, maar daarmee was de gloed van de zon, hoog aan de hemel, nog niet overwonnen. De bekende drukte van de straten aan de andere kant van de kloostermuur bereikte hinderlijk zijn oren, nog versterkt door de echo van de muren.

Hij zag dat de wachters op een kluitje in de openstaande poort stonden te kijken naar iets daarbuiten. In een poging zijn gedachten te herordenen liep hij naar de kloosterhof. Door de poort waren groepjes wandelende mannen en vrouwen te zien. Ze kwamen uit Oltrarno en liepen over de Ponte Vecchio naar het noordelijk deel van de stad. 'Waar gaan ze heen?' vroeg hij aan een van de soldaten.

Maar hij wist het antwoord al. 'Naar de Maddalena, mijnheer de Prior. Het gerucht gaat dat de Maagd vandaag opnieuw getoond zal worden.'

Bigarelli's geteisterde lichaam was hem blijven achtervolgen. En daarmee zijn schitterende, gruwelijke werk, als het waar was wat hem was verteld. En verder het wassen gelaat van het beeld en het curieuze zogenaamde leven ervan. Zijn verstand dreef hem ertoe de schuldige te zoeken onder de gasten van het logement en deinsde terug voor het dubbelzinnige schimmenrijk dat zich in de abdij had voorgedaan. Toch riep zijn intuïtie hem toe dat ook het wonder een schakel was in die doodsketen. 'Zeg de andere priors maar dat ze het in de vergadering zonder mij dienen te stellen. Ik moet ergens zijn,' deelde hij de wachters mee.

Toen hij aankwam, puilde de kerk al uit van de bezoekers. Wederom werkte hij zich met zijn ellebogen naar voren om hetzelfde observatiepunt van de vorige keer, achter de pilaar, te bereiken. Het baldakijn dat Bigarelli's relikwiehouder moest herbergen, was al voor het altaar neergezet, en iemand had de gordijnen opengedaan om de gelovigen een blik te gunnen. Maar de monnik en de wonderbaarlijke relikwie waren nog niet verschenen.

Dante maakte van de gelegenheid gebruik om de mensenmassa om hem heen beter te observeren. Er was een verschil met de keer daarvoor: het gerucht van het wonder moest als een lopend vuurtje zijn rondgegaan tot in de verste uithoeken van de stad. Nu werd het schip behalve door de volkse koppen en de grove grauwe plunje van het gepeupel ook verlevendigd met de bonte kleuren van de weelderige kledij van edellieden en vertegenwoordigers van de voornaamste gilden.

Kreupelen en zieken hadden al duwend een plekje achter het altaar veroverd. Hier en daar het donkere gewaad van een notaris en in een hoek, onrustig, de witte togen van twee dominicanen.

De dichter trok zich instinctief terug achter de pilaar: als zelfs de inquisitie in beweging gekomen was, wees dat erop dat het wonder verder reikte dan de muren van dat kleine klooster.

Op dat moment maakte de monnik Brandaan met langzame, statige schreden zijn intocht, gevolgd door twee mannen die de relikwiehouder moesten vervoeren. De procedure werd herhaald, maar ditmaal was de sfeer van wachten onder het publiek tastbaarder, zelfs koortsachtig. Bij de spanning van degene die het wonder al had bijgewoond kwam nu de ziekelijke nieuwsgierigheid van hem die er fantastische verhalen van gehoord had en de hoop op redding van allen die geloofden dat God werkelijk midden in de hel was afgedaald.

Intussen hadden de mannen het bovenlijf van de Maagd bevrijd en daarmee de lichtheid van haar waskleurige huid opnieuw aan de blikken van de menigte prijsgegeven. Even later, als op een teken van de monnik, gingen de oogleden van de Maagd langzaam omhoog en gaven eerst het wit van het hoornvlies en toen de blauwige flikkering van de pupillen te zien. Vol bewondering sloeg Dante de volmaaktheid van het mechanisme gade dat in dat hoofd schuil moest gaan om zo'n lieflijke en mensgelijke beweging tot stand te brengen. Als al-Jazari echt dat wonder had verwezenlijkt, was zijn faam wel op zijn plaats, en ook de veroordeling van zijn godslastering.

Maar er was iets nieuws aan het beeld, merkte hij verbouwereerd op. Iets waarachtig ongelooflijks. De liefelijke lijn van de borsten ging op en neer, alsof een verborgen blaasbalg tegen onzichtbare ribben aandrukte en de boezem oplichtte. De Maagd leek echt zwaar te ademen en zo het gevoel te geven dat de spanning en beklemming van de aanwezigen op een of andere manier op haar waren overgedragen.

'Al te lang wordt het heilige land Palestina vertrapt onder de voet der heidenen,' begon ze plechtig. 'Bent u soms doof voor het geween van die volkeren, die evenals ik hebben geboet voor hun trouw aan de enige ware God?'

Vervolgens ging ze met een blik de aanwezigen rond en wees met haar hand op de monnik die stil naast haar stond. 'En bent u doof voor de oproep van God zelf, die bij monde van vrome lieden als onze leider u vraagt het land van Zijn geboorte en Zijn martelaarschap te bevrijden?'

De monnik had het hoofd gebogen ten teken van instemming.

'Offer uw hart, uw zwaard, uw rijkdom aan deze onderneming! Spoed u onder de banieren van Christus! Eer het te laat is en uw ziel ter helle stort als straf voor uw lamlendigheid!' riep de relikwie nog, met een stem die nu brak van angst om die waarschuwing.

Dante overwon zijn eerste aandrift om te knielen en richtte zich op. Het was of er iets veranderd was in de doorschijnende wassen stevigheid van het sprekende bovenlijf, alsof de wangen levenskleuren hadden gekregen door de inspanning van het schreeuwen. Ook het bewegen van de boezem ging sneller, de ademhaling werd gedreven door een begin van aamborstigheid.

Op dat moment deed het meisje haar mond open. Dante zag haar boezem zich duidelijk uitzetten bij het ademhalen, vervolgens verhief haar hoge, heldere stem zich opnieuw in de kerk, schallend als een lied. De welluidende klanken van een psalm in het Latijn verspreidden zich door de lucht.

Dante was verdwaasd. Zijn eerste veronderstelling, dat het kon gaan om een mechanische kunstgreep, leek een misvatting. Zelfs de geniale al-Jazari had de authentieke vitaliteit die dat meisje uitstraalde niet kunnen nabootsen.

Zijn blik ging weer naar de kleine tafel waarop het bovenlijf rustte en naar de dunne voet in het midden, waarop het vlak stond. Het kon niet dat daar iemand, hoe tenger ook, achter schuilging. En de kast die de relikwie omhulde en de steun ervan waren onmiskenbaar leeg. Ongemerkt was zijn mond opengevallen van verbazing, net als die van de eerste de beste ongeletterde boer. De tijd van wonderen was dus nog niet voorbij, God verwaardigde Zich om het verwarde volk een teken van Zijn heerlijkheid te sturen. Hij voelde een onverwachte gloed zijn hart verwarmen. Rondom de prior was de menigte op de knieën gevallen en ook hij begon zijn benen te buigen.

De stem van de Maagd was opeens lieflijk en welluidend geworden. Even bewoog ze haar hoofd naar omhoog alsof ze inspiratie zocht tussen het dakgebint, of haar geest niet wilde bezoedelen door de aanblik van de opgewonden menigte.

‘Nog een dag en dan zal de werving beginnen in het teken van de Maagd!’ riep Brandaan uit. ‘Bereid uw hart voor op een lange reis naar het gebied van de ongelovigen. Maar heb vertrouwen, God is met ons! Op de weg naar Rome zal de pauselijke zegen op ons hoofd neerdalen, zoals de Geest neerdaalde op de apostelen bij de aanvang van hun handelingen. Vertrouw op de Maagd, o volk van Florence, teerbemind nageslacht van de triomferende Kerk!’

Naast hem leek het meisje met een traag wiegelen van haar hoofd in te stemmen, terwijl haar ogen niet aflieten om met hun bevroren blik de uitzinnige menigte af te gaan. Iets in haar leek echter de marteling van haar ongewone kwetsuur te benadrukken, als een schaduw die langzaam over haar trekken kwam en daarin onwaarneembare rimpels tekende. De vredigheid van zo-even maakte plaats voor een gekwelde uitdrukking, alsof die wederkeer in de woelingen des levens, na haar korte periode bij de engelen, haar vervulde van verdriet.

De monnik had die tekenen van menselijke vermoeidheid kennelijk ook opgemerkt. Hij trad naderbij en raakte liefdevol haar naakte schouder aan, alsof hij haar vermoeidheid wilde sussen. De relikwie leek de aanraking van zijn hand te voelen als een duidelijk signaal. Onmiddellijk viel ze stil, sloot haar ogen en mond en bracht langzaam haar armen weer voor haar borst, als om haar zachte boezem te beschermen in de slaap die haar wachtte.

Dante had het gevoel of er een flits door haar ogen was gegaan voordat haar oogleden zich sloten. Een licht van huiver. Meteen echter werd hij tot andere overpeinzingen gebracht door alles wat er gaande was. De menigte om hem heen leek de boodschap en het verwijt van de Maagd te hebben opgepikt en roerde zich in een vaag verlangen naar verlossing. Opgewonden door het vooruitzicht om hun ziel te redden en tegelijk het Heilige Graf, bewogen mannen en vrouwen door elkaar. Geschreeuw en geroep vermengden zich met oproepen tot actie, voornemens, aansporingen tot vertrek.

Intussen bleef de dichter nadenken, hardnekkig pogend een rationele verklaring te vinden voor wat hij had gezien. Maar hij kon er zich niet een verschaffen. Alleen een flauwe intuïtie, waar zijn denken zich aan vastklampte zonder ergens uit te komen. Hij bleef zich afvragen waarom de Maagd binnen de houten aedicula werd tentoongesteld in plaats van midden in het licht op het altaar. Kon er een andere verklaring zijn dan het simpele verlangen om de relikwie te beschermen en haar met een edele omlijsting te vereren?

In de kast was zeker geen plaats voor iets anders. Misschien moest hij zich gewonnen geven en de trots van zijn verstand intomen tegenover wat zijn zintuigen maar bleven bevestigen: het was mogelijk dat een vrouw kon overleven zonder de helft van haar organen, als God daartoe had besloten. Maar hoe hij zichzelf ook trachtte te overtuigen, hij kon zich niet aan het vermoeden onttrekken dat de aedicula niet louter voor de sier was, maar een middel om te voorkomen dat het wonder van opzij werd gadegeslagen.

Hij probeerde op te schuiven naar de hoek van de kerk om zijn vermoedens te verifiëren. Meteen echter staakte hij zijn gang: achter een van de zijpilaren van de kerk zag hij hoe twee mannen in de pij der dominicanen discreet aan het oog onttrokken het tafereel aandachtig volgden. Vooral een van de twee trof hem, met zijn broodmagere gestalte en zijn mond als de wond van een scheermes: Noffo Dei, het hoofd van de inquisitie in Florence, de schaduw van de pauselijke vertegenwoordiger in de stad, kardinaal d'Acquasparta.

Zijn oren vingen in het voorbijgaan een korte lach en enkele binnensmondse opmerkingen op van twee mannen voor hem, die naar hun kledij te oordelen rijke kooplieden waren. Het was of hij in wat een van hen had gezegd het woord 'Toulouse' had opgevangen. Hij spitste zijn oren, maar kon alleen nog maar een paar woorden onderscheiden, voordat de geluiden werden overstemd door het opgewonden gekakel van de menigte. Had iemand Brandaan in Toulouse gezien?

Hij keerde zich om in de hoop bekende gezichten in het oog te krijgen. Hij werd getroffen door Arrigo. Hij stond naast het altaarhek in zijn bekende gedesillusioneerde houding, alsof hij daar alleen gekomen was om beter te zien. Brandaan was intussen niet door de kleine deur weggelopen, zoals de keer daarvoor, maar achter de preekstoel blijven staan om de uitzinnige menigte te zegenen. Daarbij naderde hij langzaam tot het punt waar Arrigo stond, en toen hij vlakbij was, kreeg de dichter het scherpe gevoel dat de monnik, al bleef hij in de lucht zijn kruistekenen beschrijven, met de filosoof had gesproken.

Een paar haastig gewisselde woorden. Heimelijk. Met een snelheid die onderhand duivels was.

Hij kwam in de verleiding om er nog dichter naar toe te gaan, maar de twee besteedden alweer geen aandacht aan elkaar. Hij begaf zich naar de uitgang.

Bij de deur werd hij ingehaald door een man van de bargello. 'Mijnheer de prior, de persoon die u zocht zit in de Stinche.'

Dante kreeg een schok. Wat hadden die idioten gedaan? Hij had opdracht gegeven hem op te sporen om hem te verhoren, niet om hem naar die hel te slepen. Hij zwaaide de deur open, stoof naar de trap en liet de verblufte wachter voor wat-ie was.

Hij kwam bij de smalle, lage poort van de Stinche, die uitkeek op de zware blinde muur naast de San Simone. Bovenin hingen uit de kleine raampjes van de toren als versieringen van de paardenrace van Calendimaggio de touwen waarvan de bajesklanten hoopten dat een medelijdende ziel er een stuk brood aan zou binden. Op dat moment waren een paar gevangenen op de binnenplaats bezig pas gelooide lederhuiden te spoelen bij een waterbak waarvan het onwelriekende water vrij over de grond stroomde.

'Er is hier vandaag een man gebracht. Fabio dal Pozzo, een koopman. Waar is hij?' vroeg Dante ongerust, omdat hij de man niet onder de gevangenen herkende. 'Ik ben de prior van de stad.'

Er speelde een samenzweerderig lachje om de lippen van de wachter. 'Uw vriend is al beneden, bij de dienders. Bij de wipgalg.'

'Breng me meteen bij hem!' beval de dichter met een verstikte stem van woede. Iemand zou het bezuren voor die schandelijke behandeling waarvan hij zich ongewild de oorzaak voelde.

Beduusd door zijn onverwachte reactie begaf de man zich naar een houten trap die naar een vochtige gang leidde, schaars verlicht door een paar gaten bovenin die uitzagen op de binnenplaats. De benauwde lucht, verpest door de stank van uitwerpselen, sneed hem de adem af. Zijn duizeling overwinnend liep hij naar de kerkers waar de gevaarlijkste gevangenen zaten, totdat hij bij een ruimere cel kwam. Gedurende het korte traject was hij door een aanhoudende hartverscheurende kreet geleid.

Voor zijn ogen wankelde een halfnaakte Fabio dal Pozzo, dubbel geklapt van de pijn, zijn polsen op zijn rug gebonden door een touw dat omhoogliep tot aan een ring aan het gewelf, om dan weer af te zakken in de handen van een van de twee aanwezige scherprechters. De man gaf weer een krachtige ruk en ontlokte de gevangene opnieuw een wanhopige kreet, onder de voldane blik van de bargello, die tegen een pilaar met gekruiste armen het tafereel aanzag.

Om de pijn de baas te worden was de stakker nog meer naar de grond toe gebogen, tot hij met zijn voorhoofd haast de vloer raakte. Dante snelde op hem af en greep uit alle macht het touw om te voorkomen dat de diender hem nog zou verminken.

Toen hij iemand naast zich hoorde, richtte de man zijn gezwollen gelaat naar hem op. 'Ophouden... Ophouden... Ik zal praten...' stamelde hij met zijn laatste krachten.

De prior beduidde de diender het touw te vieren. Fabio viel op zijn knieën, zijn ogen vol tranen. Tijdens de marteling had hij tot bloedens toe op zijn lippen gebeten.

Dante bracht zijn hoofd bij zijn oor. 'Wat weet u van uw collegakoopman Rigo di Cola, en van wat hij heeft gedaan?' fluisterde hij, zodat de anderen het niet zouden horen.

De ander begon te beven en een uitdrukking van schrik verscheen op zijn verwrongen trekken. 'Niets... Ik zweer het u... Ik ken hem amper...' stamelde hij.

Dante kwam even in de verleiding om opnieuw een ruk te bevelen. Maar iets in de man zei hem dat hij de waarheid sprak. 'En van dat gebouw op het land van de Cavalcanti's? Dat is uw werk, nietwaar?' waagde hij.

Een verkramping in het lichaam van de man maakte duidelijk dat zijn eerste intuïtie juist was. 'Nee... de grote cirkel... daar hadden zij het over...' zei de stakker haastig. Hij leek blij dat hij eindelijk iets op te biechten had. 'Zij zijn het,' herhaalde hij.

'Waarom dat gebouw... en op die plaats? Voor welk doel?'

De gevangene werd bevangen door een tomeloos trillen. 'Dat weet ik niet... Ik hoorde dat ze het erover hadden, hij en de meester. Rigo moest hem helpen de opzet van een gebouw uit te voeren. Een cirkel, zo zeiden ze onderling. Hij was heel oud en niet meer in staat op de steigers te klimmen of de pasloden te spannen. Toen is hij vermoord, en ik wist niet wat ik moest beginnen. Vraagt u maar aan Rigo, hij weet alles. Ik hoopte dat iemand me zou opzoeken. En toen... dit...'

'Rigo is dood. Vermoord, net als de oude bouwmeester.'

Fabio's gezicht vertrok in een uitdrukking van schrik. 'Maar ik... ik weet niets! Ik heb in Venetië de opdracht gekregen om naar Florence te gaan en mijn intrek te nemen in logement De Engel. Daar zou iemand gebruikmaken van mijn werk. Ik heb steeds onder begeleiding gereisd.'

Dante keek hem aandachtig aan. 'Bent u geëscorteerd? Door wie?'

'Tot aan de grens op de Piave door Slavische huurlingen van de republiek Venetië. In het gebied van Padua moest ik me aansluiten bij een karavaan kooplieden die naar Florence zou gaan. En toen heb ik Rigo di Cola leren kennen. Maar het waren geen kooplieden, dat had ik zo door.'

'Weet u dat zeker?'

'Heel zeker. Al probeerden ze door te gaan voor leden van het gilde. Ze leken eerder op wapenlieden. En ook hun vracht... Op het oog balen wol, maar daaronder...'

'Wat hebt u gezien?'

'In het wad van de Reno onder Bologna maakte een van de muilezels een verkeerde beweging en kwam te vallen, waarbij de lading omkieperde. Het ging niet alleen om wol. Maar om ijzeren zwaarden en pijlpunten.'

'En waar zijn die zogenaamde kooplieden gebleven?'

'Weet ik niet. Bij de muren van Florence zijn we uiteengegaan. Alleen Rigo kwam met mij mee. Mijn instructies waren om in logement De Engel te gaan logeren, vervolgens moest ik een monnik opzoeken... Brandaan. En hem helpen.'

'Waarmee?' schreeuwde Dante met een stem waar verbazing in doorklonk.

'Weet ik niet. Dat zou ik ter plaatse te horen krijgen,' stamelde de ander, een kreun onderdrukkend. 'Ik moest medewerking verlenen...'

'Medewerking verlenen?' vroeg de prior weer, en hij dacht even na. 'Hebt u soms ervaring met werktuigkunde? Hebt u de truc met de Maagd opgezet?'

Fabio leek verwonderd. 'Nee... hoezo? Mijn kennis gaat een heel andere kant uit. Ik ben ook een man van de wetenschap, net als u,' vervolgde hij op eerbiedige toon. 'Ik ben wiskundige. Mijn specialisatie is de berekening van breukverhoudingen, volgens de onderzoeken van de grote Fibonacci.'

'Leonardo Fibonacci, de man die keizer Frederik het geheim van de Indische rekenkunst aanbood?'

'Die ja.' Fabio onderbrak zichzelf. In zijn stem klonk de angst door dat hij niet geloofd werd. Als een dolgeworden dier bewoog hij zijn hoofd op zoek naar iets wat zijn ondervrager tevreden kon stemmen. 'Slechts één keer liet hij iets los. Hij vertelde dat onze cirkel een schat zou verbergen.'

Peinzend wendde Dante zijn blik af. Als er echt een schat in Florence was verborgen, waren er dan ingewikkelde berekeningen nodig om hem terug te vinden? Hij nam de wiskundige dreigend op.

'Ja, zo zei hij dat!' herhaalde Fabio, bemoedigd door zijn aandacht. 'Een schat. Gebonden tussen feltro en feltro.'*

'Tussen feltro en feltro?' Dante plukte verbaasd aan zijn onderlip. De ander probeerde intussen zijn hoofd op te richten om in Dantes gezicht te ontdekken wat zijn lot zou zijn. Vervolgens was Dante weer bij de les. 'Wat weet u nog meer? U moet alles vertellen!'

* Een verwijzing naar een raadselachtige passage in de *Goddelijke Komedie* van Dante (De hel I, 105). Feltro is een stad in Noord-Italië. *Feltro* betekent ook vilt, wat hier bedoeld lijkt te zijn (n.v.d.v.).

'Meer niet, mijnheer, dat zweer ik u! Ik... ik heb alleen maar gestolen...'

'Wat?'

'Uit Brunetto's kamer... Toen ik zag dat hij vermoord was kon ik de verleiding niet weerstaan... Hij had prachtige instrumenten, een kompas en een massief gouden paslood... antiek.'

'Maar zijn papieren, de bouwplannen, waar zijn die?'

'Weet ik niet. Toen ik zijn slaapvertrek inliep, lag alles overhoop... en dan die gruwelijke aanblik... Maar behalve zijn instrumenten was er niets, dat zweer ik u!'

Dante was geneigd hem te geloven. De moordenaar had waardevolle voorwerpen laten liggen om papier mee te nemen. Maar misschien was dat papier nog wel meer waard. Een schat, tussen feltro en feltro.

'Maak die man los,' beval hij.

De bargello had verbaasd staan luisteren. Met een knikje beval hij zijn mannen de opdracht van de prior uit te voeren. Terwijl zij de stakker uit de touwen haalden, stapte hij op Dante af. 'Die schurk heeft anders wel diefstal bekend. Bovendien... lijkt hij van een schat af te weten...' siste hij met een flits van hebzucht in zijn ogen. 'Misschien is het beter om hem nog een paar halen met de wipgalg te geven, zodat hij helemaal zijn hart uitstort...'

Dante keek hem met bliksemende ogen aan, woedend om wat de overste van de wachters had opgevangen. Hij wist zeker dat hij totaal in het duister tastte, meer dan hij zelf. Maar het was hoe dan ook beter dat die hufter zo min mogelijk van de hele kwestie af wist.

Intussen was Fabio dal Pozzo uit de knopen bevrijd en op de grond ineengedoken. Het afgrijzen van dat tafereel ging in het gemoed van de dichter samen met droefenis om de rechtsgang, die toch het hoogste streven moest zijn van iedere mensengemeenschap en de eerste zorg van alle bestuurderen. Wat bewees een bekentenis die met het zwaard en het vuur was losgekregen, anders dan het duidelijke onvermogen van de ondervrager om bij de waarheid uit te komen via de logica van de rede en de onweerlegbaarheid van de feiten? Een levend wezen in die staat brengen, schuldig of niet, was enkel een nederlaag voor de persoon die het geweld had toegepast.

'Stel deze man weer in vrijheid,' beval de dichter. 'En u gaat terug naar het logement en komt daar vooral niet vandaan. U zult de kostbare voorwerpen die u gestolen hebt aan het toezicht van de dombouw schenken en alleen op mijn bevel het grondgebied van de stad verlaten. Maar eerst wil ik iets van u weten,' vervolgde hij, terwijl hij de man overeind hielp, die zich naar zijn voeten had gesleept en probeerde ze te kussen. Wankelend slaagde Fabio erin weer op te staan. Dante haalde uit zijn tas een gevouwen vel papier en een staafje houtskool. Hij vouwde het papier open op een tafel en reikte hem het staafje aan. 'Doe uw best, als u uw rechterhand nog kunt gebruiken. Ik wil dat u de tekening weergeeft van wat Rigo en Brunetto aan het bouwen waren.'

De wiskundige richtte zijn gezwollen ogen op het papier. Duidelijk met moeite wist hij het beeld scherp te stellen, toen begon hij met bevende hand lijnen te trekken die langzaam vorm aannamen.

Onder Dantes ogen verscheen een merkwaardig achthoekige cirkel, met evenzovele kleinere achthoeken bij de punten.

Avondklok

Dante richtte opnieuw het kompas en trok de negende cirkelomtrek. 'En vervolgens het Primum Mobile. Dat het hemelapparaat in beweging brengt,' mompelde hij bij zichzelf. 'Zoals ook de Griek zegt. En verder nog...'

Hij hield de tekening op tot vlak bij zijn gezicht. Het schema van de hemelsferen, de wonderbaarlijke constructie van Ptolemaeus, kwam in heel zijn geometrische volmaaktheid duidelijk naar voren. 'En verder nog...' herhaalde hij, op zijn onderlip bijtend. Hij voelde zijn gedachten vervagen, alsof de vermoeidheid van de dag hem opeens overviel. Hij spande zijn nekspieren en wreef krachtig in zijn ogen om de loomheid te boven te komen.

Het geluid van de deur die openging trok zijn aandacht. De overste van de wachters kwam omzichtig naar voren, glurend naar de schrijftafel.

'Hebt u mij laten roepen? Bent u evenwichtspunten aan het tekenen?' riep hij uit, wijzend op de reeks concentrische cirkels die de dichter had getrokken.

'Vereffeningspunten, bargello, vereffeningspunten. *Punctum aequans*, het geometrische midden van de orbitalen...' repliceerde de prior vol afkeer. 'Maar misschien valt de hemelmechanica ver buiten uw belangstelling. Ik heb een escorte nodig.'

'Waar naar toe?' De bargello nam de tijd. 'Het is laat, het wordt nacht,' vervolgde hij, zijn ogen opslaand naar de paarsige hemel waaraan de ster Venus al fel stond te schitteren. Toen, geschrokken door de blik van de dichter, dook hij weer in zijn schouders alsof hij beschutting zocht achter het halsstuk van zijn pantser. 'Ik moet het weten om een en ander te regelen.'

'Vannacht. We moeten een kerk binnen,' repliceerde Dante kortaf.

'Een kerk?' riep de man gealarmeerd uit. 'Ik heb niet het gezag om op een heilige plaats in te grijpen. Zelfs u hebt dat niet. Wat haalt u in uw hoofd?'

Dante slikte een bijtend antwoord in. Uiteindelijk was de onwil van de bargello niet ongegrond. Een inval op gewijd gebied kon de meest onvoorziene gevolgen ontketenen. En dit was niet het moment om de priesters opnieuw een staaltje van de instabiliteit van de stad te bieden.

'Misschien hebt u gelijk. Ik zal erover nadenken,' zei hij.

Het was beter om alleen te zijn, althans in het begin, vooral als de inquisitie zich, zoals hij had gezien, voor de kwestie begon te interesseren. Waarschijnlijk ging het hun alleen om het religieuze aspect van de zaak die zich afspeelde. Hij wilde meer weten, met name hoe het laatste werk van een vermoord man juist op tijd weer was opgedoken om als achtergrond te dienen voor een wonder. En of er een verband tussen die twee feiten bestond.

Want dat moest er natuurlijk zijn: er moet een verwikkeling zijn om de dingen die netjes van Gods hand komen met elkaar te verbinden.

Hij stopte een kaars in zijn tas, samen met de vuurslag. Toen ging hij de deur uit en liep de stallen van het klooster langs op zoek naar iets handigs voor wat hij in zijn hoofd had.

Hij rommelde tussen de werktuigen tot hij een van de lichters vond die door paardensmeden werden gebruikt om de versleten hoefijzers van de paardenhoeven te halen, en ging met gezwinde pas op weg.

De avondklok had al even geleden geluid toen hij bij de abdij aankwam. Inmiddels was het donker geworden en de vochtigheid van de nacht lag als een kleverig waas over alles heen. Geen enkel lichtje brandde in die uithoek van de wijk, ver van de hoofdstraat. Maar de volle maan verspreidde voldoende licht om je te kunnen oriënteren.

De abdij keek uit op een smalle weg waarlangs aan de overkant blinde tuinmuren liepen. Achter het gebouw verhief zich dreigend de omtrek van de huizen der Cavalcanti's met hun donkere massa. Niet een van de weinige ramen was verlicht, alsof ze na de dood van het hoofd van de familie en na Guido's verbanning compleet verlaten waren.

Dante liep op de monumentale deur af en probeerde hem met een duw uit. Het stevig eikenhouten oppervlak gaf geen duimbreed toe. Hij probeerde het opnieuw, ditmaal met heel zijn gewicht tegen de deur. Hij ging amper heen en weer. Er moest aan de andere kant een ijzeren balk zitten.

Hij verweet zichzelf zijn ongeduld. Hij had moeten weten dat het wonder door iets beters beschermd zou worden dan een simpele grendel. De buitenmuur leek een compact oppervlak, zonder steun tot aan de smalle ramen bovenin. Het was ondenkbaar dat hij naar het roosvenster boven de deur kon klimmen. Er was een list als van de grote Odysseus nodig om daar binnen te komen. Maar hoe hij ook in gedachten al zijn boeken afging, hij kon niets bruikbaars vinden.

Een houten paard, dat had hij moeten hebben, oftewel een weg om de verdediging te misleiden, zoals die welke Leonidas in Thermopylae had verloren en de val van Syracuse in Romeinse handen had veroorzaakt. Er moest nog een ingang zijn waar de oude monniken door konden zonder de grote deur te openen.

Hij liep langs de gevel en sloeg een nog smallere steeg aan zijn rechterhand in, langs de zijkant van het gebouw. Daar, halverwege de muur, ontdekte hij een deurtje omlijst door een rand van grijzig graniet. Waarschijnlijk was dat de oorspronkelijke ingang van het gebouw, voordat in later tijd het verlangen naar weelde ertoe had aangezet de nieuwe voorgevel te realiseren.

Ook die vergrendeling leek stevig, maar de deur verkeerde in slechtere staat dan de andere. Dante stak de punt van de lichter tussen de twee deurvleugels en wrikte fors. Met een droge klap hoorde hij de grendel breken, terwijl de deur meegaf.

Er leek niemand aanwezig te zijn in het schip. De rij pilaren verspreidde rondom een wirwar aan schaduwen in het maanlicht dat door de grote ramen viel. Stilletjes bewoog hij zich naar de apsis, waar de aedicula van het wonder prijkte tegen de achtergrond van de stenen wanden.

Hij verwijderde de geborduurde lap die eroverheen lag. Maar daaronder zat er nog een ijzeren keten omheen. Hij wilde hem al openbreken toen hij ongerust ophield. Het ongelooflijke schouwspel dat hij had bijgewoond stond nog op zijn netvlies gebrand. Hij voelde dat hij zich ging meten met het goddelijke, en wel alleen, zonder de steun van de menigte, op slinkse wijze.

Hij kon zich nu echter niet gewonnen geven. Er viel te veel te ontdekken.

Hij stortte zich op de ijzeren schakels van de keten, die onverwachts weerstand boden, een teken dat de kast geen simpele opbergplaats was, maar meer een stevige beveiliging. Eindelijk bezweek dan met een klap een van de schakels. De prior verwijderde snel de keten, overwon toen een laatste aarzeling en maakte resoluut het deurtje open.

De kast was vanbinnen helemaal leeg, afgezien van de kleine tafel met de middenvoet, waarover een doek lag. Dante gaf zich over aan een tegenstrijdig gevoel van opluchting en tegelijk misnoegen. De relikwie moest wel kostbaar zijn als ze niet zonder bewaking was achtergelaten, zelfs niet in een beschermde ruimte als deze.

Hij strekte zijn hand uit en lichtte de doek op. Eronder zat een rond gat waardoor de wanden van de kast te zien waren. In zijn gedachten rees weer de twijfel die hem in feite nooit verlaten had. Die opening in de tafel kon het ogenschijnlijke wonder wel verklaren: de rest van het lichaam ging door het gat onder de tafel schuil. Maar hoe kon het onzichtbaar blijven?

Hij liet de doek in de opening vallen en zag hem verdwijnen, alsof hij door een onzichtbare mond was ingeslikt.

Toch moest het daar zijn, daar voor hem, al was het dan onzichtbaar gemaakt door toverij. Misschien waren alleen zijn ogen betoverd, bedacht hij. Opeens bekroop hem een bijgelovige angst. Was de wereld van de schijn niet het domein van de duivelse macht? Verjaagd uit de lichtvolle werkelijkheid van de hemelsferen was Lucifer verbannen naar de laagste regionen van de vage visioenen. Hij stak zijn arm onder de tafel en stuitte op een onzichtbare hindernis. Er zat daar iets onder verborgen, bedacht hij met afgrijzen, terwijl hij zich onttrok aan wat zijn vingers hadden aangeraakt.

Met een ruk deinsde hij terug, bevreesd dat dat geheimzinnige wezen hem wilde grijpen.

Voor hem leek zich het wonder van Narcissus te voltrekken: vanuit de leegte kwam zijn gelaat hem als een verschijning tegemoet.

Hij bevoelde de koude buitenkant. Een spiegel. En aan de andere kant een tweede spiegel, waarmee hij een rechthoek vormde die aan de voorkant werd verborgen door de poot van de tafel.

Na enig nadenken kwam er een glimlach om zijn mond. Het was simpel, zoals alle grote oplichterijen. In die positie geplaatst vormden de spiegels een voor de blik onzichtbare nis waarbinnen plaats was voor het lichaam van een vrouw. Op de buitenkant gaven de spiegels aan de gelovigen niet het beeld van de onderkant van de kast weer, zoals iedereen had geloofd, maar dat van de zijwanden, die identiek waren.

Daarom werd de Maagd ter verering tentoongesteld binnen de kast: niet om de kostbaarheid ervan te beschermen, zoals het ceremonieel deed voorkomen, maar om de zijkanten van de tafel, die de truc zouden prijsgeven, aan het oog te onttrekken.

Zijn glimlach was nu veranderd in een onbedaarlijke lachbui. Hoe hij zich ook trachtte te beheersen, hij had zijn ogen vol tranen. Arrigo's edele gelaat kwam weer in zijn gedachten: ook hij was als de grootste boer uit de omtrek door die gladakker van een Brandaan beetgenomen.

Op dat moment was het of hij een geluid hoorde. Hij keek naar de deur van de sacristie, die openging. Een schim kwam binnen en sloop stilletjes de kerk in.

De nieuwkomer leek zijn aanwezigheid niet gemerkt te hebben. Dante dook verder ineen achter de aedicula, maar de ander was vastberaden naar hem op weg. Door de deur kwam wat licht: misschien was er nog iemand, bedacht de dichter ongerust.

Hij besloot de verrassing uit te buiten. Krachtig de lichter omklemmend die hij gebruikt had om de ingang te forceren sprong hij tevoorschijn en posteerde zich voor de man. 'Stop en geen kik of ik sla je kop tot moes!'

De onbekende schrok kreunend op. Hij greep de kap van zijn schouders en trok hem over zijn hoofd, terwijl hij met de andere hand probeerde zijn gezicht te verbergen. Dante wierp zich op hem en ontblootte het. In de schim zag hij even het gezicht van de monnik Brandaan opflitsen, voordat het onder zijn ogen begon te vervormen.

Verbluft besefte hij dat hij zomaar het edele voorhoofd van de man had weggerukt, een haarstukje van beschilderd perkament. Zonder die gevangenis was er opeens een massa haar over zijn voorhoofd gevallen, dat smal en wijkend was als dat van de eerste de beste boerenpummel.

Ook Brandaan leek van slag, maar op zijn gelaat was een ongelooflijk schouwspel begonnen, zoals de dichter alleen maar kende uit Ovidius' *Metamorphosen*. Over zijn gezicht gleed achter elkaar een reeks maskers, alsof zijn ziel het schouwtoneel was van een demonenstrijd en verschillende wezens zich van hem meester probeerden te maken. Een verbaasde reiziger, een vrome oude heremiet, een norse abt, een vermogende koopman trokken in ijltempo aan Dantes ogen voorbij. Het leek of Brandaan, nu het statige dat hij iedereen liet zien van de baan was, wanhopig naar de meest geschikte identiteit zocht om dit onverwachte moment te trotseren.

Intussen was hij achteruitgeweken naar de deur van de sacristie. Dante maakte een sprong opzij en sneed hem de vluchtweg af. Misnoegd keek de monnik om zich heen op zoek naar een alternatief, hij week opnieuw achteruit, tot bijna achter het altaar, en schopte toen in een onverwacht gebaar een van de hoge ijzeren toortshouders om om Dante te raken, die de klap echter ontweek en op zijn beurt met de lichter een van de benen van de monnik probeerde te bereiken. Intussen hield hij vanuit zijn ooghoek de deur in de gaten, omdat hij bang was dat er nog meer tegenstanders zouden opduiken. In het halfduister was het of hij een tweede schim ontwaarde die om het hoekje keek. Op slag richtte hij zich op en keek die kant uit. Brandaan was intussen achteruitgedoken.

In de deuropening was, beschenen door een manestraal, de gedaante van een vrouw verschenen. Dante zag duidelijk haar lange loshangende haar op haar schouders, zo wit als een massa ijs op een bergkam.

Intussen was Brandaan achter het altaar gerend in plaats van naar de sacristie te vluchten. Daar had hij geen vluchtweg, bedacht de prior, die op zijn beurt dichterbij kwam, erop gespitst om hem iedere kans om naar het zijdeurtje te glippen te ontnemen.

De monnik had zich echter verstopt. Dante dacht dat hij achter het altaar was gedoken, maar toen hij eveneens achter de grote stenen kubus stond, ontdekte hij tot zijn verbazing dat Brandaan was verdwenen. Om hem heen weergalmde nog de echo van haastige voetstappen, waarvan hij de herkomst niet traceren kon.

Onthutst keek Dante om zich heen om een verklaring te vinden, hij wist zeker dat de monnik niet via de enige zichtbare weg was verdwenen, namelijk de deur opzij van het altaar. Op de achtergrond van de apsis stond een smalle steiger die bijna tot de ramen bovenin reikte. Twee waren er al gesloten met veelkleurige ruiten, terwijl het derde nog zonder zat. Die schoft moest daar omhooggeklauterd zijn om via het dak een uitweg te vinden.

Met een seconde vertraging reageerde hij op die onverwachte zet en wierp zich op zijn beurt op de steiger. Brandaan probeerde te vluchten via de daken in plaats van over de straten van Florence, waar hij door een patrouille kon worden gezien.

De steiger, gemaakt van met kabeltouwen bevestigde palen, bewoog heftig heen en weer onder het gewicht van de schim die aan de apsiszijde snel naar boven klom. De laatste planken van de verdieping bovenin kwamen uit in de opening van een van de hoge ramen van het schip, die toegang gaf tot het dak. Dante snelde naar de overzijde om hem de pas af te snijden en begon op zijn beurt gejaagd te klimmen. Daarboven, naar het spant toe, werd elk geluid versterkt door de echo en het leek hem of hij omgeven werd door rennende lichamen, al zag hij niemand.

Hij bleef in het donker speuren op zoek naar zijn tegenstander. Op dat moment wiegelde de steiger opnieuw en dreigde te kapseizen. Dante vervloekte de nonchalance waarmee het ding was neergezet en greep zich uit alle macht vast aan een touw. Daarop bereikte hij met een laatste krachtsinspanning het hoogste punt. Hij snelde over de planken om bij de man te komen en hem te grijpen voordat hij in de diepte viel. Hij zag hem niet, maar wist dat hij daar moest zijn, aangezien de ramen, anders dan het van onderaf had geleken, ver van het uiteinde van de steiger verwijderd waren, alleen met een bovenmenselijke sprong zou Brandaan het dichtstbijzijnde kunnen bereiken.

Het was of hij een vage schim ontwaarde en hij bleef staan, zich vastgrijpend aan de bovenkant van een van de palen. Opeens voelde hij alle vermoeidheid van het moment over zich heen komen. Tot op dat moment had hij de nerveuze spanning aangekund, maar nu voelde hij zijn adem afgesneden worden in een aamborstig hijgen, en zijn knieën knikten. De paal bleef schommelen en door een plotselinge duizeligheid moest hij zijn ogen dichtdoen, terwijl er in zijn hoofd een vonkenregen losbarstte. Hij voelde zich verloren: als hij al niet viel, zou het mes van de onbekende hem wel afmaken.

Langzaam voelde hij zijn adem regelmatiger worden. Ook zijn krachten keerden beetje bij beetje terug. De monnik moest aan het uiteinde van het plankwerk verborgen zijn, gereed om zich teweer te stellen, als hij zich in een uitval blootgaf. Natuurlijk, zo zat het. Hij wilde dat hij zich blootgaf, vertrouwend op zijn grotere ervaring. Pas toen besefte de prior dat hij in het vuur van de achtervolging zijn ijzeren lichter op de grond had laten liggen. Moeizaam trok hij zijn dolk uit de verborgen binnenzak van zijn kleed en zwaaide ermee voor zich uit als een rekruut op zijn eerste dag op het Marsveld. 'Gooi je zwaard weg of je bent verloren!' schreeuwde hij.

De ander bleef roerloos. Plotseling hoorde de dichter een stem.

'Messere, spaar die man, alstublieft.'

Dante schrok op. Achter hem had als van ver een melodieuze stem geklonken die hij eerder had gehoord. De stem van de Maagd van Antiochië. Met een ruk draaide hij zich om, zijn hart klopte in zijn keel van de spanning. Maar er was niemand die hem smeekte.

Met een woedende siddering besefte hij dat hij erin getuind was en dat de buiksprekende monnik hem had beetgenomen. Een schim liep door zijn blikveld en een hevige klap in zijn nek maaide hem neer. Er flitste iets in zijn hoofd alsof hij door de bliksem getroffen was, terwijl hij wederom duizelig werd.

Met zijn oogleden gesloten liet hij een paar seconden voorbijgaan eer hij zijn onpasselijkheid te boven was. Toen hij zijn ogen weer opendeed, was de monnik weg.

Daarop kwam hij met inspanning van al zijn krachten weer overeind en keek woedend om zich heen. Zijn tegenstander was als bij toverslag verdwenen. Hij moest door het raam gevlucht zijn, maar hoe had hij hem dat gelapt? De opening in de muur schitterde op verschillende armlengten bij hem vandaan in de maneschijn. Het bestond niet dat iemand zo'n sprong had gemaakt. Even bekroop hem weer de gedachte dat Brandaan een duivel was.

En als het nu allemaal zinsbegoocheling was geweest? Wat had hij nu helemaal gezien? Op geen enkel moment kon hij er zeker van zijn dat hij echt het silhouet van de monnik op de steiger had waargenomen. Hij was naar boven toe gegaan, geleid door vage geluiden en echo's en vooral door zijn verstand, dat het beeld van de man had opgeroepen. Stel dat Brandaan nooit daar naar boven was geklommen en hem op mysterieuze wijze, met een onbeschaamde truc zoals die met de Maagd, had beetgenomen?

Voorzichtig begon hij aan de afdaling. Op de grond gekomen snelde hij naar de deur en liep de sacristie binnen, maar ook die was uitgestorven. Aan de ene kant van het vertrek bevond zich een stenen trap in de muur die zou leiden naar de vroegere cellen van de monniken. Hij sprong de treden op, vanwaar een schijnsel leek te komen. Er moest een fakkel of een brandende kaars op de bovenverdieping zijn.

Hij ging de gang af en wierp een snelle blik in elk van de lege cellen, toen waagde hij zich in de laatste, met zijn dolk nog in de hand.

De cel was niet verlaten. Tegen de achterwand aan stond de vrouw die hij in de kerk had gezien roerloos naar hem te staren, handenwringend en met een flits van angst in haar ogen. Ze ademde zwaar, alsof ze lucht tekortkwam.

Dante bleef op de drempel staan, zelf ook hijgend door de strijd. Hij liet het wapen zakken, onthutst door het wezen dat tegenover hem stond. Ze was net zo lang als hij, van een diepe bleekheid die door twee grote blauwe ogen werd verlicht.

Dat gezicht was hetzelfde als dat wat in de kerk was verschenen, bedekt door een glanzende laag blanketsel om de was na te bootsen. Hij hief zijn hand naar haar op om met zijn vingers haar wangen te beroeren. Ze droeg geen masker.

Haar slanke lichaam werd tot aan haar middel bedekt door een vloed van wit haar dat in eerste instantie de indruk van hoge ouderdom wekte. Maar het ging opnieuw om een zinsbegoocheling. Het was golvend en glanzend, een stroom van sneeuw als van een jonge engel. Er was iets onnatuurlijks aan die schoonheid, voelde de dichter, iets wat de ziel kon betreden en haar kon binden met de banden van een sluipend gif. Hij ervoer hetzelfde onbehagen als zich van hem meester had gemaakt toen hij voor het eerst het valse wonder had bijgewoond.

De vrouw was onaangedaan gebleven. Alleen in haar verwijde ogen viel de schrik te lezen die haar nog steeds beheerste. Een paar keer deed ze haar mond open en dicht, alsof ze iets wilde zeggen.

Dante keek om zich heen. Talloze vragen stegen naar zijn lippen nu de kern van de trucage in zijn handen was. Maar hij zou tijd en een geschiktere plaats nodig hebben om haar te ondervragen. Intussen zocht hij rondom naar iets om haar mee vast te binden, voordat ze zou verdwijnen, zoals die monnik. De vrouw leek echter niet te willen vluchten.

'Waar kom je vandaan?' vroeg hij, diep ademhalend om zijn hijgen te bedaren. Zij schudde haar hoofd. 'Hoe heet je?' Opnieuw bewoog de vrouw haar hoofd, ditmaal met een hand aan haar keel. 'Wil je het me niet vertellen? Toch zul je moeten.'

Zij deed haar mond wijdopen zonder dat er een gearticuleerd geluid uit kwam. Alleen een gekreun, terwijl ze opnieuw haar hoofd schudde. Toen greep ze opeens de pols van de dichter en begon met haar vingers in zijn handpalm te trommelen.

Na een moment van verbazing meende Dante het te begrijpen. Hij wist van een manier waarop mensen zonder stem door gebaren met elkaar communiceerden. Een code die was bedacht door de zigeuners, die die stakkers vaak gastvrijheid boden in hun familie om ze uit te buiten als bedelaars.

'Ben je... ben je stom?' fluisterde hij ontsteld. 'Maar hoe...'

Toch had hij haar ongelooflijke gezang gehoord tijdens de tentoonstelling aan het volk. Tenzij ook dat bij een truc hoorde. Net als de smeekbede die hij op de steiger had menen te horen. Een buikspreker, dat kon de verklaring zijn.

Vriendelijk trok hij zijn hand terug uit haar greep. Hij had een idee gekregen. 'Bedek je gezicht en kom mee,' beval hij.

Hij begaf zich naar de deur. Na een korte aarzeling volgde de vrouw hem. Nu was de aanvankelijke angst van haar gezicht verdwenen en vervangen door de ontreddering van een dier in de val. Met bevende handen wikkelde ze de sluier die ze over haar schouders droeg om haar hoofd, toen reikte ze hem onverwachts de hand om zich door hem te laten leiden.

Dante keek behoedzaam uit over straat om er zeker van te zijn dat niemand hen kon herkennen. Buiten was de stad in het duister gehuld. Maar de maan verspreidde hoog aan de hemel voldoende licht om hun voetstappen te leiden, al was het heiig door het broeierige vocht dat opsteeg van de oever van de Arno.

De plek waar ze heen gingen lag niet dichtbij. Ze moesten de muren passeren, op de weg voorbij de weiden van de Santa Maria Novella. Op dat uur waren de poorten gesloten, maar de wacht zou niet veel problemen maken, vooral niet als er wat geld tegenover stond.

Dante keerde zich naar de vrouw om haar krachten te meten. Ze was slank van postuur, had flinke spieren en zou de lange wandeling wel aankunnen. Toen moest hij denken aan een kar die soms gebruikt werd door de bargello en die veilig in de paardenstallen van de San Piero stond.

Hij beduidde haar hem te volgen en ging op weg naar het Priorpaleis. Hij sloeg rechtsaf een zijstraatje in, in de richting van de rivier. Voor hen uit, in de verte, waren geleidelijk de fakkels van de Ponte Vecchio te zien. Op een driesprong was het of hij haastig schimmen zag wegduiken langs de muren van het palazzo aan de overkant. Niemand leek zich echter druk om hen te maken. Hij was uitgeput, zijn kleren waren nat van ongezond zweet. Ze moesten nog een laatste stuk tot aan de poort van de San Piero.

Voor het klooster stonden tegen de zuilen van de ingang twee mannen van de bargello te dommelen. Op het geluid van de voetstappen schrokken ze wakker en kwamen gealarmeerd naar voren, hun lansen op hen gericht.

'Ik ben de prior van de stad,' sprak Dante kortaf, terwijl hij zich liet zien bij de fakkel van een van de twee. 'Ga opzij!'

Na een moment van twijfel maakten de mannen plaats. De dichter ving duidelijk de ironische blik waarmee ze de vrouw opnamen die achter hem aan kwam. Maar ze leken niet al te verbaasd, hetgeen weer bevestigde hoezeer de gewoonte om 's nachts vrouwen het Priorpaleis binnen te smokkelen was ingeburgerd.

Toen ze de kloosterhof overgestoken waren, begaf hij zich naar een zuilenboog aan de zijkant. Daarbinnen stond, zoals hij zich herinnerde, het tweewielig karretje, met vlakbij een paard. Hij schudde het dier wakker, dat zich zonder veel protest liet inspannen.

Ze hervatten de tocht, wederom onder de verbaasde, ironische blikken van de mannen van de bargello. Roerloos zat de vrouw naast hem op de bok. Een nieuwe pijnscheut schoot door zijn nek. Door de spanning en de nachtelijke vermoeienissen had zijn oude vijand de klauwen weer uitgeslagen. De inspanningen van de strijd en wat daarop was gevolgd waren met een klap bovenop hem gevallen. Hij reed naar de muren en hoopte ze probleemloos te kunnen passeren.

Even later stopte de kar naast de poort van Het Paradijs, het domein van monna Lagia. De oude Romeinse villa, vroeger midden op het platteland, stond nu bijna tussen nieuwe gebouwen. De roodachtige massa van de derde ringmuur waarvan de bouw verwoed doorging, was nu vlakbij.

Eenmaal de toegangspoort door was de sfeer echter even roerloos als altijd, enkel doorbroken door het gelach dat nu en dan uit de slaapkamers op de eerste verdieping klonk. Toen hij zeker wist dat zijn gesluierde gezellin volstrekt onherkenbaar was, liep Dante de binnenplaats op en begaf zich naar het impluvium, dat veranderd was in een drinkbak voor de paarden van de klanten. Het oude mozaïek op de vloer, een schip met dolfijnen eromheen, takelde onder de hoeven van de dieren steeds verder af in een eindeloze schipbreuk. Nu dook de schim van de oude patronen her en der op tussen verzakkingen en afgesleten punten waar ongecontroleerd onkruid groeide.

Ze hadden bijna de trap aan de andere kant bereikt toen een spottende stem zijn oren teisterde. 'Ach, mijnheer de prior! Komt u nu vrouwen brengen in plaats van opzoeken? Hebt u niet genoeg meer aan de kleine Pietra?'

Met een ruk draaide Dante zich om. Onder de zuilenboog was een vrouw verschenen met een onbeschaamde blik, gekleed in felle kleuren.

'Lagia, ik ben hier om andere redenen. Er moet een vrouw bij jou zijn die niet kan praten, als ik me goed herinner. Een meisje dat de gebarentaal kent. Ook haar hier...' vervolgde hij wijzend op de stille gesluierde vrouw, 'is de spraak ontzegd. Ik heb hulp nodig om met haar te kunnen praten. En gezien haar adellijke afkomst wil ik dat dat met de grootste discretie gebeurt.'

'En waarom komt u er dan zo mee aan alsof ze melaats is?' wierp Lagia argwanend tegen, terwijl ze een stap achteruit deed.

'Geen ziekte. Doe wat ik je vraag, en snel een beetje.'

De vrouw liet een moment voorbijgaan. 'Pietra!' gilde ze toen in de richting van de kamers van de vrouwen. 'U bent ook wel een goeie klant,' vervolgde ze met een halve glimlach.

Op de galerij verscheen een vrouw. Toen ze Dante herkende trok ze een grimas.

'Zoek de sprakeloze, en kom bij ons in mijn kamer,' beval Lagia. Het meisje knikte en verdween weer. 'Volg mij maar, u... en de edelvrouw,' zei ze toen tegen Dante, hem een ironische blik toewerpend. 'U verschijnt altijd 's nachts, mijnheer de prior. Uw vrouw Gemma zal niet veel van de geneugten van het huwelijksbed genieten, al hebt u haar dan kinderen geschonken. Maar in mijn Paradijs zijn de bedden zachter dan in de huizen van Florence, naar iedereen zegt.'

'Hou je mond, vrouw,' siste de dichter met een donker gezicht.

De ander barstte in lachen uit en sloeg op haar dijen. 'Het schijnt dat u liefdesverzen hebt geschreven voor zo'n zestig schoonheden, behalve voor haar,' ging ze op haar schaamteloze toon verder. Toen richtte ze haar wijsvinger op hem. 'Mensen als u konden maar beter niet trouwen als ze de vogel niet in de kooi kunnen houden,' vervolgde ze, haastig terugdeinzend voor de prior, die dreigend een stap in haar richting had gezet.

Op dat moment dook Pietra achter het gordijn op. Achter haar aan liep een meisje met een bange blik, zo bleek alsof ze nooit de beslotenheid van het bordeel verlaten had. Toen ze naast Dante kwam staan vermeed ze het demonstratief zijn kant uit te kijken en wendde zich tot Lagia. 'Dit is Martina, de sprakeloze.'

De bordeelhoudster hief afwachtend haar kin naar de prior.

'Zeg haar dat ze de vrouw moet vragen wie ze is en waarom ze naar Florence is gekomen,' begon hij.

De vrouw herhaalde de vraag voor het bleke meisje dat tegenover haar stond en sprak de woorden zorgvuldig uit. Het meisje moest in staat zijn iets uit haar lipbewegingen af te leiden, want ze maakte een instemmend gebaar. Toen pakte ze de hand van het gesluierde meisje, maakte de palm ervan open en begon met haar vingertoppen in een raadselachtig ritme te trommelen.

Dante keek toe, getroffen door het tafereel. Intussen echter verwijlden zijn gedachten bij een massa overeenkomsten. Hij voelde een gevoel van verlegenheid opkomen, alsof hij een geheime vrouwelijkheid aan het begluren was die geleidelijk aan ontsluierd werd door dat merkwaardige onderhoud. Misschien dezelfde verlegenheid van Paris, bedacht hij, toen die geroepen was om de strijd tussen de godinnen te beslechten. Ditmaal echter was de uitgeloofde prijs het antwoord op een raadsel.

Ook Pietra leek aandachtig, maar vanuit zijn ooghoek zag de dichter dat haar blik, die ogenschijnlijk strak naar voren gericht was, in het rond dwaalde en vaak bij hem stilstond.

De gesluierde vrouw was op haar beurt begonnen de hand van de ander te beroeren, eveneens met onbegrijpelijke gebaren. Uiteindelijk hield de jonge prostituee stil en keek Pietra aan, terwijl ze een reeks verstikte kreungeluiden uitbracht.

'Wat zegt ze?' riep Dante ongeduldig uit.

Pietra trok een misprijzend gezichtje. 'Uw vriendin lijkt niet veel bijzonders, mijnheer de prior. De nicht van een monnik, als ik het goed begrepen heb. Ze heet Amara. Een Française, uit Toulouse.'

'Heeft je vriendin gevraagd waarom ze hier gekomen zijn?'

Pietra aarzelde. 'Martina weet niet zeker of ze het goed begrepen heeft. Volgens haar heeft ze gezegd: vanwege de droom van de keizer. Of nee, de *ultieme* droom.'

Lagia kwam gealarmeerd tussenbeide. 'Keizer? Wat hebben de keizerlijken ermee te maken? Wie hebt u in mijn huis gebracht?'

Zonder acht op haar te slaan staarde de prior voor zich uit, verdiept in wat hij zojuist had gehoord. 'Vraag haar naar de spiegels,' zei hij toen tegen Pietra. Het meisje vertaalde na een moment van verbazing de vraag in hun primitieve taal, die het bleke meisje haastig herformuleerde tegenover de sprakeloze. Opnieuw woonde Dante dat merkwaardige vingerballet bij.

'Ze zegt dat iemand hun op straat in Venetië die toverij heeft geleerd,' meldde Pietra, nadat ze weer de vreemde gromgeluiden ten antwoord van haar vriendin had aangehoord. Maar haar gezicht stond aarzelend.

Naast hem leek Lagia steeds ongeruster. 'Toverij?' riep ze uit, terwijl ze een kruis sloeg. Met een dwingend gebaar legde Dante haar het zwijgen op, vervolgens kreunde Martina weer wat tegen Pietra.

'Wat zei ze nog?' drong de dichter aan.

'Niets,' antwoordde het meisje, haar oogleden half luikend ten teken van vermoeidheid. Maar door een smalle kier bleven haar diepgroene ogen hem strak aankijken. 'Verder niets. Ze spreekt een vreemde taal, niet alles is duidelijk,' kapte ze het af.

Hij haalde zijn schouders op. Hij dacht even na, pakte toen de sprakeloze bij de hand en liep naar de uitgang. Achter zijn rug hoorde hij het gefluister van de andere vrouwen, dat verstomde toen ze de zuilenboog weer overstaken.

De vrouw leek uitgeput. Ze probeerde zich op de kar te hijsen door de rand beet te pakken, maar viel wankelend terug. Dante greep haar vanachter bij haar heupen vast en hield haar overeind, toen tilde hij haar op de bok. Even drukte de lieflijke zachtheid van haar rug tegen zijn lippen, terwijl een subtiele geur zijn neusgaten binnendrong. Een siddering haalde hem uit zijn gedachten.

Eenmaal op haar plek was Amara tegen de kleine rugleuning aan gaan zitten. Haar sluier was afgezakt en gaf haar albasten gelaat te zien, dat in het maanlicht nog bleker leek. Haar naar achteren gevlijde lichaam scheen met een onvermoede volheid door de lichte stof van haar kleed heen. Dante werd geboeid door de welving van haar dijen, de lange nerveuze benen, de halfgesloten mond waarin wat speeksel flauw oplichtte in een mondhoek.

Met een ruk trok Dante de hand terug die omhooggegaan was naar de vrouw. Kon een lichaamsbeeld zomaar een geordende geest ontwrichten? En hoe sterk was de buitengewone kracht van Eros, als alleen al de gedachte aan zijn geneugten voldoende was om iedere andere gedachte te overstemmen?

Verstoord wilde hij de zweep laten knallen, toen hij een geschuifel van haastige voetstappen naast de kar hoorde. Pietra rende stilletjes naar hen toe, daarbij achteromkijkend alsof ze bang was om gezien te worden.

Krachtig hield hij de teugels in en zette het juist in beweging gekomen dier stil.

De jonge vrouw had intussen de rand van de kar beetgepakt alsof ze hem tegen wilde houden, en keek naar de sprakeloze, die zich weer bedekt had met de sluier. Toen, na een laatste blik achterom, sprak ze de dichter aan. 'Kijk uit voor die vrouw,' fluisterde ze hem voorover-buigend in het oor.

Dante werd de scherpe geur van haar adem gewaar. Maar tegelijk was het alsof hij bij die gewaarwording iets van genegenheid opving, alsof de vijandigheid van het meisje even was geluwd.

'Pietra...' begon hij. Maar zij onderbrak hem met een kortaf gebaar, waarna ze haar hoofd terugtrok. Haar stem was weer snijdend geworden. 'Kijk uit,' herhaalde ze. 'Ze is niet wat ze lijkt.'

'Wat bedoel je?'

De prostituee wierp een vijandige blik op de sprakeloze, die roerloos met haar hoofd tegen de rugleuning van haar zitplaats bleef leunen. Toen barstte ze onverwachts in een schelle lach uit, vol van dat platte sarcasme dat de dichter zo goed kende. 'Je komt er wel achter, o, en of je erachter komt!' riep ze uit, terwijl ze zich losmaakte van de kar en terugliep naar de ingang van het bordeel alsof ze spijt had dat ze was gekomen.

Dante wist niet wat hij moest beginnen. Naast hem, op de kar, leek zijn gezellin langzaam bij te komen; van tijd tot tijd wierp ze een blik op hem door de sluier die ze weer voor haar gezicht had gedaan.

Haar terugrijden naar het Priorpaleis was onmogelijk. Hij kwam bijna in de verleiding om te keren en terug te gaan naar het bordeel, om monna Lagia te vragen haar voor een tijdje onderdak te verlenen. Maar dat zou hetzelfde zijn als haar bestaan in een mum van tijd openbaar maken. Hij wilde eerst uitzoeken wat er schuilging achter die wondertruc en hoe die verband hield met de geheimzinnige doden.

Misschien was het het beste om terug te gaan naar de abdij. Daar zou de vrouw zich weer kunnen verstoppen, en hij zou de kans krijgen om de monnik in het nauw te drijven, zodra die van zich liet horen.

Door de ingang die hij de eerste keer had geforceerd ging hij de kerk binnen met de vrouw aan de hand. Tussen zijn vingers waren de hare langzaam opgewarmd. Nu beantwoordden ze zijn greep niet meer met de angst van een gevangene, maar bijna met de warme overgave van een verliefde vrouw.

Hij leidde haar langs de rij pilaren naar de deur achter het altaar. Na een paar passen bleef hij echter staan en duwde haar achter een van de pilaren, terwijl hij zelf ineendook in de schaduw. Vóór hen dwaalde een man rond in het schip alsof hij iets zocht. Zijn hand vloog naar zijn dolk, omdat hij dacht dat Brandaan wel terug kon zijn, terwijl de schim dichterbij kwam.

Hij bereidde zich voor op de aanval, zijn spieren gereed voor de actie, maar even voor hij tevoorschijn wou springen, bescheen de manestraal de lompe gestalte van de onbekende.

'Cecco!' riep Dante toen hij de Siënees herkende. 'Wat doe jij hier?'

De ander schrok en stond op slag stil. Maar meteen was hij zichzelf weer meester, zijn verlegenheid werd algauw uitgewist door een spottend lachje. Hij hief zijn hoofd en blikte demonstratief in het rond.

'Naar verluidt gebeuren hier wonderen. Ik wilde dat wel eens zien. Ach, jullie Florentijnen boffen toch maar. God komt regelrecht op jullie pagina's schrijven. Ik weet zeker dat het, als het op een dag stront uit de hemel regende, hier naar viooltjes zou ruiken.'

Een rood waas trok voor 's dichters ogen. Hij greep de ander bij de kraag van zijn wambuis en rammelde hem stevig door elkaar. 'Cecco, kom je hier samen met die schurk van een Brandaan even mijn stad besodemieteren? Jij bent ook altijd van de partij, als het om vals spelen gaat!'

Cecco pakte zachtjes zijn vingers en maakte sierlijk de greep ervan los. 'Ik zweer je dat ik hier ben om de geur van het wonder in te ademen en mijn ziel voor te bereiden op de loutering in de Sint-Pieter, wanneer ik erheen ga.'

'Wat doe je hier?' herhaalde de dichter ziedend.

Cecco's masker van opgewektheid begon barstjes te vertonen. Zijn ogen schoten van hem naar de vrouw, alsof hij zijn houding niet wist te bepalen. 'Niks... Ik probeerde...' hakkelde hij verlegen. Hij hield zijn ogen neergeslagen. Vervolgens keek hij op naar de sprakeloze. 'Je hebt dus alles ontdekt,' mompelde hij, zijn hoofd met een uitdagend gezicht intrekkend. Een paar seconden lang hing er een ijzige stilte. 'En?' begon Cecco weer. 'Je gaat toch niet heulen met het klootjesvolk van deze rotstad om op een armzalige zetel de kliek van kooplui en beurzensnijders te vertegenwoordigen! Bovendien heb ik heel mijn bezit opgemaakt en is in Siena mijn partij in conflict met zijn vijanden. En het is lastig vechten als je schild vrouwe Armoede heet. Ik ben niet een van die idioten die al huppelend de lof zingen van die sukkel uit Assisi,' besloot hij met een flits van de bekende vrolijkheid.

'Cecco, vannacht slaap je in de Stinche.'

De Siënees verbleekte. Maar dat was maar even, toen hernam hij meteen zijn ongedwongen houding. 'Kom op, Dante, dat wil je je oude wapenbroeder toch niet aandoen? Weet je niet meer hoe ik je rugdekking gaf in de vlakte van Campaldino?'

'In de vlakte van Campaldino heb ik je rug gezien, die voor alle andere uit rende!'

'Dus jij was vlak bij me!'

Dante schudde onpasselijk zijn hoofd. 'Met wie zit je in deze onderneming?'

'Het zijn er heel wat in Italië, startklaar om de priesters beet te nemen,' lachte de ander. 'En meer nog als er hoop op winst is. Sluit je bij ons aan, beste vriend. Ik weet dat jouw financiën er ook niet florissant voor staan. We kunnen een klein fortuin maken uit de goedgelovigheid van de boeren hier.'

Er viel een korte stilte. Cecco maakte er gebruik van om de dichter aan te stoten. 'Laat ze de tering krijgen, die Florentijnen! Wat heb jij met die mannetjes om je heen te schaften, behalve dan dat je hier geboren bent? En zouden een paar florijnen op zak je niet uitkomen? Ik heb gehoord dat je naam behalve op de perkamenten van de dichters ook in de kasboeken van de woekeraars voorkomt.'

Het gezicht van de prior ging steeds donkerder staan. Naast hem had de Maagd van Antiochië haar sluier opgelicht. Opnieuw troffen die raadselachtige trekken hem diep. Even had hij het gevoel dat ze iets wilde zeggen en dat ook haar gebrek een truc was. Maar ze haalde alleen maar diep adem. 'Ach ja, laat ze de tering krijgen. Maar ik wil alles weten, en zonder terughoudendheid. Wie heeft dat bedrog op touw gezet? En wie zijn degenen bij wie ik me aan zou moeten sluiten, Cecco?'

De ander maakte een vaag gebaar. 'De Dienaren staan op het punt een kolossale onderneming te realiseren die het aanzien van de eeuw zal veranderen.'

'Wie is Brandaan? En waar is hij gebleven? Hij is toch het brein achter het bedrog?'

'Hij is alleen maar een kunstenmaker, een van die schooiers die de boeren op de jaarmarkten in verrukking brengen. Maar hij is wel goed, vind je niet? Hij is geloofwaardig in dat monnikenkloffie. Ik had gedacht hem hier aan te treffen.'

'Wie heeft Brandaan de spiegels voor het bedrog geleverd? En wie trekt er hier in Florence aan de touwtjes?'

Cecco schudde zijn hoofd. Zijn gezicht stond oprecht. 'Ik ken hem niet. Ik heb van het plan gehoord in Toulouse, toen ik daar was voor een verandering van lucht.'

'In Toulouse?' fluisterde Dante in gedachten verzonken. 'En waarom daarna hier in Florence?'

Cecco barstte in lachen uit. 'Misschien willen ze wel hulde betuigen aan de grootheid van je stad! Of waarschijnlijker denken ze dat er hier meer priesters, geld en domoren zijn dan elders. Ik zou liever mijn Siena belazeren, maar het lijkt erop dat alles *sub flore* moet gebeuren...'

De dichter schrok op. Wat had de oude voorspelling over de dood van Frederik II ermee te maken? 'Waar hebben jullie de relikwiehouder vandaan die gebruikt wordt voor de truc?' vroeg hij toen.

'Die heeft Bigarelli zelf ter beschikking gesteld.'

Dante knikte. Dus wat hij steeds had gedacht werd bevestigd. Er was een verband tussen de beeldhouwer en de onderneming van de valse kruisvaart. En de kruisvaart en de moord. Ook het gespannen gezicht van de Siënees gaf te verstaan dat de opengereten keel van het slachtoffer in de toren hem nog scherp voor ogen stond.

Dante keek in het rond. 'De relikwiehouder. Waar wordt die verstopt?'

Cecco aarzelde even, toen liep hij op een uithoek van de kerk af, iets voorbij de onderkant van de steiger waar de prior met de monnik gevochten had. Hij boog op de grond en stelde iets in werking aan de rand van wat een grafsteen leek. Er klonk een klik, toen verschoof Cecco met aanzienlijke inspanning de steen, waardoor het begin van een trap te zien was die de grond in ging. 'Dat is de oude crypte. Daar...'

Hij onderbrak zichzelf. Toen, nadat hij een laatste aarzeling had overwonnen, ging hij als eerste naar beneden, gevolgd door de dichter. Ook de sprakeloze kwam achter hen aan, alsof ze bang was om in de kerk achtergelaten te worden.

Onder de vloer van de abdij ontvouwde zich een brede onderaardse gang. De vloer van oude marmeren tegels was bezaaid met grafzerken, en verschillende Romeinse sarcofagen stonden op een rij langs de muren. Vroeger moest het de begraafplaats van de kleine monnikengemeenschap zijn geweest, maar de tand des tijds en de sporen van verval waren overduidelijk.

'Dit is het geheim van de toverij,' fluisterde Cecco, terwijl hij op een in een dikke rode lap gewikkeld voorwerp wees.

Dante kwam naderbij en onthulde het resoluut. Het gruwelijke en tegelijkertijd fascinerende gezicht van het beeldhouwwerk lichtte op in het schijnsel van de olielamp. De ogen van glazuur leken hem aan te kijken met een eigen licht, alsof ze op het punt stonden weer tot leven te komen. Hij draaide zich even om voor een blik op de vrouw. Er was werkelijk sprake van een gelijkenis tussen de twee gezichten, ze vertoonden oppervlakkig gezien hetzelfde uiterlijk, alsof er tussen het brons en het vlees een geheimzinnige overeenstemming bestond.

Voorzichtig morrelde hij aan de sluitingen op de borst en draaide de twee deurtjes open. Binnenin stond iets geschreven, onzichtbaar voor het oog van iemand die van voren keek. Bigarelli had er met de graveernaald twee woorden gegrift: *Sacellum Federici*.

Het graf van Frederik. Of de gedenksteen. Dante hief de lamp opnieuw op naar dat bronzen gezicht en bekeek het grondig. De ronde trekken, de lange haren hadden hem tot de gedachte aan een vrouwenbeeld aangezet. Maar kon het niet het uiterlijk van de keizer zijn, vastgelegd in brons om hem tot schrijn in het hiernamaals te dienen, zoals naar verluidde de oude Egyptenaren deden? Was de reliekschrijn bestemd om het lichaam van de Hohenstaufenvorst te beschermen op zijn reis naar de eeuwigheid?

Maar als dat waar was, hoe was de dood van de vorst dan gekoppeld aan de feiten die een halve eeuw later bloed deden vloeien in Florence?

Hij bleef om zich heen kijken in die kelder vol schatten. Naast een van de sarcofagen bevond zich een gat in de vloer dat uitkwam op een andere onderaardse ruimte. Hij boog omlaag en liet de lamp in de opening zakken. Onder de crypte liep een brede gang met stenen muren die leek te verdwijnen in de richting van de Arno. Op de bodem lag water.

'Dat is een oud Romeins riool. Het leidt naar de oude put op het Forum. Daar gaat Brandaan langs, wanneer hij niet gezien wil worden,' verklaarde Cecco.

Dante knikte. Brandaan was een kampioen in het verdwijnen. Niet alleen over het dak dus, maar ook die kant uit.

'Nu weet je alles, vriend. Sluit je bij ons aan,' fluisterde de Siënees hem flemend in het oor.

'Ik kan jullie niet je gang laten gaan. Daarvoor heeft Florence zich niet aan mijn handelen... en aan mijn deugd toevertrouwd,' wierp de dichter hoofdschuddend tegen.

Cecco spreidde zijn armen in een gebaar van komische vertwijfeling. Intussen was ook het meisje dichterbij gekomen. 'Raak ons niet kwijt. Raak haar niet kwijt. Is ze niet veel te knap om in handen van de mannen van de bargello te belanden?'

Dante sloeg zijn handen voor zijn ogen. Hij wilde opnieuw weigeren, maar toen kwam er in zijn gedachten een mogelijkheid naar voren. 'Wat is de ultieme droom van de keizer? Wat waren ze aan het bouwen op het land van de Cavalcanti's? Wat is er van overzee gekomen op het gestrande schip?'

'Weet ik niet. Er wordt wel over gepraat onder de Dienaren van Amor. Misschien zijn verborgen schat, veilig als in een vilten wieg – van feltro.'

Dante zette grote ogen op. Tussen feltro en feltro: ook Fabio dal Pozzo had van die woorden gebruikt. Hij greep zijn vriend bij de schouders en schudde hem door elkaar. 'Wat betekent tussen feltro en feltro?'

Cecco was wit weggetrokken. 'Ik weet niet waar je het over hebt!' stamelde hij. 'Het was een manier van zeggen bij de Dienaren...'

Hij leek oprecht, dacht Dante verward. En toch moest de valse kruistocht op enigerlei wijze verband houden met de andere raadsels en met de vreselijke dood van al die mensen. Als hij meteen aan de wereld zou onthullen wat hij had ontdekt, dan brak de zwakke schakel die die gebeurtenissen verbond en zou hij nooit de hele waarheid kennen.

'Blijf voorlopig maar in de abdij ondergedoken, met de vrouw,' zei de prior toen. 'Ik houd mijn mond wel. Voorlopig.'

5

De vroege ochtend van 10 augustus

Bij het krieken van de dag ging Dante de straat op, na een korte rust vol turbulente beelden. De gezichten van de levenden en de doden liepen door elkaar heen in een macabere komedie, waarin Cecco's spottende gelaatsuitdrukking zich over de gruwelijke wond van Bigarelli schoof en het schip van de massale sterfte weer het anker had gelicht en met zijn lading lijken naar het Avondland zeilde.

Hijzelf moest een brakke zee hebben doorkliefd die hij nog op zijn lippen leek te proeven. Ook de Maagd, de gevangene in haar met halfedelstenen bezaaide relikwiehouder, had hem lange tijd achtervolgd en geprobeerd hem iets mee te delen. In de droom waren haar fijne trekken veranderd in de gruwellijnen van een monster, alsof de was van haar vlees door de zonnegloed was weggesmolten.

Met een ruk was hij wakker geworden, zijn voorhoofd in een ijzeren schroef geklemd. Daar was zijn vijand weer om hem te kwellen en zijn klauwen in zijn hersenen te planten; zonder hem overigens erg te bezeren. Een lichte tik, als om hem eraan te herinneren dat hij er was.

In Florence zou dus een schat komen. Hij maakte in zijn hoofd een snelle berekening, maar zonder dat het zekerheden opleverde. Omdat hij geen uiteindelijk beeld van het gebouw had, was het moeilijk te bedenken hoeveel tijd er nodig zou zijn om het te voltooien. De 'schat', wat het ook was, kon nog onderweg zijn, of al in Florence zijn aangekomen. In dat geval was het niet meer mogelijk om hem in de daarvoor bestemde schrijn te verbergen. Hij moest zich ergens anders bevinden.

Tussen feltro en feltro.

Een allegorie of een uitdrukking die je letterlijk moest nemen?

Dat kon de verklaring zijn. De lakenmagazijnen waren allemaal rond de weiden van de Santa Maria Novella geconcentreerd, aan de andere kant van de stad.

Hopelijk kon de frisse ochtendlucht hem helpen. Maar de zon scheen al onverbiddelijk als een bal van vuur. Hij had nog maar een stuk of tien passen afgelegd of hij verkeerde al in een ongezond zweetbad, zoals bij hevige koortsaanvallen. De brandende keel die hem 's nachts had gekweld was weer gaan gloeien.

Verderop stond een openbare fontein, wist hij. Hij was ernaar op weg toen hij uit een zijstraatje een man op zich af zag komen. Hij woog de mogelijkheid om rechtsomkeert te maken, maar het was al te laat.

De ander had hem herkend en liep harder om hem de pas af te snijden. 'Gegroet, messer Alighieri. Het werd tijd dat we elkaar eens tegen zouden komen. Ik verwachtte een bezoek van u, maar misschien bent u door uw verplichtingen opgehouden,' zei hij met een zweem van ironie.

'Ik zal te zijner tijd bij u komen, maak u niet bezorgd,' antwoordde Dante met een donker gezicht.

'Maar te zijner tijd komt met rasse schreden naderbij, weet u? We zijn al op de iden van augustus,' wierp de ander koeltjes tegen. Elk spoor van vriendelijkheid was van zijn pokdalig gezicht verdwenen.

'Domenico, mijn broer Francesco staat garant voor uw lening, dat weet u best, en daarbij de grond van mijn familie,' bracht de dichter geërgerd in. Hij vroeg zich af waar de onbeschaamdheid van de woekeraar vandaan kwam. Was er iets gebeurd waardoor zijn positie in de ogen van die schurk was verzwakt?

Intussen was Domenico naast hem komen staan en richtte zijn wijsvinger op zijn borst. Het leek alsof hij erop wilde trommelen, maar hij hield zich in. 'Het zijn duizendtachtig florijnen. In goud.'

Dante sidderde. Waren zijn schulden zo hoog opgelopen? Hij kende dat cijfer goed, als een schandelijk vonnis talloze malen herhaald in alle akten die hij had moeten tekenen. Maar nu leek de onaangename stem van de woekeraar een massa goud weer te geven die het gewicht van een molensteen kreeg. Het was of de hele wereld om hem heen wankelde en hem zou meesleuren in dezelfde ondergang die de muren van Florence bedreigde.

Cecco schoot hem weer te binnen, en zijn uitnodiging, die hij gewichtig had afgeslagen. Hij probeerde zich doof te houden voor de onbeschofte stem van die figuur, die maar bleef doorkletsen over verlopen termijnen en risico's. Hij trachtte zich in zichzelf op te sluiten, maar Cecco's voorstel bleef door zijn hoofd spoken als een smerige watermassa.

Had hij zich echt niet kunnen aansluiten bij het bedrog van de kruistocht? Wie zou hij schade berokkenen behalve een stelletje rijk geworden kooplieden en lummels en een corrupte, simonie bedrijvende Kerk? Kon dat niet toch de weg zijn om te ontsnappen uit de val waarin hij terecht was gekomen?

'Welja,' besloot hij, 'laat ze de tering krijgen, die vervloekte Florentijnen.'

Hij bereikte zijn doel zonder dat het nog vanbinnen bij hem brandde. De hele buurt stond vol met magazijnen, maar er was niemand om de goederen te laden of te lossen: de klok had zo-even het negende uur geslagen en alle sjouwers moesten aan het schaften zijn. Dus begaf Dante zich naar het lakenpakhuis. In de deur zat de bewaker op een vaatje, met een kruik tussen zijn benen.

'Ligt er soms een lading vilt in de opslag?'

De man nam hem goedmoedig van top tot teen op. 'Wie moet dat zo nodig weten?'

'De overheid van Florence.'

'De Drie-eenheid en Sint-Jan nogantoe!' wierp de ander tegen, en hij onderdrukte een geeuw.

De dichter kwam naderbij. De bewaker las iets in zijn blik, kwam haastig overeind en deed een paar passen achteruit. 'De toegang tot het pakhuis is verboden voor iedereen die niet bij het gilde staat ingeschreven. En de opslagruimten zijn niet toegankelijk voor onbevoegden, voor de rust van de handel,' vervolgde hij meteen, gealarmeerd om zich heen kijkend. Maar er was niemand die hij om hulp kon vragen.

De prior kwam nog dichterbij.

'Misschien wel... volgens mij... een paar dagen geleden...' hakkelde de bewaker verward, terwijl hij nog een pas achteruit deed.

'Laat zien waar het wordt bewaard.'

De ander leek zich gewonnen te geven. 'Maar daarna moet ik het aan de kapitein van het gilde vertellen,' jammerde hij, terwijl hij een schuurtje achter de deur inging. Snel raadpleegde hij een aantekenboek en liep vervolgens de binnenplaats over tot aan de andere kant van de zuilengang, gevolgd door Dante.

Tot op de bovenste planken van de ruwe eikenhouten stellingen langs de hele ruimte lag het magazijn mudjevol goederen. Achter de bewaker aan drong Dante die doolhof in en liep de opgetaste lading langs, steeds verder het binnenste van het gebouw in. De gevangenis van de Minotaurus kon niet veel anders geweest zijn dan dat drukkend hete inferno, bedacht hij op een gegeven moment toen hij zich het zweet probeerde af te wissen. Eindelijk wees de man hem op een stapel grijzige balen die strak dichtgebonden waren met repen hennep.

'Laat me alleen,' beval de prior. 'Ik moet ze nader inspecteren. Het schijnt dat er in de stad lompenpapier is ingevoerd uit Cremona, waar de pest is uitgebroken.'

De bewaker maakte een sprong achteruit en sloeg een kruis. Snel liep hij achteruit naar de deur, zonder een woord uit het zicht verdwijnend.

Toen hij zeker wist dat niemand zijn verrichtingen kon zien, begon Dante de balen na te lopen door zijn vingers in de zachte massa te steken. Bij de derde aangekomen voelde hij iets hards.

In een vloek en een zucht bevrijdde hij de baal van de repen. De verborgen inhoud was in zachte vilten lappen gewikkeld, zoals Fabio dal Pozzo en Cecco hadden verteld. Hij bevrijdde de 'schat' verder uit zijn schuilplaats tot hij onder zijn ogen een compact, zwaar blok aantrof van ten minste twee bij vijf voet en meer dan een span dik. Het leek of iemand in de wol een stenen plaat had verstopt.

Voorzichtig stak hij met zijn dolk een hoek van de vilten bekleding open. Een straal die schuin vanaf de binnenplaats binnenviel barstte op het punt dat bloot was komen te liggen in een zilverige schittering los en veroorzaakte een flits die de dichter verblindde.

Een spiegel. Er zat een spiegel in de lading verborgen. Van een ongebruikelijke grootte, zoals Dante in zijn leven nog nooit had gezien, zelfs niet in de huizen van de rijkste kooplieden van Florence, of in Frankrijk, ten tijde van zijn reis naar Parijs.

In een paar minuten tijd inspecteerde hij gejaagd de hele lading, zonder een van de balen over het hoofd te zien. Er waren nog zeven platen identiek aan de eerste, elk zorgvuldig beschermd door vilten lappen en tussen de ruwe wol verborgen. Was dat de schat waar iedereen op wachtte? De prijs ervan moest wel enorm zijn, maar hij vermoedde dat de waarde ergens anders lag dan in de handelswaarde.

Een hoek van de plaat moest tijdens het transport afgebroken zijn. Dante raapte het stuk voorzichtig op en stopte het in zijn tas.

Netjes bond hij de balen weer vast en wiste ieder spoor van zijn onderzoek uit. Vervolgens ging hij naar buiten, riep kortaf de bewaker.

De man had vast zijn verrichtingen gevolgd en zou gaan snuffelen, zodra hij zijn hielen had gelicht. Zonder veel geestdrift kwam hij aanlopen. Hij keek strak naar de massa balen.

Dante sprak hem bezorgd aan. 'In de baal vooraan,' zei hij, wijzend op die waarin hij de eerste plaat had ontdekt, 'zijn verdachte vodden verborgen. Pest,' vervolgde hij, een huivering voorwendend. 'Hij wordt meteen verbrand, buiten de muren. Ik stuur zo snel mogelijk mensen. U mag beslist niets aanraken, niemand mag er in de buurt komen en vertel aan niemand wat u weet, zodat de stad niet in paniek raakt. En ga nu maar weg, voor uw eigen veiligheid.'

Hij wist meer dan zeker dat die ezel zo snel mogelijk zou gaan opscheppen bij zijn vrienden en het nieuws zou doorbrieven. Maar een paar uur ten minste zou de angst voor de gevolgen hem ervan weerhouden te gaan snuffelen. Te oordelen naar de bleekheid rond zijn neus leek hij het verhaal geslikt te hebben. Voor even zouden de platen veilig zijn.

De prior draaide zich weer om naar de opslagplaats om het punt van de stellingen waar de lading verborgen zat precies in zijn geheugen te prenten. Toen begaf hij zich naar de uitgang, waar hij weer de bewaker passeerde, die ongerust op hem zat te wachten. 'Er zijn beslist nog meer vodden bij de lading. Het is niet zeker dat ze uit Cremona afkomstig zijn, maar blijf voor de veiligheid uit de buurt. Ik kom snel terug met de arts van de Santa Maria. En zorg dat niemand erbij komt: met de pest moet je uitkijken.'

De man knikte haastig en resoluut; hij huiverde.

'En vertel me nu eens wie die lading vilt heeft afgeleverd,' vervolgde de dichter gebiedend.

De ander liep snel weer naar zijn aantekenboek, zijn voorhoofd parelend van het zweet. 'Hier is het... een zekere Fabio dal Pozzo, koopman. Het is handel uit Venetië.'

Dante glimlachte bij zichzelf.

In de werkplaats van meester Arnolfo was de bedrijvigheid al een tijd in volle gang. Werk dat in de praktijk nooit gestaakt werd, aangezien het vuur niet uit mocht gaan.

Het was een lage kelder vol droge hitte die afkomstig was uit de oven in een hoek. Op de werkbanken waren een paar leerjongens druk bezig om op een stenen vlak de inhoud uit een smeltkroes te gieten die net met een lange tang uit de vlammen was gehaald.

Het gloeiende glas vloeide uit over het oppervlak, verspreidde zich rond kleine kokende korreltjes. Onverschillig voor de warmte begon de meester het met een dikke bronzen schaar af te knippen, zich behelpend met een schepje van hetzelfde materiaal. Een paar welgemikte slagen en hij drukte een vierhoekige vorm in de massa ter lengte van misschien een voet.

'Weer een ruit voor de vensters van de adel, messer Alighieri. Nu wil geen welgestelde burger van deze stad nog lappen voor de ramen zoals vroeger. Voor ons glazenmakers is dat een geluk.'

Dante bekeek de plaat die aan het afkoelen was. 'Is dat de grootste ruit die u kunt maken?' vroeg hij.

'Je kunt wel tot een voet breedte komen, maar dat heeft geen zin. De plaat zou te kwetsbaar en onregelmatig zijn. Stukken van deze maat kun je beter monteren met looddraad. Dan kun je wel een hele kerkboog afsluiten, zoals ze in Frankrijk doen. En het resultaat is veiliger.'

'Ik denk zo dat u in uw werkplaats ook spiegels maakt,' ging de prior verder.

'Spiegels zijn mijn specialiteit, de trots van mijn werkplaats. Beroemd in heel Toscane. Kijkt u maar.'

Arnolfo liep op een werkbank af waar een arbeider een bronzen lijst rond een span brede glasplaat aan het monteren was. Hij rukte de jongen het voorwerp uit handen en hield het voldaan voor het gezicht van de dichter.

Dante bezag zichzelf zwijgend. Zijn beeld weerkaatste alsof een laagje water het oppervlak van de ruit bedekte en het zicht vager maakte. Zo moest de spiegel van Narcissus geweest zijn, want de jongen herkende zichzelf niet in de weerspiegeling. De achtergrond van het beeld werd verzacht door het donker van het lood, al scheen het licht vol in zijn gezicht. Hij glimlachte beleefd bij wijze van waardering. 'Hebt u ook grotere spiegels dan deze?' vroeg hij toen.

'Groter dan deze? Wat wilt u daarmee?'

'Niets. Ik ben alleen maar nieuwsgierig hoe groot een spiegel kan zijn.'

'Niet veel groter dan die u hebt gezien,' antwoordde Arnolfo. Hij leek gekwetst, alsof die opmerkingen van Dante zijn werk bagatelliseerden. 'Als je de oppervlakte groter wilt maken, moet je de dikte van de plaat ook groter maken,' begon hij op geduldige toon, alsof hij het tegen een wat trage leerling had. 'Want anders breekt het glas bij het afkoelen. Maar als je de dikte groter maakt, is het weer onmogelijk om de volmaakte doorzichtigheid van het materiaal te behouden. Bovendien zou het heel moeilijk zijn om de plaat volkomen vlak te houden, zodat je oneffenheden in de spiegeling voorkomt als hij eenmaal afgeschermd wordt met lood.'

Dante knikte, terwijl de meester de spiegel aan de arbeider teruggaf. 'Het is dus echt niet mogelijk om het eerder genoemde te maken? Wat zou u dan zeggen van een vijf voet hoge spiegel met een volmaakte weerkaatsing?'

'Ik zou zeggen dat u raaskalt. Of dat u de kisten van meester Tinca hebt gevonden.'

'Toch heb ik er een gezien.'

Arnolfo schudde bijna kwaad zijn hoofd. 'Wat u zegt is onmogelijk. U moet u verkeken hebben. Het kan niet,' herhaalde hij. Maar iets in zijn stelligheid vertoonde barstjes tegenover de zekerheid van de prior. 'Weet u het echt zeker... Ik zou er alles voor overhebben om er een te zien.'

De dichter zei niets en keek de bejaarde meester alleen maar aan. 'Ik vraag u niet veel, alleen uw woord. Beloof dat u aan niemand zult doorvertellen wat ik u nu ga laten zien.'

Arnolfo was een en al stijgende opwinding. Hij leek op een mysticus die een visioen zag. Hij viel op zijn knieën voor de dichter. 'Ik roep de Maagd en alle heiligen aan als getuige. Niets van wat ik te zien krijg zal over mijn lippen komen.'

Dante haalde uit zijn tas de hoek van de spiegel die hij in de opslagplaats had gevonden en reikte die de glazenmaker aan. De man bevoelde met zijn vingers de rand van het glas om er de dikte van te meten. 'En u zegt dat dit van een plaat van vijf voet komt?' mompelde hij ongelovig. Vervolgens hield hij zijn tong erbij, alsof hij er de smaak van wilde proeven. 'Zilver...' zei hij bijna bij zichzelf. 'Merkwaardig.'

'Wat is er voor merkwaardigs aan?'

'Ik had iets hedendaags verwacht, op basis van lood. Maar het is gewoon zilver. Als het is zoals u zegt, dan komt de volmaaktheid ervan alleen door de buitengewone lichtheid en doorschijnendheid van de glaspasta.'

'Wie zou het gemaakt kunnen hebben?' vroeg de prior.

Arnolfo haalde zijn schouders op en bleef naar het metaalmonster staren. Hij ging met een hand over zijn stoppelkin. 'Het is geen spul van ons. Grieks misschien. Of gegoten in een werkplaats in het Noorden, in Ravenna. Door iemand van ver. Ik heb horen verluiden dat ze in het verre Perzië zulke heldere ruiten hebben gemaakt dat ze onzichtbaar zijn. Of in Venetië, als de legende waar is...'

'Die meester Tinca van wie u sprak?'

Arnolfo richtte zijn blik in de verte. 'Misschien een man die nooit heeft bestaan. Of misschien de grootste glazenmaker aller tijden, wie zal het zeggen. Een verhaal dat onder de leden van ons gilde de ronde doet, een sprookje.'

'Welk?'

'Dat van de oven van Canal. Daar kwam ene meester Tinca, uit het land van de duivel, en begon er buitengewone ruiten te smelten. Vlakke, buitensporige platen, wel meer dan twee armlengten hoog, zoals niemand ooit had kunnen maken. Meester Tinca, de glazenmaker van de keizer.'

Dante was op slag uitgestudeerd op zijn hand en greep hem bij een arm. 'Welke keizer?' vroeg hij.

Arnolfo leek eerst onzeker, toen richtte hij zijn hoofd op. 'De grote en laatste. Frederik.' Hij had de naam gescandeerd, alsof hij hem wilde uitdagen. Misschien zat Florence wel vol slapende Ghibellijnen, zoals Cecco had geïnsinueerd.

'En wat deed die meester Tinca voor Frederik?'

'Men zegt dat er op een nacht twee boodschappers van de keizer bij zijn oven kwamen. Het was ten tijde van het concilie van Lyon, toen Frederik de laatste slag aanging tegen...' De man leek naar het juiste woord te zoeken.

'De polemisten van de curie? De paus?' opperde Dante.

'Ja, misschien de paus. Of iemand boven hem,' murmelde Arnolfo raadselachtig.

'En wie waren die boodschappers? En waarom 's nachts?'

'Tinca werkte 's nachts en verdween overdag. Hij leed aan een oogziekte waardoor hij geen zonlicht kon verdragen. Hij zag te veel, daardoor was hij in staat iedere onvolkomenheid in het glas waar te nemen. In het donker waakte hij over de oven en hield het vuur brandend. Hij had ontdekt dat de kwaliteit van het glas bepaald wordt door de constantheid van de hitte. En wat die twee mannen betreft...'

Opnieuw stokte Arnolfo, alsof hij onzeker was over zijn herinneringen. Of over wat hij moest onthullen. 'Men had het over twee heel hoge hoffunctionarissen. En dat een van de twee de keizer zelf was. Misschien wilde hij zelf ook het geheim van de meester leren kennen...'

'Welk geheim?' riep Dante geboeid uit.

'Men zegt dat Tinca, kort voor hij verdween, het geheim had ontdekt om het licht in de spiegels vast te houden.'

'Wat?'

'Een manier om in de spiegel het laatste weerkaatste beeld vast te houden. Men zegt dat hij dankzij de alchemie een stof had ontdekt die op lichtstralen reageerde volgens de variaties in de bron. Het voorwerp moest urenlang voor zijn spiegel gezet worden, in het volle licht, en langzaam werd dan het beeld ervan gevangen.'

'Als dat waar was, zou dat de doodsteek voor de schilderkunst betekenen,' merkte Dante op. Wie weet wat zijn vriend Giotto ervan zou denken. Maar kon dit de zo gezochte mysterieuze schat zijn? Waar men zelfs moorden voor beging om hem te krijgen? En toch was ook Tinca verdwenen.

'Arnolfo, u hebt gezworen dit alles geheim te houden,' bracht Dante hem in herinnering.

De glazenmaker voelde weer aan het metalige stuk, alsof hij een droom streelde. Toen knikte hij. 'Mijn woord staat vast. Ik respecteer uw wil. Misschien is wat u me hebt laten zien wel te kostbaar voor een gewone ambachtsman als ik. Het zou me tot wedijver kunnen verleiden, en het is gevaarlijk te willen wedijveren met de hand van God.'

In logement De Engel

Het grote vertrek op de begane grond was nagenoeg uitgestorven. Alleen Marcello was daar, gezeten aan een lange tafel. Stilletjes kwam Dante achter hem staan. Hij was bezig een appel te eten, maar op een ongewone manier: met zijn linkerhand hield hij de vrucht tegen de tafel, terwijl hij er met de andere kleine stukjes afsneed met een mes, alvorens ze naar zijn mond te brengen. Toen hij hem in de gaten kreeg, keek hij op, maar bleef doorkauwen.

'Welk toeval heeft u naar dit logement gevoerd, messer Marcello?' vroeg de dichter.

'De schreden van een mens staan geschreven in het boek van de Tijd, en de weg die u hierheen heeft geleid en die welke ik heb afgelegd zijn op dezelfde manier met precieze maat aangegeven. We hadden niet anders gekund, u niet en ik niet.'

'Toch hebt u mijn vraag niet beantwoord: wat heeft u hierheen gevoerd?'

Marcello bewoog zijn hoofd alsof hij een herinnering wilde verdrijven. Of een droom. 'Ja, natuurlijk. Een belofte. Me bevrijden van een belofte die ik jaren terug deed. De inlossing van een oude schuld. Maar ook mijn lot, dat niet op te schorten was. Het stond geschreven dat ik hier was, nu.'

'En stonden ook de schreden die Guido Bigarelli tot zijn ontmoeting met de dood hebben geleid geschreven in het lot?'

De oude man wachtte even voor hij antwoord gaf. Hij leek gefascineerd door het laatste stukje appel dat hij met gesloten ogen doorslikte, alsof hij er de geheime smaak van wilde proeven.

'Ook deze appel heeft zich uit zijn bloesem ontwikkeld om hier te zijn,' hervatte hij. 'Alles wordt voleindigd in de geest Gods. Het is enkel de zinsbegoocheling van onze zwakke zintuigen die ons dwingt de bladzijden van het boek een voor een om te slaan, en ons daarmee wijsmaakt dat ze niet in een onlosmakelijke band gebonden zijn.'

'De geest Gods kent natuurlijk elke gebeurtenis en in Zijn voorzienigheid heeft Hij wijselijk elk apparaat van het universum herhaalde, eeuwige bewegingen opgelegd. Maar juist Zijn wijsheid heeft dit ondermaanse de oneindige verscheidenheid van het worden verleend, opdat we vrij zouden zijn om te handelen en te groeien. Vrij om het goede te zoeken. En blind voor toekomstige zaken, opdat we op deze onwetendheid ons bewuste handelen zouden funderen.'

'Denkt u dat echt?'

'Adam zou niet gezondigd hebben, als hij de gevolgen van zijn zonde had gekend. Maar evenmin zouden vele uitnemende geesten hebben getracht die fout goed te maken door de weg van de deugd te volgen. De mensheid zou van haar grootste gave beroofd zijn, het onverzadigbare zoeken naar de waarheid. De enige die verlossing brengt voor de vreselijke ogen Gods.'

De oude barstte uit in een bittere lach. 'U zou voorzichtiger moeten zijn, messer Alighieri, om zo uw overtuigingen kenbaar te maken. Die liefde voor de waarheid van u ligt denk ik niet zo goed in inquisitiegebied.'

'Florence is geen inquisitiegebied, maar een vrije stadstaat. Voorlopig. En hopelijk nog heel lang, en hoe dan ook zolang ik handelsbekwaam ben.'

'U vertrouwt wel erg op uw capaciteiten, alsof u ook werkelijk over de muur van de tijd kunt kijken om te zien wat u te wachten staat.'

'Ik bezit niet de gave van de helderziendheid. Mijn vooruitzien is enkel het gevolg van wil en wetenschap.'

De ander keek hem met een bewogen uitdrukking aan, terwijl een vaderlijk licht zijn gezicht overstraalde. 'Ik heb al eerder mensen zoals u ontmoet... in mijn jonge jaren. Begiftigd met alle gaven die een mens zich maar wensen kan. Sterk en vermetel in de overtuiging het lot naar hun hand te zetten. En toch gedoemd om de bron van leed en verwoesting te worden...'

'Over wie hebt u het?'

'O, heel lang geleden. Een eeuwigheid. In verre landstreken.'

'Hebt u lang in het Oosten gezeten?'

Marcello keek naar een punt in de leegte, achter de dichter. Zijn gelaat was verhit, alsof die woorden in hem het licht van die verre landstreken hadden gewekt. Meermalen schudde hij zijn hoofd.

'En wat hebt u daarginds opgestoken?' drong de dichter aan. 'Welke kennis, welke medicijnen, welke toverij? Want daar komen toch de onverkwikkelijkste ziekten vandaan en tegelijkertijd de ongebruikelijkste geneesmiddelen? Bestaat er werkelijk de mogelijkheid om, naar verluidt, het leven op te rekken voorbij de grens van zeventig jaar, zoals door God gesteld in de Schrift?'

'Zeker. Ik kende zelf eertijds, in de stad Sidon, een man die beweerde dat hij aan de dis van Karel de Grote had gezeten. En een ander die de laatste schreden van Christus op Golgotha had begeleid.'

'Dat kan niet!'

'Toch heb ik dat gezien. En heet het niet dat ook de laatste keizer, Frederik, niet dood is, maar nog steeds te paard door Duitsland rijdt om manschappen te ronselen voor zijn ultieme onderneming?'

'Hebt u hem ook gezien?' riep de dichter ongelovig uit. 'Wanneer?'

'Er is veel tijd verstreken,' antwoordde de arts. 'Ten tijde van zijn kruistocht. Toen de keizer beiden bedroog,' vervolgde hij toen, in gedachten verzonken.

'Wie bedroog hij?'

'De heidenen. En de bisschoppen uit zijn gevolg. Met zijn zinnebeeld. Frederik begaf zich naar de Damascuspoort, rijdend over de keien van de weg die leidt van Jericho naar de stad van de honderd torens. Het gouden Jeruzalem glansde in de zon onder de jubelkreten van de opeengepakte menigte op de tribunes. Onderdrukte christenen, onbeschaamde heidenen, fanatieke joden, allemaal met eenzelfde nieuwsgierigheid, bevangen door dezelfde opwinding voor het wonder dat naar hen op weg was. De keizer reed verder op zijn triomfwagen met vier met lauwer omkranste ossen ervoor. Op de vier hoeken van de wagen trokken met hem evenzovele geketende slaven op: een

Moor, een Tartaar, een blanke en de vierde gemaskerd als triton. Frederik hield in zijn rechterhand zijn gouden beker en met de linker hield hij het bit vast van een centaur, die bereden werd door een man met een dubbel masker op en die al roffelend met zijn hoeven over de kasseien achter de wagen aan kwam.'

'Een centaur?' mompelde Dante.

Zonder acht te slaan op zijn interruptie vervolgde Marcello: 'Voor de wagen uit gingen zeven meisjes met grote brandende fakkels, gevolgd door zeven omkranste bejaarden in Grieks tenue. En daarna nog zeven mannen in lange gewaden met hemeltekens erop, en twee ruiters in gevechtsuitrusting. De een met een glinsterend zwaard in de hand waarin de zonnegloed weerkaatste, de ander met een massa touw in zijn armen, strak in talloze knopen gelegd. De stoet werd besloten door vijf gesluierde vrouwen met vijf gedoofde lampen in de hand, wellustig als hoeren om drie mannen heen cirkelend die elk een boek vasthielden.'

Marcello ging met een hand over zijn voorhoofd, alsof hij dat beeld wilde uitwissen. Zijn gezicht was hard geworden. 'Begrijpt u de betekenis van die liederlijke allegorie?'

'Zeker.'

'Als dat zo is, dan zijn uw scherpzinnigheid en kennis groot.'

'De fakkelzwaaiende meisjes zijn de zeven vrije kunsten en de zeven bejaarden achter hen zijn de grote wijzen uit de oudheid, van wie de Grieken spraken. En de zeven met de sterren zijn de hemellichamen rond de aarde, de grote wagen waarop Frederik staat. De vier geboeide slaven zijn de drie landstreken die aan de keizerlijke macht zijn onderworpen en de triton is de oceaan. De centaur, het samengaan van mens en dier, is het symbool van de wijsheid, de synthese van natuur en intellect. De twee ruiters zijn de macht om te binden bij de wet, en om met geweld te bevrijden. En ten slotte symboliseren de vijf dwaze maagden met de gedoofde lamp samen met de drie mannen van het boek de afwijzing van het geloof. De laatste allegorie is de ergste.'

Marcello knikte ernstig. 'En weet u dus wie die drie zijn, die duidelijk het beeld van de Drie Koningen bespotten?'

'Ik denk het wel. De drie meesters van het boek: Mozes, Christus en Mohammed.'

'Omringd door hoeren! Niets minder dan de Drie Bedriegers, in zijn ketterse filosofie. Frederik is Jeruzalem binnengegaan in alle trouweloosheid, door middel van zijn symbolen de spot drijvend met de volkeren die er woonden,' fluisterde Marcello. 'Maar u hebt de man met de twee gezichten niet gehad. Is hij aan de scherpte van uw intellect ontsnapt?'

'Dat weet ik niet, misschien...' begon Dante. Vervolgens stokte hij, gegrepen door de herinnering aan het merkwaardige boegbeeld van de galei. 'Zou u daar de verholen betekenis van kunnen onthullen?'

'Niet alles wat in het hoofd van de keizer omging is te volgen.'

Dante begreep dat hij verder niets meer zou zeggen. Doorvragen was zinloos.

Niet van de allegorieën van een halve eeuw daarvoor, maar van de mysteriën van de huidige dagen diende hij de sleutel te vinden, wilde hij tot het moordraadsel doordringen. En Marcello leek in gedachten nog aan het verleden vast te zitten. Als hij echt eeuwen ervaring had, richtte hij nu in zijn laatste dagen zijn blik verder achterwaarts, verloren in weemoed.

Dante had nog maar een paar passen buiten het logement gezet toen hij de terugkerende jonge Colonna tegen het lijf liep.

De student aarzelde even, alsof hij een ontmoeting wilde vermijden, liep toen weer door en zette een driest gezicht op. 'Mijnheer de prior, wat doet u in logement De Engel? Degene die vermoord moest worden is het al,' riep hij spottend uit.

De dichter posteerde zich voor hem en versperde hem de weg. 'De moordenaar is nog niet gevonden. En het is niet gezegd dat u me niet kunt helpen bij dit gerechtelijk onderzoek.'

'U hebt niets aan wat ik weet. Maar als ik u was, zou ik bij de priesters gaan zoeken. Brunetto leek geen goede maatjes met de zwartrokken, en het zou me niet verbazen als een vriend van Bonifatius hem het hoekje om heeft geholpen.'

'Aan uw woorden te horen lijkt u evenmin op goede voet te staan met de curie.'

De jongeman nam een misprijzende houding aan. 'Wees niet hypocriet, zoals iedereen in deze stad van schijnheiligen. U kent mijn naam. En als u die vergeten bent, kan ik u die zo memoreren,' zei hij, terwijl hij zijn rechterwijsvinger op ooghoogte van de dichter hief, gesierd door een dikke zegelring met daarop een wapen met een Romeinse zuil. 'Mijn familie is al jaren in conflict met die schurken van de Caetani's. En de mijter die Bonifatius heeft opgezet maakt hem er niet beter op. Als hij kon, had hij ons allang uitgeroeid. Alleen de angst voor onze soldaten en onze burchten houdt hem ver bij onze poort vandaan. Maar misschien...'

'Misschien?'

'Misschien zijn wij hem ditmaal voor,' vervolgde Franceschino, meegesleept door het vuur van zijn wrok. 'Wanneer we er allemaal zijn!'

'Wat bedoelt u?' vroeg de dichter.

Maar de ander leek te beseffen dat hij zijn mond voorbij had gepraat. 'U ziet het wel als het zover is,' verklaarde hij, terwijl hij onder de vragende blik van de prior wegliep.

In het Priorpaleis, rond het middaguur

Dante verliet zijn cel en liep langs de loggia. Ook de deuren van de cellen van de andere priors stonden open. Zijn collega's waren in een groepje druk aan het redekavelen. Bij zijn aanblik zwegen ze abrupt en keken hem verlegen aan. Met name een van hen, kort van stuk en met een grimmige boevenkop, leek iets te verbergen.

Vastberaden kwam Dante naderbij. 'Wat houdt u zo bezig, Lapo?' riep hij op de man af.

De ander hief aanmatigend zijn kin omhoog. 'Dat moet u nodig vragen! We krijgen u kennelijk niet meer op de raadsvergaderingen te zien, u trekt op elk tijdstip blijkbaar rustig de stad in, met voorbijgaan aan alle regels en reglementen. Of bent u soms vergeten dat het de priors voor heel de duur van hun mandaat verboden is om hun vertrekken te verlaten? Denkt u dat de wetten alleen voor de anderen gelden, de oprechte zonen van het volk die u als hun vertegenwoordiger hebben gekozen... voor nog een dag of wat?' Lapo had die laatste woorden nijdig benadrukt.

'Voor nog een dag of wat, dat hebt u goed gezegd,' reageerde de dichter. 'Maar voor die dag of wat geeft het volk me de kracht en de macht om de kar van de staat op de rechte weg te houden, en om de kwalijke praktijken van sjacheraars en onruststokers terug te dringen. Die tot in de geheime vertrekken reiken,' vervolgde hij, hem van top tot teen opnemend.

Lapo was vuurrood geworden. Zijn vuisten ballend kwam hij nog dichterbij, totdat hij hem raakte. Dante kreeg het gevoel dat hij hem zo een kopstoot ging verkopen en week op slag terug, een elleboogstoot gereed houdend.

Een van de andere priors kwam bezorgd tussenbeide, legde een hand op Lapo's schouder en trok hem naar achteren. 'Ophouden jullie. Laten we liever de volgende raadsvergadering afspreken, aangezien we nu het geluk hebben messer Alighieri tegen het lijf te lopen...'

'Zeg eens, Antonio, wat is er voor dringends dat u zo gespitst bent op mijn doen en laten?' repliceerde de dichter ironisch.

'Kardinaal Acquasparta...'

'De pauselijke nuntius? Wat wil de man van Bonifatius?' viel Dante hem in de rede, meteen gealarmeerd. Sinds de gezant van de paus in het voorjaar in Florence was aangekomen en zich naast de Santa Croce had geïnstalleerd, was het alsof de klauw van Bonifatius in het levende vlees van de stad was doorgedrongen.

'De paus, onze weldoener en hoge beschermer van Florence, vraagt de stad bij monde van hem om hulp voor zijn heldendaden. En om verscherping van onze aandacht ten aanzien van zijn openlijke en verborgen vijanden.'

'Wees duidelijk. Spinst paus Caetani op florijnen? Of verlangt hij iets meer?'

Antonio keek om zich heen, steun zoekend bij zijn kameraden. Maar afgezien van Lapo, die grimmig naar Dante bleef kijken, probeerden de andere drie priors gegeneerd hun blik af te wenden. Antonio schraapte meermalen zijn keel. 'Wel, de zaak ligt gevoelig en kan niet hier open en bloot besproken worden, met vreemde oren die meeluisteren. Als ouder lid stel ik voor de raad bijeen te roepen op de ochtend van de veertiende, de laatste dag van ons mandaat.'

Iedereen knikte. Dante beperkte zich tot een grom. Dat besluit was eenvoudig uit te leggen: op de laatste dag hoefde de vergadering alleen maar verdaagd te worden om de verantwoordelijkheid van welke beslissing ook aan de nieuwe raad over te dragen en zo de zwakke schouders te verlossen van de last om iets, wat dan ook, te besluiten. Het teken van de domheid stond op die koppen gedrukt, evenals het boevenbrandmerk. Met uitzondering van Lapo, bij wie de kiem van de verdorvenheid dieper was geworteld dan de buitenkant en hem had veranderd in een soort van obscene sater, het volmaakte zinnebeeld van zijn medeburgers.

Rond het paleis van de leiding van de volksmilitie was het een ongebruikelijk komen en gaan van soldaten. Dante herkende de overste van een van de drie volksmilities van de San Piero en hield hem aan op de trap van het gebouw.

'Wat is er aan de hand, meester Menico?'

'Een van de bewakingspatrouilles op de muren heeft groepen mannen gesignaleerd die op de stad af marcheren, via de weg naar Prato. Ze vragen ons om voor alle zekerheid paraat te staan.'

'Wat voor mannen?'

'Ach, misschien pelgrims op weg naar Rome, kunstenmakers of uitvallers van de milities uit Imola. Het schijnt dat de troepen daar al maanden geen soldij meer krijgen en zijn gedeserteerd, de omgeving plunderen en de kant van de Apennijnen uit gaan. Maar er is een grote zorg,' vervolgde de man, terwijl hij vertrouwelijk zijn mond bij het oor van de dichter bracht, 'dat het horden ketters en opruiers kunnen zijn die naar het schiereiland komen om te plunderen. We moeten waakzaam zijn.'

'Ketters? Waar zouden zoveel ongelovigen dan vandaan komen?'

'Het schijnt dat in de Languedoc opnieuw de pest is uitgebroken,' hervatte de ander, nog steeds met gedempte stem, 'en dat de vijanden Gods er de hand in hebben, katharen en joden met hun tincturen. Men vreest dat een van hen de stad al is binnengedrongen als voorloper van zijn snode kameraden. Hoe is het ook tegen te houden met alle poorten open en die schooiers die van buitenaf binnendringen op zoek naar een manier om de eindjes aan elkaar te knopen?'

Dante kon alleen maar instemmen toen hij naar de chaos om zich heen keek. Tientallen onbekenden verdrongen zich op zoek naar ruimte om een doek uit te spreiden voor hun uit te stallen handelswaar, of slenterden rond op zoek naar avontuur. Nog maar een paar jaar eerder had hij elke inwoner van zijn wijk bij de naam kunnen noemen, en een flink deel van die van Florence als geheel. Maar nu, na de uitbreiding van de stad in de laatste tien jaar leek het of er van de waterlopen uit de buurt een reuzenkracht was uitgegaan, een vloedgolf die de huizen en de straten overspoelde en uitvloeide over de oude ringmuur als een overstromende Arno.

'Ze noemen het vooruitgang,' hervatte Menico, 'maar volgens mij is het enkel verderf. De wereld wordt ouder en de voorbijgaande tijd brengt alleen maar nieuwe kwalen. Platvloersheid en snoodheid. Kijk die eens!'

Hij wees op drie jonge vrouwen in kakelbonte kleren met zo'n diep decolleté dat bijna heel hun boezem blootlag; ze lachten uitdagend naar de voorbijgangers en probeerden hun aandacht te trekken.

'Een paar jaar geleden, ten tijde van Giano della Bella, zouden ze vanwege die kleding in de Stinche gegooid zijn. Maar nu...' commentarieerde hij.

Dante knikte alleen maar. Die jammerklachten waren hopeloos tevergeefs. Ze verveelden hem.

'Maar nu is dat ook al niet genoeg. Nu zijn het de mannen die het vak in zijn gegaan.'

'Sodomieten?'

'Vervloekte reetkevers, messer Durante. Zoals die lui die elke avond in de taveerne van Ceccherino zitten.'

Er speelde een spotlachje om Dantes mond. Het was niet voor het eerst dat hij die naam hoorde. Maar het was niet het enige trefpunt van dien aard. De stad wemelde van de plaatsen waar discreet ontmoetingen en onbetamelijke contacten tot stand kwamen, waar het lichaam dat de natuur tot een tempel had opgericht werd verdorven.

'Ja, het schijnt dat de naam van onze stad zich behalve om de kwaliteit van de stoffen ook daarom in de wereld verbreidt.'

'Het zijn alleen niet allemaal Florentijnen,' wierp Menico tegen. 'Bij Ceccherino zijn het merendeels buitenlanders en ze blijven in horden komen.'

Dante was op slag bij de les. 'Wie zijn dat dan? Waar komen ze vandaan? Wat doet de wijkwacht?'

'Wat moet die doen? Je geneert je al om die deur aan te raken,' verzuchtte Menico gelaten. 'Onderhand durft geen man die die naam verdient er nog heen, zelfs niet gewapend. Maar het is niet alleen gêne die de wacht op een afstand houdt. Want u moet niet denken dat het altijd om verwijfde types gaat. Nee, vaak zijn het potige kerels die je zo aan de riemen van een galei ziet of die met één hand een stel ossen inspannen. En er is lef voor nodig om tegen ze in te gaan.'

De man ging maar door, belediging op belediging stapelend aan het adres van zedenbedervers en hun slachtoffers. Maar Dante luisterde al niet meer.

Vanaf het eerste moment had hij het gevoel gehad dat wat er gaande was een heel andere oorzaak kende. Zijn stad vormde een soort van coulisse, zoals de doeken waarvoor de kunstenmakers hun kluchten opvoerden, voor een treurspel dat elders was geschreven.

Alle toneelspelers waren van buiten gekomen. En anderen moesten misschien nog arriveren. En als het zich in het verborgene zou afspelen, kon het dan ook niet het doek zijn waarmee het geheim werd afgedekt?

De woorden van de jonge Colonna galmden nog na in zijn hoofd. 'Wanneer we er allemaal zijn,' had hij gezegd. En waar zouden degenen die werden verwacht elkaar beter kunnen treffen dan op een plaats waar zelfs de wijkwacht niet durfde te komen?

Hij nam de straat naar de Porta al Prato, langs de oude hoofdas van de eerste Romeinse nederzetting. De bouwwerken aan weerszijden van de bestrating, opgekomen op de ruïnes als schimmels op het kadaver van een dier in ontbinding, waren vooral grove bouwsels van één verdieping, zonder een spoor van versiering, met aan de straatkant kleine, smalle ramen, die amper door een simpele lap waren afgeschermd. Naarmate hij de binnenstad uitliep, zag hij tussen de huizen steeds vaker sier- en moestuinen, waarvan het merendeel verworden was tot zonverschroeid struikgewas.

Er liep geen levende ziel over straat, afgezien van een paar her en der wat snuffelende zwerfhonden. Vanuit de huizen kwamen echter alle verstikte geluiden van een achter die simpele deuren gebarricadeerde mensheid, schipbreukelingen die zich hadden vastgeklampt aan drijvende wrakstukken.

Eindelijk bereikte hij zijn doel. In de verte was al de donkere schaduw van de ringmuur te zien, bovenop bezaaid met fakkels van de schildwachten. Iets van de straat af stond een reeks marmeren zuilen van ten minste vijf armlengten hoog, sommige nog hoger door hun kapiteel. Aan de voorkant de ingestorte ruïnes van een trap, die na slechts twee treden in de grond verdween. Die oude ruimte, waar ooit de rituelen van een vergeten god werden gehouden, was afgesloten door een ruwe tufstenen muur, zodat er aan de achterkant rond heel het gebouw een brede ruimte ontstond.

Het had een Priorpaleis kunnen zijn, zei de dichter bij zichzelf. Of het kapittel van een klooster. Of de aula van een edele rechtbank. Of het hof van een barbaarse koning. Maar het was de plaats waar Ceccherino's taveerne zijn onderkomen had gevonden. De schandvlek van Florence.

Aan de voorzijde, tussen de twee middelste zuilen, bevond zich een lage brede deur, versterkt met spijkers en ijzerbeslag. Door de brede ramen, onder- en bovenin, kwam een golvend licht, alsof er binnen vele vuren ontstoken waren. Dante duwde de deur open en ging naar binnen.

Hij nam plaats op een vrij plekje aan de lange tafel. Met een gebaar trok hij de aandacht van een bediende die tussen de klanten door liep met een wijnzak op zijn schouder, en beduidde hem een aardewerken beker vóór hem te vullen. Hij wierp hem een muntstuk toe en pakte de beker.

Langzaam nippend van de zurige wijn sloeg hij het tafereel gade. De gelagkamer was vol met alleen maar mannen, ook voor een ruime, bekende taveerne als deze een ongewone menigte.

Iets dergelijks had hij wel verwacht, maar toch was het vreemd dat er geen vrouwen waren. Niet één van die wijven in kleurige gewaden die zich in de regel op dergelijke plaatsen aanboden. En zelfs geen keukenmeisje of serveerster, alsof bij toverslag alles weer was teruggedraaid naar de eerste dagen van de Schepping, toen de tedere kunne nog in het ondoorgrondelijke brein Gods verkeerde.

Hij duwde de bank naar achteren en leunde tegen de muur. Vanaf dat punt kon hij, beschermd door een pilaar, rustig een groot deel van de gelagkamer overzien zonder aandacht te trekken, alsof hij in gedachten verdiept naar zijn beker tuurde. Hij begon met snelle blikken de hele ruimte rondom te verkennen. De taveerne behelsde precies wat de woorden van meester Menico hadden beloofd.

Iedereen leek in gespannen afwachting te zijn, een wemeling van stemmen en gelach, een deinende beweging van dolende lichamen als de golven van een ogenschijnlijk kalme zee, waarin zich onder haar waterspiegel monsters roerden vanuit ongekende diepten.

Al die kerels, twee aan twee en soms liederlijk met zijn drieën, betastten elkaar zonder terughoudendheid, al steunend en elkaar woordjes influisterend. De trap op de achtergrond vertoonde een komen en gaan van mannen die ten prooi aan driftige onrust naar boven en beneden gingen.

Inwendig voelde hij een toenemende ergernis over wat hij zag. En toen viel hem iets op. Voortdurend ontstonden er groepjes en vielen er groepjes uiteen alsof er duivelse boodschappers tussen de tafeltjes pendelden die de contouren van het Kwaad uitzetten. Maar aan een hoek van de lange tafel zat een groep van vier klanten die een merkwaardig apathisch gedrag vertoonden. Ze leken onverschillig voor de obscene verheerlijking van het lichaam die overal rondom hen woedde. Ze zaten ordelijk zachtjes te praten en waren zo op het oog bezig met het legen van een kleine kruik die voor hen stond.

Ook hun kleding leek niet bij de omgeving te passen. Ze droegen gewone kleren, zonder de opzichtige kleuren en zonder de gaten en scheuren die bij de anderen dienden om delen van het lichaam bloot te stellen die normaal aan het oog onttrokken zijn. Ook hun wambuizen waren in de gebruikelijke maat, zo lang dat ze de klep van de hozen bedekten, en niet heel kort zoals die van de anderen, die pronkten met hun amper door de stof verhulde kruis.

Hun gezichten vertoonden geen teken van de min of meer duidelijke verdorvenheid die zich bij de andere klanten aftekende. Iets in hun manier van doen, eerder dan in de woorden die de dichter niet bereikten, wees hen als vreemdelingen aan. Misschien waren het de vreemdelingen over wie Menico het had gehad.

Opeens hoorde hij een druk geroezemoes opstijgen, afgewisseld met scheldwoorden. Een tweetal verderop, dat even tevoren verwikkeld was in een stevige omhelzing met uitwisseling van liefkozingen, was overeind gesprongen in een woedende ruzie. Terwijl de toon hoog opsnerpte, waren de twee elkaar in de haren gevlogen, zich verwijderend naar het tegenoverliggende gedeelte van de taveerne.

Dante pakte zijn beker en schoof snel achter de groep langs de wand, op de vrijgelaten plaats naast de vier toelopend, waar hij ging zitten alsof hij net binnenkwam.

De mannen leken zijn komst niet op te merken, in beslag genomen door het schouwspel van de twee herriemakers en het gedempt uitwisselen van spottende commentaren. Dante leunde weer tegen de muur en bleef met kleine teugjes drinken.

Hij slaagde erin hier en daar een woord dat opdook uit het gegons van de taveerne op te vangen. Maar hoe hij ook zijn oren spitste, de betekenis van hun gesprek ontging hem nog steeds. Vanbinnen voelde hij een groeiende irritatie jegens de menigte smeerlappen om hem heen. Hoe durfden ze het werk van het gerecht met hun geile praatjes in de weg te staan? Wanneer zou de hand Gods neerdalen om heel dat gespuis uit te roeien?

Instinctief had hij zijn ogen ten hemel geslagen, alsof hij hoopte dat het plafond van de taveerne zou opensplijten onder een plotselinge vuurregen. Anders zou hij zelf, en wel snel, de mannen van de bargello opdracht geven voor een vreselijke *repulisti*. Hij zou geen steen van dat krot op de andere laten en Ceccherino zou, verbrand onder de rokende puinhopen van zijn gribus, een vreselijke waarschuwing vormen voor alle geïnverteerden...

Onverwachts waren de stemmen gedaald, alsof de hemel zijn vervloekingen had verhoord en nu, aangekondigd door die stilte, elk moment de wraakengel kon verschijnen die Sodom had verwoest.

'En dus is er nog steeds niets over bekend...' was een van de vier net uitgesproken.

De man die voor hem zat, kapte met een nijdig gebaar zijn zin af. 'Een heel schip lijkt onmogelijk als een spook te kunnen verdwijnen. En dat nadat het aan de kust is gezien.'

'Maar de rest is in elk geval in onze handen. En we hebben meer aan het ijzer dan aan het licht,' wierp de eerste met een schouderophalen tegen.

'En aan het goud nog wel het meest!' mengde de derde er zich grijnzend in. 'Zelf kies ik in deze drie-eenheid voor het derde. En het ijzer om het ons toe te eigenen. Wat het licht betreft, dat mag allemaal naar de keizer. Dat zoekt hij toch?'

'Ik heb van de anderen gehoord. Ze komen allemaal naar de abdij.'

Dante spitste zijn oren tot het uiterste om elk detail van dat dubbelzinnige onderhoud op te vangen, bang dat het kabaal weer uitbrak en zijn inspanning tevergeefs maakte. Hij voelde nauwelijks de hand die zachtjes zijn hals beroerde.

De man die naast hem zat moest zijn verstrooidheid hebben uitgelegd als aanmoediging. Met meer doortastendheid herhaalde hij het gebaar. 'En, lekker zwartkoppie? Ben je nieuw hier? Ik zie je voor het eerst.'

Dante draaide zich om naar de stem. Een riekende adem walmde hem tegemoet. Hij zag een lang, geel gezicht met een naar blond neigende baard, waarboven twee verwilderde ogen gloeiden. De man hield een beker wijn in de hand waar hij net uit gedronken had. Een fijne krans van roodachtige druppeltjes bevochtigde nog de hoek van zijn gezwollen lippen.

'Laat me met rust, vriend. Ik wil in mijn eentje zuipen,' mompelde hij wegkijkend en zich over zijn beker buigend. Hij probeerde de gesprekken van de vier weer op te vangen, die bleven doorsmoezen.

'In je eentje? Weet je niet dat in de eenzaamheid de wortel van de ondeugd en de zonde schuilt?' hield de nieuwkomer aan. 'Deze legt in de ziel de kiem van de *melancholia obscura* en brengt onze lichaamssappen uit balans door het lichaam vatbaar te maken voor ziekten en een sombere neergang, zoals Aristoteles beweert in *De anima*. Wil je soms voortijdig oud worden in je pantser van trots?'

Dante zag hem verbaasd aan.

'Jij had niet gedacht dat ik de logica aanhing!' riep de blonde man uit, duidelijk tevreden dat hij zijn aandacht getrokken had. 'Ik zag meteen aan je houding en kleding dat je een letterkundige was, net als ik.'

'Aristoteles zegt niets van dien aard. En zeker niet in *De anima*,' stelde de dichter, die opnieuw de woorden van de vier trachtte af te luisteren. Hij meende een verwijzing naar de tempel op te vangen...

'O, dan is het wel iemand anders,' snoof zijn gespreksgenoot, terwijl hij met zijn hand weer zijn hals beroerde.

Dante deinsde instinctief terug en trok zijn hand met een woedend gebaar weg. Hij moest hem duchtig geraakt hebben, want de man krijste het uit en zocht hulp bij de andere tafelgenoten, zijn oogjes opvlammend in een plotselinge haat. Aangetrokken door het tumult richtten langzaamaan alle blikken zich op de dichter. Achter in de gelagkamer waren een paar gasten overeind gaan staan.

'Hij mept Teodolino! Laten we 'm grijpen!' schreeuwde een van hen tegen de anderen, die dreigend naar voren kwamen. De man, een reus in een soort leren pantser met zilverbeslag, had een grote pollepel gepakt en wees zijn kameraden de prior aan.

Aan weerszijden van de tafel manoeuvrerend leek de groep van plan om de tafel te omsingelen. Dantes blik schoot in het rond op zoek naar een uitweg. Een scherpe pijn vlamde op in de hand waarmee hij de blonde tegenhield, die zijn tanden in zijn vlees had begraven. Hij haalde flink uit met zijn vrije hand en slingerde hem tegen de driepoot in het midden van de ruimte.

De grote koperen vuurpot ging om en viel kletterend op de grond, daarbij een wolk van vonken rondstrooiend. Een koor van pijnkreten steeg op van de groep klanten die het dichtstbij zat en vol geraakt werd door de vuurregen.

De mannen leken gevangen in een helledans waarin ze wanhopig de gloeiende kooldeeltjes uit hun haar en kleren schudden. Onder het slaken van vloeken en verwensingen zwaaiden ze met hun ledematen en waren Dante helemaal vergeten. Maar anderen bleven, toen de schrik voorbij was, naderbijkomen, en ook andere klanten voegden zich bij hen.

Dante voelde zich verloren. De kolos met het pantser stond nu op een pas afstand en wierp zich op hem, probeerde hem bij zijn hals te grijpen, maar verloor zijn evenwicht en viel op de grond. Dante had de indruk dat hij gestruikeld was over de voet van een van de mannen die hij had afgeluisterd, en die expres zijn benen had uitgestoken.

De prior maakte hiervan gebruik om bij de deur te komen. Op de drempel bleef hij even staan en keek achterom. Hoog boven zijn hoofd maakte hij het hoorntjesgebaar. 'Vervloekte hondenzonen, ontaarde ellendelingen! Dat is het vuur dat jullie toekomt en dat jullie zullen krijgen.'

De hele taveerne was veranderd in een hellekring. Alleen de vier vreemdelingen waren roerloos op hun plaats blijven zitten en zagen het tafereel aan als toeschouwers op de tribune van een theater.

Eenmaal buiten zette hij het op een lopen uit angst dat iemand de jacht op hem had ingezet. Maar de deur van de taveerne bleef gesloten, als vormde die een soort heilige grens voor degenen die daarbinnen hun heil hadden gevonden. Uit voorzorg drukte hij zich toch maar plat tegen de muur van een hut in de buurt, zich verbergend in de schaduw van een deur.

Op dat moment zag hij twee gedaanten uit een zijstraatje komen en op de deur van de taveerne aflopen, na met een steelse blik te hebben gecontroleerd of er niemand te zien was. Vanuit zijn schuilplaats kon hij hun gezichten goed waarnemen, duidelijk in het volle licht afgetekend.

Cecco Angiolieri en de jonge Colonna.

De Siënees was wel iemand voor zo'n plek. Inmiddels kon hij bij zijn afdaling langs de helling van de ondeugd ook de grenzen der natuur hebben gepasseerd. Hij onderdrukte een glimlach bij die gedachte: de held van Campaldino met zijn paarse beentjes! Ze leken gemaakt om die deur door te gaan. Maar afgaande op het beeld dat hij zich van hem had gevormd leek Franceschino hem niet echt het type. Nee, ze moesten daar om een andere reden zijn, die verband hield met de aanwezigheid van de geheimzinnige klanten.

Hij bleef nog even in de deuropening staan, twijfelend wat hij zou doen. Het risico nemen om weer naar binnen te gaan was gekkenwerk. Wachten tot de onbekenden naar buiten kwamen en hen aanspreken zou kostbaar tijdverlies kunnen betekenen, zonder de zekerheid dat hij eerlijke antwoorden kreeg. De twee zouden hun aanwezigheid op die plaats op talloze manieren kunnen verklaren, en hij had geen enkel bewijs tegen hen.

Misschien was het beter om het weinige daglicht dat nog resteerde te benutten door terug te gaan naar Alberto, in de hoop dat hij iets wijzer was geworden van het apparaat.

De mechanicus ontving hem met een ontgoocheld gezicht dat boekdelen sprak.

'Nog steeds geen resultaat, meester Alberto?'

De man schudde het hoofd. 'Niet echt. Ik meen enige samenhang te hebben gevonden. En ik heb een van de beschadigde raderwerken gereconstrueerd. Kijkt u maar.'

Hij reikte hem een glimmende schijf van goudkleurig metaal aan, waarvan de scherpe randen nog spraken van het werk van de vijl.

Met een snelle inspectie bij het licht van het raam beoordeelde Dante de gaafheid van het ontwerp. 'Uw werk lijkt niet onder te hoeven doen voor dat van de heidenen. Maar achter de gaafheid van de vorm dient u nu het wezen van het bewuste voorwerp te vangen. En wel snel, want de tijd die deze machine misschien meet is al in gang gezet.'

De meester keek hem aan, getroffen door zijn bezorgde toon. 'Maar de aard ervan is niet meer geheel en al onbekend...' mompelde hij.

Dantes blik lichtte op. 'En het doel?'

'Het verbinden van allerlei rotaties. Geleidelijk aan versneld door een verkleining van de diameter van de tandwielen.'

De twee mannen keken elkaar in de ogen, ervan overtuigd dat dezelfde gedachte door hun hoofd ging.

Het was de dichter die als eerste de stilte verbrak. 'Net zoals in het heelal de hemelsfeer van de maan een snellere omwenteling maakt dan die van Saturnus, de buitenste vóór het gebied van God. Maar waarom?'

'Dat begrijp ik juist niet. Als het doel was om met zekere passen het verstrijken van de tijd te meten, zouden de bewegende wijzers een niet menselijke tijd aangeven, meer in overeenstemming met het vliegen van een vlieg dan het kloppen van een mensenhart. Alsof iemand een tijdsaanwijzer had willen bouwen om de dag aan te geven van een buitenaards volk...'

'Heeft al-Jazari misschien een klok voor engelen willen bouwen?'

'Of voor duivels. En dan heb je dit detail nog, hier... Dat tekent het genie... Als ik het goed gezien heb, heeft het brein van de bouwer hier werkelijk dat van God doorgrond,' vervolgde de oude baas met van bewondering brandende ogen.

'Wat is er zo bijzonder aan?' vroeg Dante verbaasd. Hij had die hongerige blik vol schaduwen eerder gezien. Mannen die op de brandstapel waren beland door hun zucht om verder te gaan dan de grenzen die God aan de niet genadeverlichte rede heeft gesteld.

'Ziet u deze as en de twee loden bollen aan het einde van die twee beweegbare staafjes?'

Dante tuurde naar het kleine detail, toen keek hij de meester weer vragend aan.

'Dat is een regelaar van de rotatiesnelheid... heel simpel, maar wel het resultaat van de verlichting die alleen God kan geven. De oplossing van een enorm probleem. Begrijpt u wel? Ook onze wetenschap is in staat een mechaniek te maken dat draait, aangedreven door de energie geaccumuleerd in een gebogen reep staal, of geleverd door een zakkend gewicht. Maar niemand heeft de manier gevonden om de daaruit voortkomende beweging constant te maken, zoals in deze machine.'

De mechanicus bleef bewonderend naar het apparaat kijken. 'En moet u hier zien,' hervatte hij, wijzend op een gat in een bronzen plaat aan de zijkant van het apparaat. Een vaardige hand had rond de opening de gestileerde tekening van een mensenoog gegraveerd. Hij wierp een vragende blik op de dichter, alsof hij van hem een verklaring verwachtte.

Dante kwam naderbij om beter te zien. Het ronde gat stemde precies overeen met de pupil van de gegraveerde figuur. 'Een aansporing om door het gat te kijken?' waagde hij aarzelend.

Aan de andere kant van het gat zat een koperen lijst, zo bevestigd dat hij met een variabele hoek gericht kon worden. Hij schatte de afmetingen ervan, terwijl er een wonderlijk idee bij hem opkwam. Die lijst had een van de spiegels van de truc van de Maagd kunnen bevatten. Hij boog zich naar de andere kant: voor het andere gat zat eenzelfde lijst. Verward beet hij op zijn onderlip.

Intussen was de mechanicus weer gaan praten. 'Daar heb ik ook aan gedacht. Het zou een ongewoon astrolabiummodel kunnen zijn, en dát het gat om naar de sterren te kijken. Maar het klopt niet. Aan de andere kant van het apparaat zit inderdaad een corresponderend gat. Maar als je er doorheen kijkt wordt het zicht belemmerd door de draaiende platen. Het klopt niet,' herhaalde hij weer hoofdschuddend.

'Tenzij het doel is om juist de bewegende delen te bekijken,' merkte de prior op.

Alberto boog zich over tafel, zijn hoofd in zijn handen. 'Al-Jazari was krankzinnig geworden. Misschien is het doel van de machine alleen maar de viering van zijn meesterschap. Een monument voor zijn blinde trots.'

'Een bewonderenswaardig spel, maar zonder doel. En moesten daar zoveel mensen voor sterven?'

De oude man keek verontrust naar hem op, maar voordat hij commentaar kon geven viel Dante hem in de rede. 'Probeer het geheim ervan te doorgronden, meester Alberto. U kunt niet weten hoe belangrijk dat is.'

'Geef me nog wat tijd, mijnheer de prior.'

'Tijd is de materie waarover we het minst beschikken,' mompelde Dante. Met zijn handen in het mechaniek boog de mechanicus zich weer over de werkbank. Dante keek om zich heen.

Geruisloos in een hoek zat Amid. Hij was in gebed verzonken op zijn tapijtje. De dichter ging op een kist naast de werkbank zitten, vouwde zijn handen onder zijn kin en nam hem aandachtig op.

Hij wist van het gebruik der Moren om zich naar Mekka te wenden, maar hem tegenover een muur op zijn knieën te zien, verdiept in een onbegrijpelijke litanie, maakte in plaats van eerbied voor zijn godsdienst hilariteit bij hem los.

De slaaf moest zijn gegrinnik gehoord hebben, want hij onderbrak zichzelf en keek hem nijdig aan.

'Vertel eens over je paradijs, heiden. Wat staat erover in het boek?' vroeg Dante. 'En vergeef me dat ik je gesprek met je god heb onderbroken.'

Diep vanbinnen voelde hij dat hij hem gekwetst had. Maar waarom eigenlijk? Hij vroeg het zich geërgerd af, waarna hij dat gevoel meteen verjoeg. Het gesprek dat hij had onderbroken was alleen maar een dialoog met het niets.

'Door de zeven hemelen heen bereikt de Profeet op de gevleugelde Boraq, het magische paard, het huis van de machtige, barmhartige God. Daarboven onthulde Hij de geheimen aller dingen.'

'En wat zouden die geheimen zijn?'

'God legde een zegel op de lippen van de Profeet opdat hij niets zou prijsgeven.'

'Natuurlijk! Omdat hij niets heeft gezien. Waarom zou God een ketter ontvangen en met hem spreken en Zijn bedoelingen aan hem uitleggen, als een kasteelheer aan zijn pachter? Misschien kan het opstijgen naar Zijn licht wel zijn vergund, maar dan als boetedoening en waarschuwing voor de gehele mensheid.'

'Mohammed is de meest hoogstaande der mensen, de eerste en laatste der profeten. Wie is het meer waardig dan hij om de hoogste rijken te bezoeken en ons daar verslag van te doen?'

'God zou de laatste der zondaren tot Zich kunnen roepen, als Hij hem bij zijn geboorte maar begiftigd heeft met het superieure vermogen van een rationeel gemoed. Een man wiens herkomst is beschenen door een vonk van het hemelse licht.'

'Een man zoals u, messer Alighieri?'

Dante schokschouderde geprikkeld. 'Dus jouw paradijs ligt voorbij de kristallijnen gewelven van de hemelsferen. En hoe ziet het eruit?'

'Door de trap die hem verscheen, steeg de Profeet, God hebbe zijn ziel, eerst op naar de zeven hemelen van de zeven planeten. In de precieze volgorde waarin de wijze sterrenkundigen van Bagdad ze met hun wonderbaarlijke visie hebben vastgesteld. Waarbij hij woestenijen van duister en licht heeft overgestoken. En de zee van vuur van de schuld.'

Dante schudde zijn hoofd. 'In de volgorde waarin de wijzen van Griekenland ze hebben vastgesteld, zul je bedoelen. Aristoteles en de grote Ptolemaeus. Die zeeën van vuur en van duisternis waar je het over hebt, zijn niet de pijlers van de wereld, maar iets wat onze ogen misschien zouden kunnen zien, al zou onze geest erdoor verpletterd worden. God is ver van ons vandaan, en zelfs jouw Avicenna zou niet de schreden kunnen tellen die ons van Hem scheiden.'

De Arabier gaf geen weerwoord. Dante was in gedachten weer bij de keten van moorden uitgekomen. Het gezicht van Fabio, de wiskundige, was hem te binnen geschoten. Zelfs een wiskundige zou niet het aantal van die schreden kunnen tellen. Waarom was er een wiskundige nodig om dat duistere plan ten einde te voeren?

Een plotselinge ongerustheid maakte zich van hem meester. Ten prooi aan een voorgevoel haastte hij zich naar de deur.

Zo hard rennend als zijn krachten hem toestonden legde hij de lange weg af tot aan het logement. Intussen vervloekte hij zichzelf om zijn achteloosheid. Ontdaan door wat hij in de Stinche had gezien, had hij bevel gegeven om de man vrij te laten. Het was een beslissing geweest die niet met zijn verstand was genomen, maar alleen was ingegeven door schuldgevoel omdat hij de indirecte oorzaak van zijn marteling was geweest. Door hem te bevrijden had hij gehoorzaamd aan het verlangen om dat bebloede gelaat, die gehavende gewrichten uit zijn geheugen te wissen.

Maar misschien was hij nog op tijd om het tegen te houden. Waarschijnlijk zou de wiskundige wel wachten tot hij een minimum aan krachten had herwonnen alvorens hij weer op weg ging naar het Noorden.

Hij liep verder tot het laatste stuk er ook op zat. De gelagkamer op de begane grond was leeg, en ook op de trap kwam hij niemand tegen. Hij bereikte de eerste verdieping, waar zich de cel van Fabio dal Pozzo bevond. Zonder kloppen lichtte hij de grendel en ging naar binnen.

Een snelle blik was voldoende om zeker te weten dat het vertrek volkomen leeg was. Op de schrijftafel lagen papieren, waarop meetkundige figuren en getallen waren getekend. Met zijn vingertoppen raakte hij de sporen van de inkt aan, die nog nat was. De wiskundige moest de kamer net verlaten hebben.

Snel las hij de bladzij die de man als laatste leek te hebben geschreven; het ging om losse opmerkingen, aantekeningen over de declinatie van de ster Venus. In een hoek zag hij roodachtige vegen, als veroorzaakt door bloederige vingers. Instinctief keek hij op naar het plafond. De vesper had net geluid, het beste tijdstip om de avondster in al zijn luister gade te slaan. Misschien was Fabio op het dak van de toren geklommen om zijn observaties af te ronden. Inwendig voelde hij bewondering voor deze man, die zelfs bij leed de passies van zijn geest niet verwaarloosde.

Hij verliet het vertrek en ging de trap op naar het bovenste deel van het gebouw. Boven aan de trap leidde een gesloten luik naar het dak. Hij duwde het open en stak zijn hoofd door de opening.

Hij voelde iets van teleurstelling toen hij constateerde dat die plek uitgestorven was. Hij liet het luik weer neer, maar op dat moment trok geschreeuw van beneden zijn aandacht. Het klonk of er iets dramatisch was gebeurd. IJlings toog hij naar beneden.

De kreten kwamen van de andere kant van de oude Romeinse muur waar vroeger het platteland begon. Via een boog liep hij onder de muur door en kwam bij een groep mensen die boven iets onder aan de toren gebogen stonden.

Het lichaam van de wiskundige lag in gruweltoestand op de keien, midden in een plas bloed.

Onder de verbijsterde omstanders was ook de logementhouder, die hem herkende. ‘Wat een vreselijk ongeluk, mijnheer de prior!’

Dante stuurde iedereen bij het lijk weg en kwam dichterbij om het beter te onderzoeken. De schedel en de ledematen vertoonden duidelijke sporen van een doodsmak op het steen. Hij keek op naar de verre spits van de toren. Hij moest van bovenaf gevallen zijn, misschien terwijl hij met zijn observaties bezig was.

Maar wanneer was het gebeurd? Het lichaam was nog warm en toch had hij niet de klap van de val gehoord, en ook geen kreet. Niets.

'Hoe bent u erachter gekomen?' vroeg hij aan de kleine menigte om hem heen. Iedereen haalde zijn schouders op en keek naar zijn buurman.

Toen stapte er bedremmeld een jongen naar voren. 'Ik heb hem gevonden,' stamelde hij. 'Ik kwam de bestelling van de wijn opnemen...'

'Heeft iemand hem zien vallen?'

Opnieuw waarde er een verbaasde blik tussen de bête koppen van de omstanders. Dante boog zich weer over het lijk en onderzocht de verwrongen ledematen. Hij draaide het voorzichtig om: op de borst, ter hoogte van het hart, vielen duidelijk twee sneden op in het met scharlaken afgezette gewaad. Een van de twee houwen moest hem op slag hebben gedood en aangezien hij geen kik had gegeven, was dat de eerste geweest die hem was toegebracht; alleen aan de wreedheid van de moordenaar was de tweede wond te wijten. Het slachtoffer moest hem kennen, aangezien de moordenaar bij verrassing had kunnen toeslaan zonder teken van verzet.

De logementhouder was bevend dichterbij gekomen.

'Wie was er in het logement?' vroeg de prior, terwijl hij overeind kwam.

Voordat de ander antwoord kon geven, was hij snel weer naar de deur van de toren gelopen. De hal was nog altijd uitgestorven. Hij ging weer de trap op, ditmaal elk van de slaapkamers nalopend. Ze waren allemaal leeg.

De logementhouder was hem ondertussen gevolgd. 'Ik weet het niet zeker, maar volgens mij was er niemand bij de koopman,' antwoordde hij. 'Of zo lijkt het me tenminste... We zouden de arbeiders kunnen vragen...'

Dante legde hem met een gebaar het zwijgen op. Het had nu geen zin meer. Hij dacht begrepen te hebben wat er was gebeurd.

De moordenaar was boven in de toren op Fabio afgekomen en had hem vermoord, waarna hij het lijk naar beneden had gegooid. Vervolgens was hij de trap weer afgegaan en toen hij de dichter naar boven hoorde komen, had hij zich teruggetrokken in een van de slaapkamers. Ten slotte had hij zich in de verwarring na de ontdekking van het lijk uit de voeten gemaakt, profiterend van het feit dat het vanaf de plaats van de val niet mogelijk was de deur van het logement in het oog te houden. Hij moest stalen zenuwen hebben om zich niet te verraden. En een flinke dosis geluk.

Was hij maar een moment eerder gekomen, verweet de prior zichzelf, misschien had hij dat bloedbad dan kunnen voorkomen. Het geluk leek uit zijn hemelsfeer te zijn geweken, bedacht hij bitter.

De doden van het geheimzinnige schip, experts in werktuigkunde. En dan Guido Bigarelli, de verdoemde beeldhouwer, de bouwmeester van Frederik II. En Rigo de timmerman. En nu Fabio, een wiskundige. Iemand was bezig de mannen om te brengen die op een geheimzinnige manier verbonden waren met een plan waarvan de contouren vooralsnog onbegrijpelijk waren.

Op dat moment hoorde hij een zware voetstap op de trap. Hij haastte zich naar de overloop en kruiste de massieve gestalte van Jacques Monerre die naar boven ging.

De dichter sneed hem de pas af. 'Ik denk zo dat u wel weet wat er is gebeurd.'

De Fransman knikte. 'Ik heb het lijk gezien,' reageerde hij afgemeten. 'Een ongeluk?'

Dante zweeg en nam alleen aandachtig zijn reacties op. De man bleef echter onbewogen een antwoord afwachten. 'Nee,' zei hij ten slotte. 'Een moordenaarshand heeft een eind aan zijn dagen gemaakt.'

Monerre schrok en wierp een snelle blik in het rond, alsof hij bang was dat de moordenaar ergens verstopt kon zijn. Toen keek hij hem weer aan met het enige oog dat nog kon zien. 'Weet u wie het geweest is?'

'Nee. Net zomin als bij de anderen.'

'Denkt u dat er een verband tussen de misdaden bestaat?'

Dante knikte. Het had geen zin om erover te beginnen met iemand die er misschien verantwoordelijk voor was. 'Ik moet iets van u weten,' zei hij, een ander onderwerp aansnijdend. 'U zei dat u uit Toulouse komt.'

De ander bevestigde dit stilzwijgend met een knikje.

'En bent u in die stad wel eens de monnik Brandaan tegen het lijf gelopen, de man Gods die zich opmaakt om een nieuwe, roemruchte kruistocht te leiden?'

Monerre had onbewogen toegeluisterd, maar de rimpel in zijn gezicht leek nog dieper, hij leek plotseling bleek geworden. Toen hij antwoord gaf was hij niettemin volkomen kalm. 'Nee, volgens mij niet. Toulouse is een grote stad, vol verkeer en pelgrims die er doorheen trekken alvorens ze de Pyreneeën overgaan op weg naar Santiago de Compostela. Het is onmogelijk iedereen te kennen, zelfs voor iemand die een minder teruggetrokken leven leidt dan ik. Maar een figuur als die monnik zou je niet licht vergeten.'

Dante knikte en verzonk toen in zijn eigen gedachten.

Monerre verbrak de stilte. 'Maar waarom vroeg u dat? Wat heeft mijn verre stad met Brandaan van doen?'

'Ogenschijnlijk niets. Toch is er iemand die zweert dat hij hem daar heeft gezien. En dus hoopte ik van u een bevestiging te krijgen van de juistheid van dat bericht.'

'Is dat van belang?'

'Toulouse is niet zomaar een stad. Het is een plaats van grote beschaving en rijkdom, maar ook het centrum van alle voornaamste ketterijen, en een voedingsbodem voor voortdurende onlusten op Frans grondgebied. Als die monnik daar echt vandaan komt en de inquisitie weet dat, dan valt te verwachten dat men vroeg of laat ingrijpt om dat twijfelachtige avontuur een halt toe te roepen.'

De dichter hield stil, de reacties van de Fransman beglurend om te zien of hij op de hoogte was van de truc. Zo niet een geheime medeplichtige ervan.

Monerre keek hem aan. 'Wat denkt u van het wonder dat we allemaal hebben bijgewoond, messer Alighieri?' vroeg hij eensklaps, alsof hij de list wilde onthullen.

'Dat wilde ik u juist vragen.'

De Fransman leek de tijd te willen nemen. 'Op mijn reizen heb ik soms nog wel gekkere dingen gezien. Ik heb de schaduwen van de djinns, de duivels van de heidenen, zien rondwaren tussen hun gloeiende stenen. Maar zeker niet zoiets wonderlijks als dit. Alleen de mythische feniks die uit zijn eigen as verrijst, zou de ongeloofwaardigheid ervan kunnen evenaren.'

'Als het echt was,' mompelde Dante.

'Als het dat was, zou het een plaatsje in de schat van een keizer verdienen.'

'Een schat zoals die van Frederik?'

Monerre schrok op. 'Waarom zegt u dat?'

‘Omdat het gerucht wil dat juist in Toulouse de schat van de keizer is verborgen, die daar na zijn dood door zijn getrouwen naar toe is gebracht om hem veilig te stellen voor aanvallen van zijn vijanden en voor de inhaligheid van zijn erfgenamen. Als dat waar is, dan zou de buitengewone relikwiehouder uit een van die kisten afkomstig kunnen zijn.’

‘En toch, messer Alighieri, heet het bij ons dat de schat van Frederik elders is verborgen,’ wierp Monerre tegen, terwijl hij hem een raadselachtige blik toewierp. ‘Men veronderstelt dat hij zich uitgerekend hier in Florence bevindt. En dat dit de ware betekenis is van de voorspelling *sub flore*, die de legende van Frederik altijd heeft vergezeld.’

‘Waar zou hij dan verborgen zijn?’

‘Beter nog, waaruit bestaat de schat van Frederik? Is er iemand die die vraag kan beantwoorden?’

6

De ochtend van 11 augustus

Buiten het Priorpaleis stuitte Dante op een groep wijkwachters. Toen ze hem herkenden kwamen de mannen hem geestdriftig tegemoet, alsof ze naar hem op zoek waren.

'Mijnheer de prior, daar bent u dan eindelijk. Er is een ongeluk gebeurd, ginds in Carraia. Een drenkeling. We proberen het lichaam te bergen,' zei een van hen, terwijl hij een kruisteken maakte.

Ook de dichter had de aandrang gevoeld om een kruis te slaan. Dood door verdrinking voorspelde volgens het volksgeloof altijd ongeluk. En misschien school er waarheid in dat geloof, want de aarde is de bestemde plaats voor de laatste rust. Een zeegraf had iets onnatuurlijks.

Maar waarom zou het hoogste gezag van de stad zich moeten bezighouden met een dergelijk voorval, hoe pijnlijk ook? Drenkelingen in de Arno waren geen zeldzaamheid, met name 's zomers, wanneer velen, vertrouwend op de lage waterstand van de rivier, de bedrieglijke bodem ervan uitprobeerden.

Hij wilde ze al naar een ander sturen, toen hem een vermoeden bekroop. Onmiddellijk wijzigde hij zijn besluit. 'Leid me erheen,' riep hij uit en hij liep achter de mannen aan.

Ze namen de weg langs de oever van de Arno, onder de Ponte Vecchio door, waarbij ze de rij watermolens passeerden. Op dat moment was de stroming van de rivier door de lage zomerstand langzaam, vaak tollend in brede draaikolken.

Op het grint, nabij de eerste pijler van de brug naar Carraia, had zich een kleine menigte verzameld die naar iets aan het kijken en druk aan het discussiëren was. Ter plaatse gekomen ontdekte de dichter de reden van al die opschudding: tussen de schoepen van de laatste molen zat een mensenlichaam geklemd dat bij elke ronde van het rad uit het water opdook, als een macabere riviergod die zich op de top van de rotatie in heel zijn dramatische kwetsbaarheid vertoonde, doordrenkt van glinsterend water, en dan weer onderging in zijn watergraf.

Er was iets ongewoons, bedacht de dichter, aan dat zinnebeeld van een onvoltooide wederopstanding. Alsof de dode weigerde in het graf neer te dalen, terwijl de krachten van de onderwereld hem tegelijkertijd de terugkeer ontzegden en hem telkens op de drempel van de bevrijding tegenhielden.

'Waarom komt niemand op het idee om de molen stop te zetten?' riep Dante tegen een van de mannen van de bargello die met de armen over elkaar het tafereel stonden aan te zien.

'Dat probeert de molenaar nu te doen: hij heeft de verbinding met de molensteen losgemaakt, maar het vrije rad blijft maar draaien. Ze proberen het vanbinnen met een schoep tegen te houden om het dan vast te zetten met touwen.'

Inderdaad was het kolossale rad van meer dan tien armlengten doorsnee langzamer gaan lopen en waren de wederopstandingen van de dode afgenomen. Eindelijk stond het helemaal stil. Twee mannen van de bargello klommen voorzichtig langs de balken van de draagconstructie tot ze bij het punt kwamen waar het lijk ingeklemd zat. Daar lieten ze de macabere last met behulp van touwen zakken op een bootje dat lag te wachten op de rivier.

Dante wachtte op de oever. 'Stuur die leeglopers weg!' riep hij naar de mannen van de bargello, wijzend op de kleine menigte nieuwsgierige aagjes die zich rondom verdrong. Terwijl de soldaten de greep van hun lans als stok gebruikten en het terrein ontruimden, meerde de boot aan. Dante boog zich over het lijk, dat op zijn buik lag, de armen gespreid in een kruis en het hoofd over de rand.

Voorzichtig lichtte hij het hoofd op; hij veegde de massa doorweekte haren van het voorhoofd. Bij die beweging gulpte er een straal water uit de mond van de dode, alsof zijn lichaam vol zat met het vocht dat zijn dood was geworden. Onmiddellijk liet hij de haren terugvallen, die de trekken van de man weer verdoezelden. Hij draaide zich om om uit de gezichtsuitdrukking van de soldaten op te maken of ook iemand van hen hem had herkend. Maar hun stompzinnig nieuwsgierige koppen stelden hem gerust.

Het was het gezicht van Brandaan. Misschien een van de vele, en ditmaal zeker het laatste. De monnik had niet op tijd een bestudeerde houding kunnen aannemen, en nu was op zijn bleke trekken enkel de angst voor een gewelddadige dood te lezen.

De prior tilde even het lichaam op om het kleed op de borst open te maken en een summier onderzoek te verrichten. Het lijk zat onder de butsen en blauwe plekken. Het moest hard tegen de bodem zijn geslagen. Aan een kant wezen twee rode wonden op het punt waar het vlees door iets was opengereten. Hij keek op naar het rad. De schoepen zaten aan de middenas vast met lange timmerspijkers. Waarschijnlijk hadden die de diepe, fijne sneden toegebracht.

Hij zette zijn waarnemingen voort: een ongewone tatoeage op een schouder trok zijn aandacht. In een roodachtige kleur, die op het blauwige bleke van de huid als een bloedvlek opviel, was de vorm van een achthoek zichtbaar met kleinere tekens eromheen. Dante had nog nooit zoiets gezien: alleen een van die kleinere tekens deed hem denken aan de symbolen waarmee astrologen de conjuncties van hun vak weergeven. Hij viel even stil om te overpeinzen wat hij zag. Toen hernam hij zich.

'Haal een doek boven in de molen, en wikkel deze arme resten erin,' beval hij, terwijl hij weer overeind kwam. Intussen had hij uit de tas aan zijn riem zijn wastafeltje gehaald en maakte met de stift snel een kopie van de tatoeage.

Het kostte niet veel moeite: van kindsbeen af was hij een uitstekend tekenaar geweest en zijn kennis van het verf mengen had hem flink geholpen op het moment van inschrijving in het gilde van de apothekers. Als hij had gewild, had hij zich met succes aan de schilderkunst kunnen wijden. Ook zijn vriend Giotto was daarvan overtuigd en had hem meermalen aangemoedigd. Ooit misschien, wanneer hij anders was geworden dan degene die hij nu was...

Even later kwam een van de mannen van de bargello terug met een paar jutezakken die in een geïmproviseerde lijkwade werden veranderd, waar de dichter de man in liet wikkelen, er zorg voor dragend dat zijn gelaat bij die operatie bedekt bleef. Pas toen het lijk stevig met touw werd vastgebonden, voelde hij zich geruster.

Ten minste een paar uur zou het nieuws van de dood van Brandaan geheim blijven. Het kon nuttig zijn dat hij er als enige van op de hoogte was, voor even.

'Breng hem naar de Santa Maria. Het stadsbestuur zal voor zijn begrafenis zorg dragen, als er geen verwant of vriend het lijk komt opeisen.'

De mannen van de bargello vertrokken. Dante dacht intussen na over de volgende stap. De monnik had zijn vlucht door de onderaardse gang dus niet overleefd. Om enigerlei reden moest hij in de rivier gegleden zijn en daar was hij, zwaar geworden door zijn kleren, in de maalstroom van de molen beland en vastgeraakt tussen de schoepen van het rad.

Een pover einde voor iemand die van handigheid en trucage zijn inkomstenbron had gemaakt. En toch leek het of een en ander zo was gegaan. Ook te oordelen naar de toestand van het lijk moest het tijdstip van verdrinking min of meer teruggaan op dat van zijn vlucht uit de abdij.

Niettemin fluisterde er vanbinnen onophoudelijk een stem die hem verontrustte. De twee diepe wonden in zijn zij konden zeker worden verklaard door de gang van zaken, maar hij kon zich niet aan de indruk onttrekken dat ze erg leken op die in het lichaam van Guido Bigarelli en van Rigo di Cola.

En dan ook nog die tatoeage met dat ongebruikelijke sterrenteken. Wat dat betrof had hij wel de hoop om de betekenis daarvan te achterhalen: de oude Marcello had hem verteld dat hij voor zijn diagnoses gebruikmaakte van de astrologie. Misschien kon hij aan die tatoeage een betekenis hechten.

In het logement kreeg hij te horen dat Marcello op dat tijdstip gewoontegetrouw in de San Giovanni moest zijn voor het dagelijks gebed.

Dante bereikte vlot het Baptisterium en drong door de zuidelijke ingang de tempel binnen. Hij moest voorbij de nauwe wirwar van hutjes die door de jaren heen tegen het majestueuze gebouw aan waren gezet en het met hun omarming als het ware verstikten, en voorbij de menigte verkopers die hun kramen hadden ingericht tot aan de graven van het nog bestaande oude kerkhof.

De bejaarde arts stond daar in het licht van een van de vensters. Hij leek in diepe overpeinzing verzonken, zijn hoofd gebogen, zijn ogen geloken.

Op zijn door de tijd getekende gelaat leek het netwerk van rimpels in de laatste uren dieper geworden en gegroefd tot op het bot. Een uitdrukking van pijn veranderde zijn gezicht, dat doorgaans de onbezorgdheid vertoonde van een rijk leven gewijd aan de vrije kunsten. Dante kreeg de indruk dat hij leed aan een ondraaglijke smart, alsof een onverwachte pijnscheut zijn ingewanden teisterde.

Op dat moment sloeg Marcello zijn ogen op en herkende hem. Als bij toverslag ontspande zich zijn gelaat en werd weer dat van altijd. 'Waar hebben we dat aan te danken, mijnheer de prior? U ook in deze buitengewone kerk om God dank te zeggen?'

'Nee, de motieven van mijn komst zijn minder hoogstaand. Ik wist dat ik u hier zou treffen.'

'Zocht u mij? Het is een eer om het voorwerp van aandacht van de prior van Florence te zijn.'

Dante meende een ironische ondertoon bij de ander op te vangen, maar hij ging verder. 'Ik doe een beroep op uw kennis van de sterren voor een oordeel omtrent deze figuur,' zei hij, terwijl hij het wastafeltje uit zijn tas haalde en het hem liet zien.

Marcello nam het aan en hield het op afstand van zijn ogen. 'Mettertijd hebben mijn ogen hun vermogen om van dichtbij te zien verloren, messer Dante. Alsof de dood zeker wil weten dat hij mij bij verrassing zal overvallen, als het zover is,' zei hij, terwijl hij zijn best deed om de groeven in de was scherp te krijgen. Toen zweeg hij opeens. 'Waar hebt u die tekens gezien?' vroeg hij na een lange stilte.

'Op het lichaam van een dode. Ik dacht dat het me zou helpen om zijn identiteit vast te stellen, als ik de betekenis ervan kende.'

Marcello keek hem aan, alsof hij probeerde een verborgen betekenis in zijn woorden te vinden. Hij bleef het tafeltje stevig vasthouden.

'Wel ongewone tekens,' mompelde hij.

'Symbolen van de sterren, dacht ik. Maar wat betekenen ze?'

'Zoals u juist hebt begrepen, geven de tekens rond de achthoek de verschillende hemellichamen weer. Dat is de zon,' zei de arts, op een rondje wijzend. 'En dit zijn de ster Venus en de duistere Saturnus.'

'Maar wat betekent die achthoek? Ik heb meer weergaven van de kaart van de dierenriem gezien, maar allemaal anders dan deze.'

De oude man wachtte even voor hij antwoord gaf. Hij liep met zijn vinger de dunne lijn na die door de stift in de was was getrokken. 'Er zijn veel manieren om die te tekenen, maar één ding is wel ongewoon hier. Niet veel mensen kennen dit bijzondere aspect in de conjuncties van de sterren. Het koninklijk aspect, van honderdvijfendertig graden. Alleen de Arabische astrologen zijn er, voor zover ik weet, van op de hoogte.'

'Waarom koninklijk? Wat heeft deze specifieke combinatie voor bijzonders?'

'Bedoelt u de achthoek? Volgens de traditie van de heidenen van overzee is dat de vorm die God aannam toen Hij Zich bekend wilde maken aan de mensen. Hij bestaat uit een verdubbeling van het tetragrammaton, de onuitsprekelijke naam van God, de dubbele kubus waarop de wereld rust. Dat is de vorm die de Ouden gaven aan gebouwen die het licht van God moesten bevatten.'

'Zijn licht?'

'Zeker... Zijn geest. Of de sporen van Zijn doortocht. Staat in het werk van de dichters die u dierbaar zijn niet dat zelfs de graal in een stenen achthoek wordt bewaakt?'

Dante keek op naar het mozaïek waarmee het gewelf bekleed was, draaide toen zijn hoofd weer in het rond. 'Ook het Baptisterium is een achthoek,' merkte hij op.

De ander had zijn blik gevolgd. 'Dat is zo,' zei hij.

'Waarom zou iemand tegenwoordig volgens u een groot achthoekig gebouw willen neerzetten op ons grondgebied? Er is geen graal meer om te bewaken.'

Marcello liet verbaasd zijn ogen weer op hem rusten. 'Wie is datgene aan het bouwen waarvan u spreekt? En waar?' vroeg hij na een korte stilte.

'Ten noorden van de stad. Iets onverklaarbaars.'

'Hebt u het gezien?'

'Ja.'

'En wat hebt u eruit afgeleid?'

'Weinig of niets, behalve dan een algemeen idee van de vorm ervan. Afgezien van...'

'Wat?'

'Het is neergezet op de weg van de dood. En de dood heeft het bezocht. Misschien als volgende etappe op zijn route, na logement De Engel. En het moeras.'

'Het moeras? Wat bedoelt u, messer Alighieri?'

'De Styx loopt hier dichterbij dan u denkt,' stelde de dichter, terwijl hij onder de bevreemde blik van de ander wegliep.

In het bouwersgilde

Dante reikte Manoello, de kapitein van het gilde, het vel papier aan waarop Rigo de kaart van het in vlammen opgegane bouwwerk had geschetst. De man zat achter zijn indrukwekkende schrijfbureau dat op een eikenhouten voetstuk stond, bewerkt met de symbolen van het gilde.

Met een verbaasde uitdrukking op zijn gezicht liet hij een paar seconden voorbijgaan. Hij leek argwanend geworden. Toen alsof hij hun bevestiging zocht richtte hij zijn blik op de andere twee bejaarde meesters die van hun zetel waren opgestaan om beter te zien. 'Waar gaat het om?'

'Ik zou graag willen dat u mij dat zei. Het is het plan van een soort gebouw, iets waarvan de bouw begonnen was. Zou u, met uw ervaring, mij kunnen zeggen waar deze tekeningen naar verwijzen? Of voor welke functie zo'n werk bestemd zou kunnen zijn?'

'En waarom wilt u dat weten?'

Dante verstrakte. Zijn vuisten ballend zette hij een stap naar de katheder. Hij kende de mantel van discretie die over iedere activiteit van het bouwersgilde hing en het absolute verbod om iets aan vreemdelingen prijs te geven. Maar nu sprak het stadsbestuur van Florence door zijn mond. 'Omdat ik reden heb om aan te nemen dat dit gebouw verband houdt met een misdaad. En het is mijn plicht om de weg naar de waarheid af te leggen, terwijl het de uwe is om mij op die weg bij te staan,' siste hij, met zijn wijsvinger op het papier tikkend, dat de meester bleef negeren.

De man leek verbouwereerd. Hij wenkte de andere twee bij zich alvorens hij zich eindelijk over de tekening boog. 'Een ongewone constructie. Een toren?' mompelde hij, de man die als eerste naderbij gekomen was wijzend op het profiel van de muur.

'Te groot,' wierp de ander na een korte denkpauze tegen. 'Eerder... misschien een spinnerij. Ik weet dat er nu in het Noorden enorme grote gebouwd worden. Of een drogerij voor geverfde stoffen. Of gelooid leer.'

'Nee... ik weet wat het is,' fluisterde een bevende stem.

De derde meester, de oudste, had zich tot dat moment afzijdig gehouden, na slechts een snelle blik op de papieren geworpen te hebben. Dante wendde zich naar hem toe. Op zijn gezicht, zo bleek als een in loog gelegde doek, had de dood al zijn onmiskenbare stempel gedrukt. Een van de ogen was blind geworden door een verwonding, terwijl het andere met moeite onder het halfdichte ooglid uit keek, omfloerst door staar. Nu leek het echter op te lichten door een onverwacht vuur. 'Lang... heel lang geleden...'

'Meester Matteo, forceer uw oude dag niet...' viel Manoello hem verwaten in de rede.

Maar Dante onderbrak hem met een autoritair gebaar. 'Waar?'

'Ziet u die sporen die zich vertakken op de randen van de buitenmuur en die op kleinere schaal dezelfde figuur herhalen? Ziet u de schitterende perfectie van de krans die daaruit ontstaat?' ging de oude baas steeds opgewondener verder. 'Dit gebouw is niet bedacht voor de menselijke natuur, maar als verblijfplaats voor de goden. Toen Bigarelli...'

'Bigarelli?' riep Dante. 'Dat is degene die...'

Maar de ander leek hem niet gehoord te hebben. Hij hield zijn hand als een klauw op het ontwerp, helemaal opgaand in wat hij in gedachten zag. 'Het zijn nu meer dan vijftig winters geleden... Heel mijn leven.'

Hij boog zich weer over het papier, het restant van zijn gezichtsvermogen concentrerend op de tekeningen. 'Ja, ik zag Guido Bigarelli de plannen van het kasteel tekenen om aan het bevel van de keizer te voldoen.'

Dante begon het te begrijpen. 'Is het een van de kastelen van Frederik? Een van de burchten waarmee de keizer de grenzen van zijn rijk markeerde?'

'Nee, niet de grenzen, maar het midden van de Capitanata, op een hoogte vanwaar je in de verte de zee ziet. Midden in het licht van het Zuiden. Het kasteel van Santa Maria al Monte.'

Bevend was de oude man overeind gekomen, gevolgd door ieders blik. Hij liep op de achterwand toe, waarlangs zich kasten bevonden vol opgerolde vellen en kisten met ijzerbeslag. Nadat hij de sluiting van een ervan had opengeklikt zocht hij er lange tijd in, waarna hij zich met een triomfantelijk gezicht weer oprichtte en een bundel stoffige perkamenten liet zien.

'Kijk! Mijn ogen zijn vermoeid, maar mijn geheugen is nog in orde. Ik wist dat ze er zouden zijn.' Onder hun blikken vouwde hij de papieren open. 'Een kopie die ik zelf gemaakt heb, toen ik een vakbroeder van Bigarelli was. Stiekem,' vervolgde hij met een rilling, alsof hij bang was dat de vroegere meester zich nog kon wreken.

Dante boog zich over de tekeningen. Dus wat hij onder ogen had was het ontwerp voor het meesterwerk van Frederik, het werk waarvan de pelgrims spraken die terugkeerden van overzee, als het lot hun schreden omboog en hen meevoerde tot onder de Kroon van Pietra, zoals de onder het volk gebruikte benaming luidde van dat geheimzinnige slot, een volmaakte achthoek met evenzovele torens eromheen in dezelfde vorm. Een meetkundige triomf die naar men dacht fier het schema van de oude Tempel van Salomo nabootste. En die Guido Bigarelli had ontworpen.

'Ik... ik heb het gezien,' fluisterde de oude weer.

'Hebt u Bigarelli die papieren zien tekenen? Weet u het zeker?'

'De bouwmeester stelde het ontwerp op. Maar het idee kwam van een ander. Een monnik.'

'Een monnik? Wie dan?' vroeg Dante.

In plaats van te antwoorden boog de oude man zich weer over de papieren. Het leek of hij iets zocht tussen de vergeelde tekens die poorten en muren opriepen. Een van de tekeningen gaf de doorsnede van een verticaal vooraanzicht weer. 'Ja... zo heeft de grote Bigarelli het bedacht... niet zoals het later werd veranderd.'

De prior pakte het vel papier. 'Is deze tekening anders dan het echte gebouw? In welk opzicht?'

'Hier, op de begane grond. Deze doorlopende muur. Zo werd die door de meester bedacht. Zonder de ramen die later werden toegevoegd. Zoals u ziet is de begane grond één continu geheel, zonder onderbreking, zonder die tussenmuren die iemand later heeft aangebracht om aparte ruimten te vormen.'

De baas van het gilde stemde in met een knikje. 'Dat is zeker zo. De burcht zou zonder die openingen beter uitgerust en beschermd zijn. Een steviger muur om vijanden buiten te houden.'

Na een laatste blik legde Dante het papier op de katheder. Een onverwacht vermoeden was bij hem opgekomen. 'Buiten houden, zegt u, messer Manoello? Frederik was de baas over het gebied, de mensen, hun denken, hun ziel. Zijn muren vormden de borstplaten van zijn garde, de zwaarden van de Arabieren van Lucera. Elk van zijn mannen had in zijn eentje midden in het veld kunnen gaan slapen en hij was veiliger geweest dan in een zaal van het paleis in Palermo. Nee, deze blinde muur is niet bedacht om iemand buiten te houden.' De dichter was onder de verbaasde blik van de anderen overeind gekomen. 'Eerder om met geweld te omsluiten. Om iets binnen te houden wat volstrekt niet naar buiten mocht.'

Manoello schudde zijn hoofd. 'Een gevangenis? Nee, een te grote overdaad aan marmer en mozaïeken voor een kerker. Bovendien beschikte Frederik daar al over, in elk van zijn steden.'

'En te groot, één enkele ronde cel,' vulde meester Matteo aan. 'Daar was het niet voor,' mompelde hij. 'Een donker gewelf, een eindeloze loopgraaf...'

'Maar stel dat het iets onmetelijks had moeten bevatten,' ging Dante door, de lijn van zijn veronderstellingen volgend. 'Een doorlopende cirkel, het geheime hol van niet de Minotaurus, maar een Ouroboros, de grote tijdsslang die zichzelf eeuwig in de staart bijt?'

Manoello schudde hautain zijn hoofd. 'Frederik blonk niet uit in deugdzaamheid. En wij als goede kinderen van de Kerk delen ten volle het oordeel over hem: dat hij het symbool was van de Antichrist, door Satan gezonden om ons te kwellen. Maar u maakt een nieuwe Minos van hem! Wat had deze stenen ring moeten omsluiten? Denkt u dat de ketter van zijn tocht naar het Oosten de vreselijke Minotaurus mee heeft teruggenomen?'

'Nee. Maar er is wel iets anders dat beter achter die muren gesloten en aan de blikken onttrokken kan zijn. Iets wat werkelijk de menselijke maat kan overschrijden, zoals de leden van de stierman ook die van het dier overschreden.'

'Wat dan?'

'Kennis. En u zult het daarmee eens zijn, Matteo,' repliceerde de dichter, zich tot de bejaarde meester richtend, die knikte. 'Ik heb nog een laatste gunst van u nodig,' zei Dante weer. 'Een snel schema van de plattegrond van Frederiks kasteel in zijn oorspronkelijke opzet, zoals het in uw geheugen is blijven hangen.'

Meester Matteo wisselde een snelle blik met de kapitein van het gilde, alsof hij om toestemming wilde vragen. De kapitein maakte snel een instemmend gebaar en de oude man stelde zich naast een van de grote tafels op. Hij nam een breed vel lompenpapier en begon een serie lijnen te trekken, met halfgeloken ogen, alsof hij diep in zijn geheugen zocht. Toen hield hij stil en bezag wat hij had gedaan. Na enig nadenken vulde hij nog wat details aan, strooide toen vochtopnemend poeder over het papier en gaf het aan Dante. 'Dit is wat ik meer dan vijftig jaar geleden heb gezien.'

De prior verliet de vestiging van het gilde zonder veel wijzer te zijn geworden. Of misschien wel helemaal niet. In elk geval wist hij nu dat het geheimzinnige kasteel van Frederik in verband stond met de kwestie waar hij zich mee bezighield. Evenals het nog merkwaardiger gebouw dat in vlammen was opgegaan. Hij sloeg zijn ogen ten hemel en bezag de inmiddels ondergaande zon. Zo dadelijk zou de avondklok slaan. Dit was het moment om Cecco in het nauw te drijven.

Met gezwinde pas begaf hij zich naar de abdij en betrad, daar aangekomen, de kerk wederom door de kleine zijdeur, waarna hij stilletjes de bovenverdieping van de sacristie bereikte.

Onderweg had hij geen spoor van zijn vriend gezien. Even vreesde hij dat hij samen met de Maagd was gevlucht, maar toen ving zijn oor een zwak welklinkend geluid op van achterin de gang. Een ritmische melodie, misschien een dansliedje, of een mars om een legerschaar te vergezellen, maar gespeeld met een gevoelige hand, vol zachtheid.

Dante bleef op de drempel staan om de vrouw te bewonderen die ineengedoken op een kussen een luit aan het bespelen was. Over het instrument gebogen beroerde Amara met haar slanke vingers de snaren in een langgerekte beweging die veel weg had van een liefkozing. Ze leek de vibraties van de klankkast in te ademen, verzonken in de wonderbaarlijke extase van geluiden die ze misschien niet kon horen. Het licht van de kaars speelde met het wit van haar haren en veranderde ze in een zilveren vloed. Dantes blik bleef gretig rusten op haar volmaakte figuur, terwijl hij zijn hart sneller voelde kloppen.

Plotseling keek de vrouw op en zag hem. Meteen kwam ze met een ruk overeind, alsof ze ergens bang voor was.

Bij die overhaaste beweging rolde het in de steek gelaten instrument over de grond en slaakte een doffe jammerklacht.

Dante probeerde haar met een gebaar gerust te stellen. 'Ik was op zoek naar Cecco. Kun je mijn woorden verstaan?'

Amara knikte. Had ook zij de gloed van de hartstocht gevoeld die in hem was ontwaakt en wilde ze hem ontvluchten? Maar in plaats van weg te lopen bleef ze vlak bij de deur staan en riep Dante met een gebaar bij zich, wijzend op een tafeltje in de hoek. Ze liet haar ogen gespannen heen en weer gaan, alsof ze iets zocht. Meermalen bracht ze een hand naar haar lippen. Het leek of ze probeerde te spreken, terwijl ze weer op hetzelfde punt wees.

De dichter trad naderbij. Op het tafeltje lag een dunne stenen plaat met daarin een serie evenwijdige lijnen gekerfd in de vorm van een schaakbord.

Naast en op het steen lagen de stukken van het spel op een hoop, minuscule figuurtjes van ivoor en ebbenhout als slachtoffers van een door de goden ontketende strijd.

Amara nam de zwarte koning in de hand en zette hem midden op het bord, waarbij ze Dante aankeek alsof ze zeker wilde weten dat hij zag wat ze deed. Ze richtte haar wijsvinger op het kleine beeldje, dat op zijn hoofd de scherpe punten van een kroon te zien gaf. Intussen bewoog ze haar lippen alsof ze een naam probeerde uit te spreken.

'Een koning?' vroeg Dante. Amara schudde haar hoofd, daarna raakte ze herhaaldelijk de kroon van het stuk aan. 'De kroon. Het symbool van macht? Het rijk?' waagde hij weer. De vrouw leek nog altijd in afwachting van iets en bleef het kroontje aanraken. 'De keizer. Frederik?'

De sprakeloze knikte energiek, terwijl haar ogen tevreden oplichtten. Ze nam de zwarte koningin en zette die naast het beeldje van de koning, toen zette ze de paarden en de torens ernaast. Vervolgens beschreef ze met haar vingers een snelle cirkel om de kleine groep stukken, alsof ze die in een geheel wilde omsluiten.

'Het hof van Frederik?' fluisterde de dichter weer.

Opnieuw knikte zij. Het leek of de kleine voorstelling was afgelopen. Meermalen liet Dante zijn blik van haar gezicht naar de stukken op het schaakbord glijden, op zoek naar een mogelijke betekenis van de voorstelling. Maar Amara bleef roerloos en bezag kalm wat ze had gedaan. Toen stak ze weer haar hand uit, pakte nog een stuk van de rand van de tafel en zette het naast de koning, net een pas erachter. Het was de witte koningin.

'Een andere vrouw?'

Weer een gebaar van instemming, en meteen pakte Amara een volgend stuk en zette een witte pion naast de koningin in dezelfde kleur.

'Een zoon,' fluisterde Dante. 'Van een andere vrouw.'

Opnieuw hield de sprakeloze stil en werd weer roerloos afwezig. Toch school er een bedoeling in die ogenblikken van onbeweeglijkheid. Waarschijnlijk wilde ze met haar strakke blik het verstrijken van de tijd weergeven.

Op dat moment kwam Amara weer tot leven en zocht opnieuw tussen de hoop stukken. Haar hand keerde terug op het schaakbord en zette er een wit stuk op, direct achter de zwarte koning. Ze wees Dante herhaaldelijk op het stuk, toen pakte ze het beet en stootte er krachtig mee tegen de koning, die meermalen ronddraaide en op de grond belandde.

Bij de klap was het beeldje ter hoogte van de hals gebroken. Instinctief bukte Dante zich om de twee kleine delen op te rapen. Iemand had de koning vanachter op de grond gegooid. Hij hield de stukken bij Amara's gezicht, alsof hij een bevestiging wilde vragen voor wat hij had gezien. 'Heeft iemand Frederik vermoord? Een lid van zijn hof?'

Opnieuw knikte de vrouw.

De prior schudde zijn hoofd. Dat de keizer was vermoord was een praatje dat al onmiddellijk na zijn dood was ontstaan.

Menigeen zou zijn einde hebben gewild, en het was logisch dat dat gerucht de ronde deed. Toch leek Amara zeker van wat ze had laten zien. Misschien had ze iets anders gehoord dan de bekende praatjes onder de samenzweerders. Hij keek weer naar het kleine tafereel op het schaakbord. Amara had een wit stuk gebruikt om de rol van de moordenaar uit te beelden, zoals de tweede vrouw ook wit was. Misschien symboliseerde wit wel een vreemde aan het hof, die binnengedrongen was en zich anders had voorgedaan.

Op dat moment voelde hij dat er aan zijn mouw getrokken werd. De sprakeloze probeerde opnieuw zijn aandacht op het schaakbord te vestigen. Ze wees op de kleine pion die nog achter het kleed van de witte koningin schuilging. Ze pakte hem op en zette hem voorzichtig in de verste hoek. Toen zocht ze nog twee andere zwarte stukken, met een soort mijter versierd, die deden denken aan het silhouet van een bisschop, en zette ze aan weerszijden ernaast, als om hem te beschermen.

'Is zijn zoon gevlucht? Ondergedoken bij... de geestelijken?' drong hij aan; de vrouw schudde eerst haar hoofd, toen begon ze, alsof ze opeens van idee veranderd was, heftig te knikken. 'En hoe is het met de kleine afgelopen?' vroeg Dante.

Amara leek de kluts kwijt. Ze wrong haar handen vol woede dat ze geen manier vond om uit te drukken wat ze wilde. Haar ogen vielen op het kroontje dat hij nog in de hand hield en haar blik lichtte op. Ze griste het hem uit de hand en zette het met een triomfale lach op het hoofd van de pion.

'Wordt de zoon... gekroond?'

De vrouw knikte. Daarna trok ze met haar uitgestoken hand helemaal in het rond een cirkel.

'Hier? Wordt hij hier in Florence gekroond?'

Op dat moment trok een geluid van gedempte voetstappen de aandacht van de prior. Hij draaide zich om en ontwaarde Cecco op de drempel.

Toen ze hem herkend had, was Amara haastig opgestaan en trok zich naar binnen terug, alsof zijn komst haar ergerde.

'Cecco,' zei Dante ijzig, 'ik ben gekomen om je iets te zeggen.' De ander bleef nieuwsgierig geworden staan. 'Vandaag heb ik Brandaan gezien op de oever van de Arno. Dood.'

De Siënees bracht een hand naar zijn mond en trok wit weg. Zijn blik schoot even in de richting waar de vrouw verdwenen was, richtte zich toen weer op hem. 'Weet je het zeker?'

'Zo zeker als ik hier nu sta.'

Cecco leunde tegen de muur, alsof zijn krachten hem begeven hadden. 'Hoe is hij gestorven?'

De prior wachtte even voor hij antwoord gaf. 'Misschien verdronken. Ofschoon enkele sporen op het lijk me het ergste deden vermoeden. Net als jouw gezicht. Vertel me alles maar.'

'Ik heb je alles al verteld.'

'Ik wil ook weten wat je me niet hebt opgebiecht. En als het niet om onze oude vriendschap is, dan zul je toch je mond moeten opendoen, om je huid te redden.'

'Als Brandaan vermoord is, kan achter dit alles alleen de hand van Bonifatius steken. Zijn hebzucht.'

'Hoezo? Als de priesters werkelijk jullie bedrog hebben ontdekt, en als jullie onderneming alleen maar een manier was om de uilskuikens wat florijnen af te persen, zoals je zei, waarom zou de paus zich dan met ploerten afgeven en jullie in het geheim uit de weg laten ruimen? Op dit tijdstip zouden jullie al in handen van de inquisitie zijn en publiekelijk aan de galg hangen als waarschuwing voor het volk en ter meerdere eer van God. En Bonifatius.'

'Wel als de pontifex echt de plaatsbekleder van God zou zijn waarvoor hij zich uitgeeft, en geen geldbeluste sektariër.' Cecco had even zijn hoofd gebogen, maar richtte het nu weer op en keek hem aan. 'Er is iets wat ik je niet heb verteld, vriend. Het plan van de Dienaren bestaat niet louter en alleen uit wat je hebt gezien.'

'Ga door.'

'Het bedrog van de Maagd is niet meer dan een etappe op een langere weg, aan het einde waarvan een schat wacht. Als die lui van Bonifatius dat hebben ontdekt, dan zijn we echt allemaal verloren.'

'Over welke schat heb je het?'

'Frederik nam altijd de schatkisten van de staat mee naar de plaatsen waar hij zijn hof vestigde. En dit met steeds meer zorg sinds hij zich geleidelijk aan omringd voelde door bedrog, na de veroordeling van zijn secretaris Pier delle Vigne. Maar het vervoer van de kisten werd steeds bewerkelijker en na de nederlaag van Parma, toen zijn legerkamp was geplunderd en de schat alleen door een wonder aan de belagers was ontsnapt, lijkt het of hij besloten had hem op een veilige plaats te verbergen.'

'En jij kent die plaats?' vroeg de dichter zachtjes, instinctief dichter naar zijn vriend toe bewegend.

'Naar verluidt weten de Dienaren het. Waarom denk je dat ik me bij die onderneming van dwazen heb aangesloten? Denk je dat ik kinds geworden ben, zoals die hoer van een Bacchina, mijn vrouw, denkt? Het geheim van de schuilplaats lijkt op de een of andere manier in Frankrijk terecht te zijn gekomen, bij de Dienaren van Toulouse, maar het terugvinden schijnt erg moeilijk en bewerkelijk te zijn. Daarom is die hele kwestie van de kruistocht op poten gezet: om de nodige middelen en mensen voor de onderneming te werven.'

'En jij kent het geheim van de schuilplaats?'

De Siënees schudde zorgelijk zijn hoofd. 'Iemand zou hier in Florence contact met ons opnemen om ons in het vervolg van de onderneming te leiden. Logement De Engel was de ontmoetingsplaats. Alleen Brandaan kende zijn identiteit. Misschien is dat contact er wel geweest, maar met de dood van de monnik is de draad gebroken. En wat moeten we nu?' besloot hij handenwringend.

'Blijf voorlopig zitten waar je zit. De dood van Brandaan zou ook een ongeluk kunnen zijn doordat hij de stroming in de Arno heeft onderschat. Als Bonifatius' handen hem hadden afgemaakt, zouden zijn klauwen al hier zijn. Misschien geeft de onbekende op wie jullie wachten een teken van leven.'

Cecco knikte. Hij leek zich uit alle macht vast te klampen aan dat sprankje hoop. 'Als het gaat om die schat heb ik wel iets gehoord. Men zei dat Frederik die in een achthoek opgesloten hield.'

Dante ging nadenkend voor het schaakbord zitten. Als de schat van Frederik, waarover de verhalen gingen, echt het voorwerp van een geheime strijd was, dan zou dat ruimschoots voldoende zijn om deze keten van moorden te rechtvaardigen. Opgesloten in een achthoek. Kon de vorst hem verborgen hebben in zijn paleis van Castel del Monte? Als de zaken er zo voor stonden, werd het doel van de zogenaamde kruistocht zonneklaar: een massa uitschot verzamelen en die over de wegen van Apulië meeslepen naar de ontscheping naar het Heilige Land. En als dan de Capitanata bereikt was, van de verwarring gebruikmaken om de schat terug te vinden en hem in de wagens van de colonne verbergen.

Maar waarom zouden ze in Florence het geheimzinnige kasteel reconstrueren? Misschien om er de geheime afmetingen van te bestuderen, de valse muren ervan te ontdekken waarachter het goud verborgen was? Maar als Bigarelli zelf het origineel had gebouwd, welke noodzaak kon er dan bestaan om er een kopie van te maken?

En waarom al die spiegels vervoeren, terwijl er twee voor het bedrog genoeg waren?

En het geheimzinnige apparaat? En de vermoorde mannen?

Bestond er trouwens wel een erfgenaam van Frederik of was het de keizer zelf, nog levend en wel, die zich opmaakte om in volle glorie opnieuw te verschijnen?

Hij voelde hoe zijn hoofd zwaar werd en de vermoeidheid in hem opsteeg, golvend als de walm van kaarsen die dikker werd in de lucht. Langzaam liet hij zich op het tapijt zakken, en dook voor het schaakbord ineen, terwijl hij zijn ogen sloot om rust te vinden.

Al slapend moest hij bewogen hebben en van het tapijt gegleden zijn. De kilte van de vloer was in zijn botten getrokken en een felle pijn maakte zich meester van zijn slapende, verlamde ledematen. Het was opeens of iemand de spiegels had verplaatst naar een nieuwe opstelling, in het midden van het vertrek. Een gruwelijke geometrie van spiegelbeelden en nagebootste weerkaatsingen, gruwelijk, alsof een onverwachte kosmos gestalte had aangenomen in de ruimte van het vertrek. Achter de glaslagen voelde hij brandende duivels dringen, die hun heen en weer gaande slangenstaarten als tentakels over de vloer sleepten en zich om de kandelaars kronkelden.

Het was of hij op de been was, al bespeurde hij nog de verslapping van de slaap, en hij zette een paar stappen om te ontkomen naar de hoek waarvan hij nog wist dat daar de deur was van die helse abdij. Een gereutel achter een van de spiegels hield hem echter tegen en deed hem verstenen van angst. Midden in de achthoek gaf een schaduwvlek aan dat daar een opening gaapte. Van onderaf leek een gerommel te komen, alsof reusachtige pijlers waren gaan instorten en een brullende menigte in de ondergang meesleurden. Hij ging in de deur staan. Uit de duisternis van die maalstroom dook een vormeloze massa op, steeds dichterbij. Iets smerigs kwam naar boven en zijn versufte bewustzijn kon niets anders dan wachten en doorlopend, onbedwingbaar sidderen.

Verbijsterd keek hij voor zich: groter dan een toren was uit de kloof de bebaarde reus met twee gezichten van het schip des doods opgerezen. En in elk van zijn monden vermaalde hij met de slagtanden van de Leviathan het lichaam van een man, hevig schuddend met zijn hoofd, en bloed en stukken vlees in het rond strooiend.

Huiverend bemerkte hij dat de twee lichamen nog leefden en worstelend in hun doodsstrijd hartverscheurende kreten slaakten. Twee met goud gekroonde mannen, twee koningen. Vader en zoon.

7

De vroege ochtend van 12 augustus,
in het logement

Bernardo borg de kaarten die hij aan het raadplegen was weg. Met een lege blik kwam hij overeind, alsof hij nog verdiept was in de gedachten die in zijn hoofd omgingen. Hij kreeg een hoestaanval die hem van zijn laatste krachten beroofde. Opnieuw liet hij zich zwaar op bed vallen. 'Geef me wat water,' fluisterde hij, wijzend op een kruik op tafel. Hij was klam van het zweet, zijn jukbeenderen gloeiden van de koorts. Dante had de tinnen beker nog niet bijgevuld of de man rukte hem die uit zijn handen en dronk hartstochtelijk. Hij zette de beker pas neer nadat hij hem had geleegd. Hij beefde en sidderde hevig.

Daarna leek hij eindelijk de dichter op te merken. Het was of hij zijn krachten had herwonnen. Beleefd nodigde hij hem uit te gaan zitten, terwijl hij de enige houten kruk van een paar codices ontdeed.

Nadat zijn gast had plaatsgenomen, leunde de literatus op het kussen. 'Wat kan ik voor u doen, messer Durante?'

'Er is iets waarvoor ik meende u in de arm te moeten nemen, Bernardo. Het betreft het leven van keizer Frederik.'

De ander boog even het hoofd ten teken om door te gaan.

'Is het mogelijk dat er nog ergens een afstammeling van hem leeft?'

De historicus haalde zijn schouders op. Plotseling leek hij een inktvlek op zijn vingers te hebben ontdekt en hij sloeg die aandachtig gade, alsof hij daar het antwoord in zou vinden. 'Dat is mogelijk,' zei hij na een tijdje, waarna hij de dichter eindelijk weer aankeek. 'Waarom vraagt u dat?'

'Vanwege... een paar voorvallen van de laatste tijd. Een gevoel, lichte aanwijzingen... Ik hoopte dat u er meer vanaf zou weten.'

'Frederik was een buitengewoon man, terecht beschouwd als het wonder van onze tijd. *Stupor mundi*, zoals hij werd genoemd. En de onzekerheden over hem en zijn leven zijn legio. Onzekerheden waar ik althans ten dele iets aan hoop te doen met mijn geschrift, maar die in ruime mate gedoemd zijn voort te duren. Veel gegevens over hem zijn verloren gegaan, aangetast of vervalst. Ook zijn dood werd lange tijd niet als echt gezien. Nog niet zo lang geleden verscheen er in de Duitse landstreken iemand die beweerde de keizer te zijn, gevlucht om aan zijn vijanden te ontkomen en teruggekeerd om het keizerrijk te redden.'

'En werd hij geloofd?'

'Ja, en een paar jaar zwierf hij daar rond, vergezeld door een schare getrouwen die bereid waren zich voor hem op te offeren. Maar wat uw vraag betreft, mijn antwoord is ja en nee.'

Dante wachtte tot hij door zou gaan, maar Bernardo leek het raadsel niet te willen oplossen. Hij bleef hem aanzien alsof hij op iets wachtte. Toen besloot hij: 'De Hohenstaufendynastie, zijn bloedlijn, is met de arme Konradijn uitgestorven. Tenminste wat de directe erfgenamen van de keizer betreft. Maar Frederik was een man met veel hartstochten...'

'Er zijn een paar onwettige kinderen bekend.'

'Heel veel. En nog meer die verzonnen zijn. Er was geen vrouw in zijn harem die zich er niet op voor liet staan dat ze kinderen van hem had gekregen. En de keizer was er de man niet naar om die geruchten te ontkennen. Hij was er juist van overtuigd dat vruchtbaarheid een van de kenmerken van grootheid was, en dat een talrijk nageslacht zou dienen om de dynastie sterk te maken en tegelijkertijd de lusten en ambities van zijn wettige erfgenamen in te tomen. Hij weigerde de scepter neer te leggen vóór de door moeder natuur vastgestelde dag.'

'Was er onder hen toevallig ook een die op voornamere gronden dan de anderen aanspraak kon maken op de opvolging?'

Bernardo wees op de bundel papieren op de schrijftafel. 'Wie zal het zeggen. Misschien één. En dat probeer ik nu vast te stellen door de geschriften van mijn leermeester te bestuderen,' antwoordde hij vaag.

Dante had het gevoel dat hij niet meer over het onderwerp wist. Of om enigerlei reden niet meer aan hem kwijt wilde. Toch was er iets wat hem getroffen had in de woorden van de historicus. Die verwijzing naar de natuur. 'Was Frederik bang dat hij vermoord zou worden?'

Bernardo wierp een doordringende blik op hem. 'De keizer is inderdaad vermoord. Door een slinkse hand die de grootste hoop van deze eeuw heeft uitgedoofd.'

'Dat Frederik is vermoord is een gerucht dat meteen al de ronde deed, zowel door de manier waarop hij stierf als door het onverwachte moment van overlijden. Er is alleen geen bewijs voor, afgezien van de laster van de curieleden die de edele Manfred ervan beschuldigen zijn zieke vader te hebben verstikt om zijn plaats in te nemen.'

'Toch kende Mainardino geen twijfel. Hij wist zeker dat hij vergiftigd was door iemand die hem zeer na stond, iemand die de vorst vertrouwde.'

'Zijn arts, ik weet het, dat is ook gezegd.'

'Een arts pleegde ook inderdaad een aanslag op zijn leven na de slag van Parma. Maar hij werd betrapt. Nee, het was iemand anders. Mainardino wist zeker dat hij het kon bewijzen, als...'

'Als?'

'Als hij er maar achter kon komen hoe het gif was toegediend. Frederik was achterdochtig de laatste tijd en nuttigde nooit iets zonder het eerst aan zijn voorproevers te hebben voorgelegd. En toch werd hij op een bepaalde manier vergiftigd.'

'Heeft hij u nooit de naam van de moordenaar genoemd?'

'Nee. Maar hij haatte hem uit de grond van zijn hart. Die man had niet alleen een vorst vermoord, maar ook de hoop op een rechtvaardige ordening der dingen uitgedoofd.'

Dante boog zich naar hem over. 'Hoe weet u dat zo zeker? Zelf heb ik ook veel geruchten gehoord, maar niet meer of andere dan die welke altijd gepaard gaan met de dood van een groot man.'

'Mainardino heeft het me persoonlijk onthuld op zijn sterfbed. En hij heeft me toevertrouwd nooit getwijfeld te hebben aan wie het gif had toegediend. Hij noemde hem verontwaardigd: de onvolledige man.'

'De onvolledige man? Wat betekent dat?'

'Misschien sloeg het op een lichamelijke tekortkoming. Of op een moreel gebrek, een *vulnus* in zijn geweten.'

'En waarom werd er geen recht gedaan, als zijn identiteit bekend was?'

'Dat heb ik mijn leermeester ook gevraagd. Hij zei dat zijn vermoedens op een onoverkomelijke muur waren gestuit: hij had er niet achter kunnen komen hoe de vergiftiging was uitgevoerd. *Certus quis, quomodo incertus*, schreef hij. De moord zeker, de manier onzeker. Frederik had zich toen hij al ziek was aan een speciaal dieet onderworpen van enkel fruit. En hij dronk alleen aangelengde wijn uit Apulië, alles, zoals ik al zei, nadat hij elk onderdeel door voorproevers had laten keuren, mannen van zijn Saraceense garde, meer dan trouw. En toch heeft iemand arsenicum in zijn beker kunnen doen zonder dat ze iets merkten of schade opliepen.'

Bernardo onderbrak zichzelf. Dante meende een traan te zien glanzen in zijn bijziende ogen. 'Daarna, toen de keizer al in zijn doodsstrijd verkeerde en het rijk ten onder begon te gaan, besloot Mainardino in de opwinding van die uren met allerlei uitbrekende rivaliteit en haat de aanklacht uit te stellen tot een rustiger moment.'

'En waar is die beker gebleven?'

'Weet ik niet. Hij verdween in de chaos na de dood van de vorst. Mainardino wist zeker dat zijn moordenaar hem had meegenomen om het bewijs te verdoezelen, uit angst dat die beker op een dag het hoe zou onthullen, en daarmee ook de zekerheid van het wie.'

In de loop van de ochtend

Toch was er nog een element dat op raadselachtige wijze verband hield met de zaak. Snel vertrok de prior naar de Santa Croce, naar de werkplaats van Alberto de Lombard.

In zijn werkplaats op de begane grond trof hij de mechanicus nog bezig met de machine die op de galei was gevonden. Meteen zag hij tot zijn voldoening dat er op de werkbank geen berg koperen raderwerken meer lag die deed denken aan de ingewanden van een geheimzinnig dier. Ze moesten hun plekje in het apparaat hervonden hebben; maar in plaats van het een herkenbaar aanzien te geven maakte dit het er nog wonderlijker op.

'U lijkt in uw opzet geslaagd te zijn, meester Alberto. Vertel me wat u hebt ontdekt.'

Met een teleurgesteld gezicht keerde de man zich naar hem toe. 'Ik heb de onderdelen weer op hun plaats kunnen monteren volgens hun logische verband. Er is een noodzaakprincipe dat apparaten bestuurt, zoals er stellig ook een is in de natuur. Maar waar dat het gevolg is van de ondoorgrondelijke wil Gods, gehoorzamen die andere, die uit mijn beperkte mensenbrein stammen, in hun mogelijkheden aan een geringer aantal combinaties. Daardoor kunnen we via het deel het geheel achterhalen, iets wat onmogelijk zou zijn met een levend lichaam, als het eenmaal ontleed is. Maar...'

'Maar?' drong de dichter gespannen aan.

'Maar ofschoon de machine opnieuw in elkaar is gezet en nu kan bewegen, ben ik nog niet in staat de geheime functie ervan te vatten.'

Het toestel bestond uit een houten kubus met zijvlakken van ongeveer een voet en daarin het geheel van de raderwerken. Sommige duidelijker onderdelen gaven de beschadigde tanden te zien die door de ambachtsman vervangen waren. Op de kist, door een laatste tandwiel met het binnenmechaniek verbonden, rustte een lange horizontale koperen as met aan de uiteinden tegenover elkaar twee halve cirkels van een span groot.

'Er is geen touw aan vast te knopen,' oordeelde Alberto weer.

De jonge Amid was eveneens dichterbij gekomen en keek zwijgend toe. 'Ook de wil van Allah is in nevelen gehuld,' mompelde hij.

Dante schokschouderde. 'U zei dat hij het deed. Laat eens zien hoe.'

De ander knikte, toen verdween zijn hand achter het apparaat. Onderaan, op een punt dat aan de aandacht van de dichter was ontsnapt, stak uit de machine een pin die uitliep in een zwengel. Alberto pakte hem beet en begon hem rond te wentelen, waardoor een metalig geruis ontstond.

'Deze zwengel brengt een stalen veer op spanning. Wacht maar.'

Zijn hand beschreef een tiental rondjes. Dante had het gevoel of de weerstand van het staal bij elk rondje sterker werd. Uiteindelijk leek Alberto tevreden.

Aan de kant tegenover de zwengel zat een soort van metalen vleugelschroef. De mechanicus draaide hem een fractie van een slag om, en iets binnenin begon te tikken. Nu was de bovenas begonnen te draaien, waarvan de rotatiesnelheid geleidelijk werd opgevoerd.

Met verkrampte belangstelling keek Dante toe. Het ruisen van de twee halve cirkels was fel geworden, als de vleugels van een reusachtig insect dat elk moment van de werkbank kon opstijgen. De machine trilde lichtjes, maar het gewicht van de draaiende onderdelen moest met de uiterste zorg gemeten zijn, want het evenwicht van de rotatie veranderde niet.

'Nu moet u opletten, mijnheer de prior,' zei Alberto, terwijl hij opnieuw aan de vleugelschroef draaide. Hij zette hem een kwartslag verder en de rotatie van de as ging sneller.

'De sleutel sluit vanbinnen aan op de rem, zodat je de rotatiesnelheid kunt regelen.'

Rondgaand in hun wervelende beweging vormden de twee halvemanen tegenover elkaar in het oog van de dichter het beeld van een volledige cirkel van degelijk koper.

'Waar dient het nu voor?' vroeg Dante. Alberto draaide even later langzaam de vleugelschroef weer terug, waardoor het leven van het toestel vertraagde en met een laatste klik van zijn verborgen tandraderen stilviel.

'Zoals ik al zei, dat weet ik niet,' antwoordde hij. 'Het lijkt geen praktisch doel te kennen. Het brengt alleen die twee soortement vleugels aan het draaien.'

Dante bleef naar het voorwerp kijken en zocht naar een mogelijk antwoord. 'Zou het geen deel kunnen uitmaken van een groter apparaat?'

'Daar heb ik ook aan gedacht. Maar dat is niet zo. De hele keten van raderwerken aan de binnenkant is uitsluitend toegerust om dit effect te krijgen, en op de kist is geen opening waardoor je verbinding kunt maken met een ander mechaniek. En de bewegende buitenkant geeft niets te zien dat zou doen denken dat er iets ontbreekt. Nee, alles wat u me hebt gebracht bevindt zich hier, onder uw ogen.'

Dante had zich op een kruk laten vallen. Met zijn ellebogen op de werkbank en zijn kin tussen zijn gebalde vuisten bleef hij naar de houten kubus kijken. 'Toch doet het bestaan van een regulateur voor de rotatie een vorm van meten vermoeden,' zei hij even later. 'Maar sluit u met zekerheid uit dat het om een soort tijdsaanduiding kan gaan?'

'Mijnheer de prior, geen menselijke tijd zou door deze machine kunnen worden gemeten. Misschien is het wel een armillarium, maar dan bedacht voor andere hemelen en andere werelden.'

Dante knikte langzaam. Hij zag opnieuw naar hem op, keek vervolgens Amid aan, in de flauwe hoop dat de Arabier er iets aan toe te voegen had. Maar de jongeman bleef zwijgen, argwanend jegens de machine. Achter hem stond het gordijn dat zijn legerstede aan het oog onttrok ietsje open. Door de kier viel de blik van de dichter op het manuscript van de *Mi'raj*, opengeslagen op het simpele tapijt. Hij zuchtte. 'Hoe dan ook bedankt, meester Alberto, voor wat u hebt gedaan.'

In een hoek stond een kist. De dichter zette de machine erin, geholpen door de mechanicus. 'Doe een zak over de kist,' zei hij. 'Ik ben u dankbaar, en weldra zal ik ervoor zorgen dat uw werk wordt beloond.'

Hij had niet het geringste benul hoe hij die uitgave tegenover de gemeentesecretaris moest verantwoorden, maar op een of andere manier zou hij er wel voor zorgen. En hij had evenmin helder wat hij met dat geheimzinnige toestel aan moest. Instinctief voelde hij echter dat hij het weg moest halen. Te veel mensen wisten dat het zich daar bevond.

'Doet u geen moeite, mijnheer de prior. Uw stad heeft mij opgenomen toen ik als balling gevlucht was voor de vervolgingen van de Waldenzen. Beschouwt u mijn werk als een geschenk.'

In de deur richtte Dante zijn blik op de jonge slaaf. 'Help mij de kist te vervoeren,' beval hij kortaf, na de mechanicus met een knikje om toestemming te hebben gevraagd. Plotseling was hem een mogelijke schuilplaats te binnen geschoten.

Met moeite onderdrukte hij een ironisch lachje dat zich aan zijn lippen opdrong. Bestond er een betere schuilplaats dan de Maddalena-abdij? Daar was al veel verborgen, mensen en voorwerpen. Als die kerk toch de verzamelplaats van geheimen moest zijn, zou hij er het zijne ook wel kunnen onderbrengen.

Snel begaf hij zich naar de abdij, gevolgd door de Arabier met zijn vracht op de schouders. De machine was niet bijzonder zwaar, maar onder de felle hitte was de jongen weldra nat van het zweet. Hij bleef echter zonder klachten achter de dichter aan lopen.

Aan een kant van de straat verspreidde de luifel van een werkplaats zijn schaduw over de gloeiend hete kasseien. Dante gebaarde de jongen stil te houden en ging vervolgens op de kist zitten die de ander op de grond had gezet.

'Dus in dat boek van jou zou God, gezeten op Zijn troon, over de rechtvaardigen waken. En de zondaren?'

'Toen hij in de derde hemel was aangekomen, werd voor de Profeet de afgrond van de schulden geopend, en hij zag de gruwelijke trechter van de verdorvenen, en de zeven treden van hun verderf.'

'Zeven? Per zonde opgedeeld?'

'En gestraft overeenkomstig hun misdaad, met een omgekeerde straf.'

'Een wedervergelding. Ook dat hebben jullie van Aristoteles,' grijnsde de dichter ironisch. 'En hoe steeg de profeet op naar de hemelen?'

'Hij ging in gezelschap van de aartsengel Gabriël,' hervatte de jongeman, die met de rug van zijn hand zijn voorhoofd afwiste.

Een lang moment woog Dante het antwoord, met zijn vingers aan zijn onderlip plukkend. 'Waarom een aartsengel als steun? Waarom niet alleen?'

Amid wierp een onderzoekende blik op hem. 'Alleen zullen uw vleugels verschroeien,' wierp hij hoofdschuddend tegen. 'Alleen een hemelgeest kan opstijgen voor het aangezicht van de Verschrikkelijke Majesteit.'

'Misschien zal een hemelgeest mij dan ook bijstaan,' mompelde Dante, terwijl hij met een ruk overeind kwam en de wandeling hervatte.

Toen ze in de buurt van het oude Forum waren gekomen, op zo'n honderd passen van zijn doel vandaan, hield de prior stil en nam met een geldstuk afscheid van Amid. De jongeman zette de kist op de grond en wierp een verbaasde blik in het rond, maar zei niets. Dante had die plaats, naast de markt, niet toevallig gekozen. Hij vertrouwde erop dat niemand aandacht aan hen zou besteden, zelfs niet in die stad vol roddelaars, als hij hem zou zien in gezelschap van een loopjongen met een anonieme last.

Hij wachtte tot de slaaf verdwenen was, hees toen de kist op zijn schouders en hervatte de tocht naar de abdij.

Onderweg kwam hij een paar bekenden tegen, maar met een stalen gezicht liep hij door en vermeed het op hun groeten te reageren. Hij kwam bij de kerk toen de abdijklok de vesper aankondigde. Via het zijdeurtje ging hij met de last naar binnen, na gecontroleerd te hebben of niemand zijn verrichtingen volgde.

Binnen was het uitgestorven. Hij maakte van de gelegenheid gebruik om snel de hendel die toegang tot de crypte bood in werking te stellen, en daalde af naar de kelder. Hij wist nog waar hij de olielamp had achtergelaten. Hij stak hem aan en ging op zoek naar een geschikte plek.

De ruimte bood geen bergplaatsen. Even overwoog hij de machine in het ondergrondse gat te laten zakken, maar de angst dat het water van de put tot daar zou kunnen komen weerhield hem.

Het beeld van de Maagd viel hem weer te binnen. In een hoek, op een oude Romeinse sarcofaag, stond Bigarelli's relikwiehouder, die hem met zijn ijselijke hardstenen blik aanstaarde. Hij liep erop af, gegrepen door het verlangen om dat resultaat van waanzin van de beeldhouwer van nabij te bekijken.

Toen werd zijn aandacht getrokken door het deksel van de sarcofaag. De steen moest verplaatst zijn, en wel onlangs, te oordelen naar de sporen op de vloer. Met moeite wist hij hem een paar duimen te verschuiven, zodat er een kier ontstond. Hij tilde de olielamp op om de binnenkant van het graf te verlichten.

Hij had verwacht oude resten van beenderen te zien. Maar het trillende licht viel op een groot aantal glimmende stalen punten.

Iemand had daar een stel zwaarden in verstopt. Hij keek om zich heen. De crypte herbergde nog twee andere sarcofagen. Snel haalde hij ook daar de deksels van weg en ontdekte nog meer wapens.

Daar binnen lag genoeg om een klein leger te voorzien. Nieuwe lemmeten zonder het geringste spoortje roest.

Dante bleef even staan nadenken. Vervolgens schoof hij de wapens wat aan de kant en kreeg zo voldoende ruimte op de bodem om de machine neer te zetten.

Hij wilde de plaat net terugleggen toen hij op de trap van de crypte een beweging bespeurde. In het zwakke licht van de lamp zag hij Cecco. Hij had een kort zwaard in de hand.

Toen hij Dante zag, liet hij het wapen zakken. 'Ik hoorde wat geluiden. Dus je bent teruggekomen, hè? Ik wilde juist...'

'Waarom heb je gelogen?' viel de dichter hem in de rede, terwijl hij zijn handeling afmaakte.

Op het gelaat van de man verscheen een komische, gepijnigde uitdrukking. 'Wat bedoel je?' stamelde hij, zijn prominente buik krabbend.

'De crypte ligt vol wapens. Wat moeten jullie daarmee, als jullie geen ander doel hebben dan de domkoppen wat florijnen te ontfutselen?'

'Ik heb ook van de wapens gehoord. Maar de reden waarom ze hier verborgen zijn is me onbekend, dat zweer ik je!' Hij kwam op Dante toe, terwijl hij het zwaard weggooide. 'De Dienaren hebben alles georganiseerd, maar ik ben niet van het volledige plan op de hoogte. Niemand van ons weet het fijne. Maar als de mannen van Bonifatius erachter komen...'

De Siënees was lijkbleek geworden. Een hevig trillen voer door zijn leden. Zijn knieën knikten en hij liet zich op de grond zijgen. 'Dan zijn we verloren...'

'Wat heeft de paus ermee te maken?' wierp Dante tegen, onmiddellijk gealarmeerd. Op dat moment was een conflict met Caetani wel het laatste wat hij wilde.

De ander beet ongerust op zijn lippen, zonder te reageren. Toen leek hij een besluit te nemen. 'De Dienaren zijn iets groots van plan...'

'Hier in Florence? Wat dan?'

Cecco nam een omzichtige houding aan, alsof hij bang was dat er iemand meeluisterde. Hij leek van de schrik bekomen en kreeg zijn bekende drieste gezicht weer terug. 'Geld, beste vriend, geld. Dat weet ik zeker. Daarom heb ik me erbij aangesloten, wat denk je nou? Een hoop geld, iets wat teruggaat tot Frederik, God hebbe zijn ziel! En zo kan ik eindelijk mijn vader naar de hel sturen...'

'Wat heeft de keizer er nu mee te maken, lammeling?' schreeuwde Dante tot het uiterste getergd. 'Jullie praten allemaal over hem alsof zijn schim weer op aarde is teruggekeerd. Maar in plaats van hem de eer te bewijzen die de doden toekomt, halen jullie hem uit zijn slaap om hem te gebruiken als dekmantel voor jullie manoeuvres. Wat is het doel van dit alles?'

Cecco schudde zijn hoofd. 'Het is een plan dat uit verschillende onderdelen bestaat, als de takken van een grote boom. Elk van ons weet zijn taak... maar alleen de Eerste weet alles. Maar ik heb het wel door... De keizerlijke schat... de vrienden zijn hem op het spoor. En je kunt er gif op innemen dat dat metaal voor een groot deel aan mijn vingers blijft kleven, die het zo nodig hebben. En aan de jouwe, als je me steunt. Zoals toen in Campaldino...' besloot hij, terwijl hij hem hard op de schouder sloeg.

Dante haalde geërgerd zijn hand weg. 'Wie is nu het hoofd van de Dienaren? Is dat de Eerste over wie je het hebt?'

De Siënees schudde zijn hoofd. 'De leider van de Dienaren is lange tijd onze vriend Guido Cavalcanti geweest. En misschien zou hij het nog zijn, als hij niet getroffen was door de ban waaraan jij het zegel hebt gehangen,' bracht hij rancuneus in. 'Maar nu is de leider veel hoger. Alleen dat weet ik zeker.'

Dante nam zijn hoofd tussen zijn handen. Alle elementen van dit raadsel wentelden in zijn gemoed als dolgedraaide nachtvlinders rond een vlam.

'Ik weet dat ze de keizer willen wreken, dat heb ik ook gehoord. Zijn dood,' zei Cecco.

'Zijn dood?' echode de prior.

Bernardo's woorden waren hem weer te binnen geschoten. 'Cecco, denken de Dienaren ook dat de keizer is vermoord?'

'Zo wil het verhaal bij ons. En iedereen denkt aan gif, en misschien aan zijn arts.'

'En hoe zou die het gedaan hebben?'

'Dat weet niemand,' wierp de ander met een schouderophalen tegen. Dante voelde een golf van ergernis opkomen. Wederom bracht iemand hem op de drempel van een onthulling en sloeg dan de deur voor zijn neus dicht.

Laat op de ochtend

Dante stak de verharde zandvlakte over die achter de San Piero lag en waarlangs zich nog de ruïnes bevonden van de Ghibellijnse huizen die door de woede, volgend op de Ghibellijnse nederlaag van 1266, waren verwoest. Daar, met zijn ontzagwekkende toren, verrees het toekomstige Priorpaleis, waarin brede stukken van de oude muur werden ingevoegd in het nieuwe gebouw. Voorlopig echter waren de burelen van het stadsbestuur verspreid over de kleine huizen rondom, die voor dat doel gehuurd waren.

De gemeentesecretaris verbleef in een ervan, aan het begin van de Marktweg, op de begane grond. Onder hem en in de kelders lagen de stadsarchieven, waar de stukken en de voorschriften samen met de verslagen van de talloze raadsvergaderingen bijeengehouden werden tussen gedecoreerde plankjes.

'Goedendag, messer Duccio,' groette de dichter.

Het kale mannetje, dat hem zorgzaam tegemoet trad, beantwoordde zijn groet haastig met een buiging en schoof het dikke dossier dat hij aan het invullen was aan de kant. 'Wat kan ik voor u betekenen, mijnheer de prior?'

'U weet alles van deze stad. Wat er in- en uitgaat. En vooral de bedrijvigheid die er verricht wordt, door wie en waar.'

De ander kierde zijn ogen, met een nauw waarneembare uitdrukking van voldoening op zijn gezicht. Toen wimpelde hij het compliment met een lachje af. 'U bent al te grootmoedig in uw roem van mijn simpele kwaliteiten. Veeleer houden de gilden met hun buurtregisters de precieze bedrijvigheid van de leden op allerhande terreinen bij. Al geef ik toe dat op mijn kantoor een soort van algemene aantekening van alles wordt gehouden... om de fiscus te steunen,' vervolgde hij met een knipoog. 'Die kooplieden ontlopen maar al te graag de tol of zo mogelijk de annone.'

Dante keek om zich heen. Het vertrek van de secretaris was heel eenvoudig ingericht met wat bij elkaar geraapte meubels. Ook zijn schrijftafel leek wel een aangepaste kerkbank, en de twee verschillende zetels waren al niet beter. Toch school in die vertrekken onder de eenvoudige schijn in zekere zin een minutieus collectief bewustzijn van de stad.

'Messer Duccio, wat weet u van een zekere literatus, Arrigo da Jesi, die al enige tijd in Florence verblijft?'

Het mannetje hief zijn kin op alsof zijn aandacht plotseling getrokken werd door iets op het plafond. Hij sloot zijn ogen en deed zijn lippen op elkaar, terwijl hij zachtjes de naam bleef herhalen. Dante had de indruk dat hij met zijn geestesoog in de krochten van zijn geheugen de opengeslagen bladzijden van een geheimzinnig archief langsliep.

'Arrigo... da Jesi. Natuurlijk. De filosoof,' zei hij na een paar seconden. 'Die is nog niet zo lang geleden uit Frankrijk aangekomen. Weinig bagage en hij heeft dan ook geen tol betaald, behalve een klein bedrag voor de boeken en het schrijfpapier die hij bij zich had. Hij heeft onderdak gekregen in het gastenverblijf van de Santa Maria Novella, bij de dominicanen. In ruil daarvoor geeft hij nu en dan college op hun school.'

'Weet u zeker dat hij verder niets bij zich had? Niets van waarde?'

Duccio kierde weer zijn ogen. 'Nee. Maar nu u het me vraagt, hij vervoerde wel iets ongewoons. De tolgaarders wisten er niet de accijns van te schatten en kwamen naar mijn kantoor. Een kist met een rad erin. En kleine glazen voorwerpen.'

'Wat?' riep Dante uit.

'Ja, een houten rad. Zo heeft de wachtcommandant het me althans beschreven. Of nee, niet zozeer een rad, maar... wacht!' riep het mannetje, terwijl hij met een hand tegen zijn voorhoofd sloeg.

Op de schrijftafel lag een hoge stapel papieren. Snel begon hij die door te lopen tot hij bij een ervan stilhield.

'Kijk, ziet u wel?' zei hij nadrukkelijk. 'Niets gaat hierbinnen verloren! Dit is het verslag met de beschrijving van het voorwerp,' vervolgde hij, terwijl hij de dichter het vel papier aanreikte.

Onder zijn ogen bevond zich, ruwweg in inkt geschetst, de tekening van twee concentrische achthoeken.

'Ziet u wel? Een soort van rad, zoals ik u zei.'

'En wat zei Arrigo tegen de tolgaarder?'

'Niets. Dat het gewoon een instrument voor zijn studie was.'

Dante was in gedachten verzonken en bleef naar de tekening kijken.

'Het is wel gek,' hoorde hij Duccio plotseling zeggen.

'Wat?' mompelde hij, weer bij de tijd.

'Dat Arrigo te gast is bij de dominicanen.'

'Wat is daar voor geks aan?'

'Nogal wat, als je bedenkt hoe die kappen redeneren. Arrigo was als jongeman franciscaner novice geweest, ten tijde van broeder Elia, de opvolger van Franciscus. En hoe de leden van die twee orden dol op elkaar zijn... De vraag is waarom hij niet naar de Santa Croce is gegaan...'

'Ja. Waarom niet?'

Middaguur

Door de kloostertuin bij de Santa Maria Novella liepen talloze monniken, verdiept in de meest uiteenlopende taken. Haastig bereikte Dante de noordelijke hoek, waar de kleine collegezalen lagen.

Ook hij had daar als jongeman gezeten en hij herinnerde zich nog goed de vastberadenheid waarmee de leermeesters hem de zekerheid in de waarheden van het geloof hadden ingeprent.

Hun geloof. Het wit en zwart van de rondwarende gewaden vormde de spiegel van de nauwkeurigheid waarmee de orde waar van onwaar scheidde. Ook toentertijd had hij nooit die ruimten af kunnen gaan zonder een lichte huivering van angst te voelen. En die oude onrust leek zich vandaag weer voor te doen, bedacht hij met een zekere ergernis, terwijl hij het onaangename gevoel met een schouderophalen van zich af probeerde te zetten.

Nu was hij niet meer die onzekere student die zich bezighield met de mysteriën Gods, maar de prior van de stad, met de sleutels om te openen en te sluiten bij de hand. Hij sloeg zijn ogen weer op, die hij tot op dat moment neergeslagen had gehouden, zich instinctief aanpassend aan de manier van doen van de mannen die hij om zich heen zag, en hij bereikte de laatste cel, waar hij een bekende stem vandaan hoorde komen.

Twee banken waarop een zestal mannen zat, voornamelijk novicen met de tonsuur, tegenover een eenvoudige katheder op een drie treden hoog podium. Gezeten op zijn stoel was Arrigo bezig voor te dragen uit een kloeke verluchte codex op een lessenaar. De filosoof sprak langzaam hardop de woorden van de tekst uit, ze een voor een scanderend alsof in elk ervan en niet in de zin die ze vormden, de betekenis school waarnaar hij op zoek was.

Meteen herkende Dante de tekst die onderwerp van het college was: het was Genesis, en wel het relaas van de eerste fasen van de Schepping. Hij ging op het hoekje van de meest nabije bank zitten. En toen zag hij onder de toehoorders de tengere gestalte van Bernardo, gebogen over zijn wastafeltjes en bezig met het maken van snelle aantekeningen. Opeens sloeg hij zijn ogen op en kruiste zijn blik. Met een klap sloot hij de tafeltjes, waarna hij een snel groetgebaar maakte.

Intussen leek Arrigo aan de afronding toe te komen. Hij citeerde het werk van enkele kerkvaders en verwijlde met name bij een opmerking van Lactantius. Vervolgens droeg hij de toehoorders op voor het volgende college om een discussie over het onderwerp voor te bereiden. Toen, terwijl het kleine gehoor langzaam overeind kwam om hem hulde te betuigen, hernam hij het woord en stelde een laatste vraag.

'Ik wil ook graag dat jullie proberen te verklaren op welke manier God op de eerste dag het licht heeft geschapen, en pas op de vierde de sterren en de andere hemellichten,' sprak hij op kalme toon.

Dante stapte op de katheder af, tegen de richting van de studenten in die naar de uitgang liepen.

Arrigo had de codex weer dichtgeklapt. Hij keek op en herkende hem meteen. 'Messer Alighieri! En u, Bernardo... Ik ben blij dat u de tijd gevonden hebt om mijn nederige dissertatie bij te wonen. Maar kom mee, laten we deze verstikkende ruimte verlaten. Buiten in de koele schaduw van de kloostertuin kunnen we ons gesprek in een aangenamer sfeer voortzetten.'

Hij leidde hen naar buiten. De zuilengang met dubbele, smalle zuilen liep rond een in volle bloei staande tuin die in keurige afdelingen was verdeeld, waar de monniken geneeskrachtige kruiden verbouwden voor de apotheek van het klooster. In een hoek stak een grote citroenplant zijn takken uit naar de schaduw van de zuilengang, naast een murmelend fonteintje.

Arrigo bukte gretig voor een langdurige teug.

Dante maakte van de gelegenheid gebruik om de historicus aan te spreken. 'Ik had niet verwacht u aan te treffen op een college over de oorsprong van de schepping. Ik waande u eerder geïnteresseerd in het aanzien van onze eeuw.'

'Het aanzien van de eeuw, zoals u zegt, is slechts het gevolg van hoe die is ontstaan: zoals elk levend wezen op volwassen leeftijd alleen maar de noodzakelijke ontwikkeling van zijn kinderlijke vorm is. Daarom boeit mij ook het verre Genesis,' antwoordde Bernardo ontwijkend.

'Ik hoor de les van de grote Aristoteles in uw woorden,' repliceerde Dante, 'en ik maak een buiging. Toch leert zelfs de Schrift ons dat niet alles wat geschapen is voortduurt in de tijd.'

Arrigo was uitgedronken en veegde met de rug van zijn hand zijn lippen af. 'Dus ook u, messer Durante, verwelkomt de stelling van al wie beweren dat de Schepping niet op de eerste zes dagen is voltooid, maar dat God die in de daaropvolgende tijdperken nog heeft aangevuld, en met uiteenlopende bedoelingen?'

'Dat is wat er in de geschriften wordt verteld: God voegde dingen aan de wereld toe. Maar wat vindt u daarvan, Bernardo?' drong Dante aan.

De historicus haalde zijn schouders op. 'Ik buig voor uw godgeleerdheid,' reageerde hij afgemeten, vanuit zijn ooghoeken naar Arrigo kijkend. Hij leek slecht op zijn gemak. Dante had het gevoel dat hij daar was om onder vier ogen met de filosoof te spreken, en dat hij door daar te komen zijn plannen had doorkruist.

Ook Arrigo moest iets hebben gemerkt. Hij lachte geruststellend en legde een hand op zijn schouder. 'Komaan, Bernardo, mijnheer de prior is een gestudeerd man, net als en beter dan wij. Hij is een student van mij geweest, maar nu zou ik bij hem in de leer kunnen. Schroom niet als u twijfels hebt die ik kan oplossen.'

Bernardo beet op zijn lippen, terwijl hij zijn blik van de een naar de ander liet gaan. Ten slotte nam hij een besluit: 'U weet van het werk waaraan ik mijn dagen wijd. Er is een punt in de laatste jaren van het leven van de keizer waarover u me nader licht zou kunnen verschaffen. De relatie van Frederik met Elia da Cortona.'

Arrigo had even zijn ogen gekierd, alsof de klank van die naam bij hem de pijn van een niet geheelde wond wekte. Maar meteen stond zijn gezicht weer even kalm als altijd.

'De keizer stuurde hem naar het Oosten, in het jaar onzes Heren 1241,' vervolgde Bernardo. 'Weet u waarom?'

'Een diplomatieke opdracht. Om de ruzie tussen Constantinopel en Vatacio van Nicea bij te leggen,' antwoordde Arrigo na enig nadenken. Hij leek verbaasd over de vraag. Dante had de indruk dat hij om enigerlei reden bijna niet geantwoord had.

'Dat werd gezegd, en dat wordt in de kronieken ook overgeleverd. Maar ik vraag mij af of er in zijn missie niet een ander doel school.'

'Ik was destijds maar een novice. Toen ik in het klooster intrad, was Elia al lang weer terug van zijn reis.'

'Maar hebt u nooit iets gehoord? Een toespeling, een gerucht?' hield Bernardo aan.

'Niets in mijn bijzijn. Maar, zoals gezegd, ik was maar net een novice, belast met het simpelste werk. De medebroeders betrokken me niet bij hun geheimen... als die er al waren.'

Bernardo boog peinzend zijn hoofd. Hij leek weinig overtuigd. Hij keek weer op naar Arrigo, en vastberaden weerstond de filosoof zijn blik.

'Dan is het zo,' bromde hij. 'Misschien klopt het wat u zegt,' hervatte hij luider. 'Goed, het is tijd om weer aan mijn werk te gaan.' Met een groet liep hij weg.

Dante en Arrigo keken hem na totdat hij verdwenen was.

'Het geschil tussen Constantinopel en Vatacio van Nicea?' herhaalde Dante na een moment van stilte.

Arrigo glimlachte flauwtjes. 'Ja. Daar moet u niet van opkijken, messer Alighieri. Het waren onrustige jaren, die overheerst werden door de duivel van het veelvoudige. Veel rijken, veel keizers, veel goden.'

Dante perste zijn lippen op elkaar. 'God is Eén, Arrigo.'

De ander barstte in lachen uit. 'Het lijkt wel of niets u van uw zekerheden kan afbrengen.'

'Zeker niet van deze. Ik ben eerder nieuwsgierig geworden door de vraag die u aan uw studenten hebt gesteld: of het licht iets anders is dan de hemellichten. Hoe denkt u dat ze gaan antwoorden?'

Arrigo schoof met een voet een steentje opzij. Toen stak hij een vinger op. De zon brandde boven hun hoofd als een oven. 'Het is duidelijk dat ze overeenstemmen en dat de Schrift buiten de waarheid staat. Wanneer de zon achter de einder zakt, doven licht en warmte. Een vaste aanwijzing dat het zijn gloed is die de lichtbundel veroorzaakt, en dat er geen licht kan bestaan zonder verbranding.'

'Kijk naar de aard van de hemellichamen,' wierp de prior tegen. 'Ook de maan straalt eigen licht uit, en zo ook de sterren, bij heldere nacht. Maar er komt geen enkele warmte vanaf. Een vaste aanwijzing dat er wel licht is zonder verbranding. En dat het licht dus een toevalligheid van de natuur is die losstaat van de gloed, en dat het daar in de orde van de Schepping aan vooraf kan gaan.'

'Dat zou waar zijn als maan en sterren eigen licht uitstraalden. Maar het zijn enkel dadenloze spiegels. Hun glimmende lichamen weerkaatsen alleen het zonlicht en brengen het bij ons terug vanuit de onmetelijke afgrond van de ruimte. *Lucis imago repercussa*, het beeld van licht in een spiegel.'

'*Non potest.*'

'Waarom niet?'

'Omdat ze verschijnen wanneer de zon achter de einder verdwijnt en naar de andere kant van de wereld glijdt. Waar zouden ze het te weerkaatsen licht vandaan moeten krijgen, aangezien de massa van de aarde tussen hen en de zon in ligt?'

Arrigo kon een medelijdende blik niet onderdrukken. 'En toch, messer Alighieri, bestaat er een doodeenvoudige oplossing. Denk er maar over na en u komt tot dezelfde conclusie als ik.'

Dante had een kleur gekregen. Ter plekke kon hij niet de rationele verklaring vinden die de ander als vaststaand beschouwde. Hij besloot het over een andere boeg te gooien. 'Hebt u op de school van Elia da Cortona uw spitsvondigheid opgedaan?' trachtte hij te schertsen.

'Bij hem en bij anderen. Maar van hem heb ik behalve de kilheid van het redeneren de warmte van het onderzoek opgestoken.'

'Naar verluidt stond de monnik op goede voet met keizer Frederik,' vervolgde Dante. Arrigo knikte zwijgend. 'Zelfs zo dat hij hem ook diende bij zijn bouwprojecten,' ging de dichter door. 'Het schijnt dat het ontwerp van een opmerkelijk kasteel met bewonderenswaardige vormen van hem was. Castel del Monte, een werk waarvan de betekenis zelfs voor deskundigen in het vak nog steeds onbegrijpelijk is.'

'Misschien is de bouwkunst niet de meest aangewezen weg om tot de betekenis ervan door te dringen.'

'Welke kunst dan wel? Of welke wetenschap?'

'Een kunst die haar vormen bouwt met wetenschap in plaats van stenen.'

'Alchemie? Denkt u daaraan? Is dat de schat van Frederik? Waar iedereen naar zoekt?'

'De schat van Frederik...' mompelde de filosoof. 'Ja, er is een schat van de keizer. Maar alleen als je de poort van het Rijk doorgaat, is die te bereiken. Denk erover na, messer Alighieri. Vind het antwoord op mijn vraag. En wat broeder Elia betreft...'

'Was hij echt zo'n grote geest als men zegt? Een tovenaar?' moedigde de dichter hem aan.

Arrigo keek hem lang aan zonder te antwoorden. Toen wendde hij zijn blik af. 'Elia was werkelijk groot. Maar niet zozeer in de duistere wetenschappen als wel in de lichtvolle van de kennis. Kom mee naar mijn cel: ik wil u iets laten zien. Bovendien hebben de goede monniken me wijn uit hun wijngaard geserveerd. Een beker zal het stof uit uw keel spoelen, en misschien ook de bitterheid uit uw ziel.'

Arrigo's cel was met dezelfde eenvoud ingericht als die van de dichter. Maar een verschil was dat hij vol kostbare codices stond. Misschien wel vijftig banden her en der, deels op een rij op een eikenhouten schap, deels op de schrijftafel of op een stapel op de grond als kleine torens van wijsheid.

Eenmaal de deur door was Dante ze onmiddellijk gaan bekijken, gegrepen door een onbedwingbaar verlangen. Hij vloog snel een paar titelpagina's door voor hij het laatste deel dat hij had gepakt plotseling neerzette. Blozend wendde hij zich met een paar verontschuldigende woorden tot zijn metgezel. Was snuffelen in andermans boeken niet als snuffelen in zijn ziel?

Arrigo was op de drempel blijven staan, getroffen door zijn opwinding. 'U hoeft u niet te verontschuldigen. De wisselvalligheden van de fortuin vergunden mij de kans om deze kleine verzameling woorden van de Ouden bijeen te brengen; wees zo vrij eruit te putten als uit een openbare bron.'

Dante boog het hoofd bij wijze van dank en ging weer over op de verkenning van die zee van wijsheid. 'Sommige mensen zouden hier een moord voor doen,' mompelde hij, terwijl hij een verluchte codex van de grond tilde.

'Men moordt altijd om te kunnen leven. En voor de wijze is het woord de essentie van het leven.'

'Het lijkt erop dat u de hartstochten in uw betogen veel ruimte toekent, messer Arrigo.'

'Stel dat iemand moordt, niet omdat hij overmand is door de hartstocht der zinnen, of door kwaadaardigheid van het gemoed, of door afstomping van het verstand, maar omdat hij zeker weet dat hij daarmee een hoger goed bewerkstelligt door de weg van de deugd van een belemmering te ontdoen?'

'Niemand mag over het leven van een naaste beschikken, behalve om leven en have tegen geweld te beschermen. De deugd is een collectief goed en moet als zodanig beschermd worden. Alleen het volk heeft door middel van zijn magistraten het recht om iemand te straffen die er een bedreiging voor vormt.'

'En als liefde de eerste aandrift voor moord was? U hebt die ziekte sterk doen uitkomen in uw geschriften. En uit liefde werden vele grote moorden gepleegd.'

'Moord kan niet worden opgenomen in de natuurlijke orde der dingen,' oordeelde Dante resoluut.

Arrigo boog zich over naar een kast in de hoek en deed een deurtje open. Hij haalde er een kruik vol amberkleurig vocht uit. Verstrooid had Dante met zijn blik zijn verrichtingen gevolgd. Maar zijn aandacht werd opeens gewekt door een voorwerp op een van de planken dat in de zonnestraal die door het venster binnenviel een schijnsel afgaf.

De filosoof had die reactie bemerkt. Op zijn gelaat stond een tevreden uitdrukking te lezen. 'Ik wist dat het u zou boeien,' zei hij, opnieuw naar de kast vooroverbuigend en hem gebarend hetzelfde te doen.

Op de plank rustte een merkwaardige koperen lantaarn, meer dan een armlengte hoog en achthoekig van vorm. In een van de zijkanten zat een raampje met dik glas ervoor.

De filosoof voelde met een vinger over het metalige oppervlak, alsof hij het ontwerp ervan wilde nalopen. 'Het laatste werk van mijn leermeester, Elia da Cortona,' sprak hij liefdevol.

'Een lantaarn?'

Arrigo knikte. 'Maar dan van een buitengewoon type. Broeder Elia zei dat het licht ervan de zee zou kunnen oversteken om zelfs de ongelovigen van Palestina te bereiken.'

Aan een kant van dat merkwaardige voorwerp zat een deurtje, dat door een klink op zijn plaats werd gehouden. Dante maakte de grendel los en wierp een blik naar binnen. Binnenin zat alleen een klein brandertje, aan de achterkant afgeschermd door een boog die waarschijnlijk diende om het licht op het raampje te richten. Met teleurstelling in zijn blik keek hij Arrigo aan.

'Het lijkt me niet veel anders dan een gewone lantaarn,' merkte hij op. 'Misschien afgezien van de afmeting. Maar op de galeien heb ik wel grotere gezien.'

'Het wonderlijke zit hem niet in het uiterlijk. Maar in de lichtbron. Dit.'

Hij rommelde weer in de kast en haalde er een verzegeld flesje uit.

Door het glazen oppervlak was een wittige, zanderige substantie te zien. Terwijl hij het voorzichtig ophield, bracht hij het bij het gezicht van de dichter zodat die het beter kon zien.

'In zijn laatste jaren had Elia het alchemieonderzoek uitgediept: dit poeder is zijn ultieme ontdekking. Maar hij wilde er de samenstelling niet van prijsgeven en benadrukte alleen het extreme gevaar ervan.'

'Hoe werkt het dan?'

'Je moet het flesje op het brandertje zetten en het verwarmen. Een paar seconden zijn genoeg om het te laten ontbranden en een fantastisch schijnsel te laten afgeven, wit en zonder trilling, zoals dat van de zon.'

Instinctief stak Dante zijn hand uit om het flesje te pakken, maar Arrigo trok opeens terug.

'Opgepast, mijnheer de prior. Alleen al de warmte van een hand volstaat om de samenstelling tot leven te wekken.'

'Maar als het gaat om wat u zegt, waarom onthulde Elia dan zijn geheim niet aan de keizer? Zo'n apparaat zou door zijn legers met succes kunnen worden aangewend om in het donker te vechten!'

Arrigo schudde zijn hoofd. 'Elia was een man van vrede. Daarbij had Elia uitsluitend deze hoeveelheid van het preparaat gedistilleerd. Meer niet.'

'Wat hield hem tegen?'

Arrigo schudde zijn hoofd. Dante wachtte tot hij verder zou gaan, maar de filosoof leek in gedachten verzonken. Hij staarde voor zich uit, alsof hij was teruggekeerd naar de tijd van zijn jeugd, en de duistere figuur van Elia hem weer voor ogen stond. Dante zag hem stilletjes zijn hoofd schudden. 'Niets hield hem tegen,' mompelde hij. 'Er is geen tweede bewijs nodig. *Omnia in uno*.'

Opeens was hij weer in het hier en nu, alsof zijn visioen was verdwenen. Hij zette de lantaarn voorzichtig in de kast en deed het deurtje weer dicht.

'Even over de wijn, mijnheer de prior. Vindt u het geen godennectar?'

Middag, in het Priorpaleis

Dante trof een bode aan die op hem zat te wachten, in de livrei van kardinaal d'Acquasparta. De man moest daar al lang zijn, want bij zijn aanblik kwam hij op slag overeind met een opgeluchte uitdrukking op zijn gezicht.

'Zijne Eminentie wil dat u dit ontvangt,' zei hij officieel, waarna hij hem een in vieren gevouwen perkament overhandigde dat gesloten was met een door een zegel bevestigd lint.

Dante verbrak het zegel en las haastig: de kerkvorst vroeg hem zo spoedig mogelijk bij hem te komen ten burele van de pauselijke legatie om vertrouwelijke zaken te bespreken. 'Waarom vraagt hij geen audientie op het Priorpaleis?' vroeg hij korzelig, terwijl hij het perkament weer opvouwde.

'Zijne Eminentie acht het verstandiger zo, gezien de spanningen in de stad. Een bezoek van hem aan het bureau van het stadsbestuur zou een officiële waarde vertegenwoordigen die beter vermeden kan worden. Bovendien...'

'Bovendien?'

'Gaat de kwestie u aan, mijnheer de prior. Persoonlijk.'

Dante beet peinzend op zijn onderlip. De ander leek niet bereid meer te zeggen. Even kwam de gedachte bij hem op om hem in de kerker te laten gooien en hem aan dezelfde behandeling als de arme Fabio te onderwerpen om er meer uit te krijgen. Maar hij twijfelde of een vos als de kardinaal zijn plannen aan iemand had ontvouwd. Misschien was het beter de uitdaging aan te gaan en zich in het hol van de leeuw te wagen.

De geestelijke liep met hem mee door de zalen van de residentie, die de een na de ander geopend werden om een lange gang te vormen. Op de drempel van de laatste bleef hij staan, waarna hij zich uit de voeten maakte.

Dante liep verder naar het midden van het vertrek, waar hij werd opgewacht door een massieve man met onbeschaamde trekken achter een masker van schijnheilige goedmoedigheid. Hij zat op een houten armstoel, bekleed met alle waardigheidstekenen van zijn ambt. De breedgerande hoed met het gevlochten lint rustte op zijn knieën.

'Dus wij zien elkaar weer, messer Alighieri,' mompelde de kardinaal met zijn doordringende stem, terwijl er een glimlach om zijn mond kwam die zijn onderkin in beweging bracht. Hij stak zijn gehandschoeide hand uit waaraan een grote ring prijkte.

Dante deed één pas naar voren en bleef voor de armstoel staan. In plaats van zich naar de uitgestoken hand te buigen, vouwde hij zijn armen. 'Ik heb gehoord dat u mij wilde spreken. Waarom mij alleen in plaats van audiëntie te vragen bij de hele raad?'

De kardinaal trok zijn hand terug, ogenschijnlijk zonder gewicht te hechten aan het gedrag van de prior. Alleen een snel opeenklemmen van zijn vlezige lippen en een flikkering in zijn blik gaven een moment zijn ware gevoelens te zien. Meteen echter nam hij weer zijn curiale houding aan, zijn gelaat als het masker van een oude Romein gedomineerd door een aanzienlijke neus. 'Omdat het, als men met iemand wil onderhandelen, nuttiger is rechtstreeks het brein aan te spreken dan een beroep te doen op de ledematen of het hart. En u bent, voor zover ons blijkt, stellig het brein van de raad.'

'Mijn nederige persoon lijkt het voorwerp te zijn van een aandachtig onderzoek door de dienaren van Bonifatius,' siste de dichter.

'De dienaren van Bonifatius zijn de dienaren der Kerk. De herders van het volk van God. En als zodanig leiden zij welwillend de kudde die zij hen toevertrouwt, sterk in de zekerheid des geloofs, en bestrijden de wolven die die kudde zouden willen afslachten om hun gulzigheid te stillen. Wat u aangaat...' vervolgde hij, opnieuw zijn beringde hand dreigend opheffend. 'Wat u aangaat is uw handel en wandel al lang het voorwerp van zorg van de Heilige Kerk.'

Dante richtte zich nog verder in zijn volle lengte op. Bij die woorden was er echter een rilling over zijn rug gelopen. Hij moest zichzelf geweld aandoen om niet om zich heen te kijken. Het beeld van de dreigende gestalten in het wit en zwart die hij in de abdij als slangen had zien rondspeuren naar wat er gebeurde, schoot hem weer te binnen. Hij wist zeker dat Noffo, het hoofd van de inquisitie, in de buurt was, misschien verscholen in de ruimte ernaast.

'Zeg dan maar wat u wilt.'

Op het gelaat van de kardinaal breidde zich een tevreden uitdrukking uit. 'Van u weten wat uw politieke gevoelens zijn.'

'Welk belang kunnen die voor u hebben?'

In plaats van te antwoorden stak de prelaat zijn hand uit naar een kussen naast zijn stoel en pakte een bundeltje papieren op. Hij wierp een blik op het eerste, maar keek toen weer op naar Dante, alsof hij de inhoud van die teksten wel kende. 'U bent een liefhebber van geschiedenis, nietwaar?' vroeg hij; toen ging hij zonder antwoord af te wachten door: 'En u bent ook nieuwsgierig naar iemand die de geschiedenis zou willen verhalen, zoals die Bernardo met wie u regelmatig schijnt om te gaan. Een man die rommelt in het haksel der tijden met als enig doel schandaal verwekken.'

'De voorgevallen feiten registreren en nauwgezet de gebeurtenissen verhalen in verband met een regerend huis dat zijn stempel op de eeuw heeft gedrukt is een nobel streven. Waarom zou dat niet uw goedkeuring wegdragen?' repliceerde Dante met de tanden op elkaar.

Acquasparta maakte een vaag gebaar, wierp zich toen weer op de papieren. 'U zult wel gelijk hebben. Maar meer dan over de geschiedenis van dat ongelukkige geslacht wil ik over de uwe spreken, messer Alighieri.'

'De mijne?' Dante kon zijn verbijstering niet verbergen. 'Ik wist niet dat de mijne aandacht verdiende.'

'En toch is het zo. De uwe is zo'n geschiedenis die voor de oude verhalenvertellers het geluk van de wereld zou hebben betekend, maar die onrust brengt bij de kinderen der liefde.'

'Waarom?' vroeg de dichter, die instinctief in de verdediging schoot.

'Omdat ze onduidelijk is. En alles wat onduidelijk is is een bron van onzekerheid. En onzekerheid vormt het zaad van het ongeloof. En het ongeloof is de vijand van het geloof, de poort waardoor Satan de huizen der mensen binnensluipt.'

De kardinaal onderbrak zichzelf terwijl hij de papieren bleef wegen, en zijn massieve hoofd schuddend hervatte hij: 'Er lijken twee verschillende mensen in u te huizen, messer Alighieri. Ten eerste de jonge liefhebber van het vrolijke leven, de dichter met zijn zachte manieren, wellustig en stralend, helemaal verdiept in een onmogelijke liefdesdroom. Ik heb ook uw verzen voor die Beatrice gelezen, wie het ook moge zijn. Want u wilt me toch niet wijsmaken dat degene die u in verwarring heeft gebracht ene... even kijken...' Hij bladerde een paar bladzijden door. 'O ja, ene Bice dei Portinari is, een stakker gehuwd met de oude Bardi. Werkelijk roerende verzen, een voorbeeld voor alle verliefde geesten. En inderdaad...'

Dante kreeg een rilling. De kardinaal onderbrak zichzelf wederom en bladerde nu de bundel door alsof hij iets zocht.

'En inderdaad,' herhaalde hij, 'die verzen raken meteen in de mode, en andere geestdriftige jongeren nemen uw stijl over en bezingen hun liefdes, die zo op de uwe lijken. En u geeft er ook een naam aan, de Dienaren van Amor, nietwaar?' De prelaat zweeg andermaal, alsof hij een bevestiging van zijn woorden verwachtte.

Dante wachtte echter roerloos, bevroren in zijn houding.

'De Dienaren van Amor... En het schijnt dat cr ook een leider van uw groep is, uw vriend Guido Cavalcanti. Of misschien voormalige vriend? Ik weet dat u hem in ballingschap hebt gestuurd, en ik vraag mij af waarom. En verder nog anderen, allemaal aparte figuren. Zoals Francesco d'Ascoli, de astroloog. Een ketter, een blinde leider van zijn naasten. Of die Cecco Angiolieri die nu in uw stad is aangekomen nadat hij te gast is geweest in de gevangenissen van zijn eigen stad.'

'U had het over twee mensen die in mij zouden huizen...'

'O, u hebt gelijk. Onverwachts immers vertrekt die jongeman met hoogstaande gevoelens een paar jaar geleden naar Parijs om te studeren. Maar in plaats van in kennis en wetenschap gesterkt terug te keren, verdwijnt hij daar opeens. En in zijn plaats verschijnt u, messer Alighieri, de man die u nu bent. De ander.'

'De ander?'

'Een ander, die tegen iedere gewoonte in, en in strijd met zijn verklaarde afkeer van de platheid van het plebs, een steile weg bewandelt. Hij begint het simpele volk met zijn sierlijke taal te betoveren tijdens de bijeenkomsten op de straathoeken, hij wordt verkozen in onbeduidende vergaderingen, verspilt zijn talent aan besluiten over welke straten rechtgetrokken moeten worden of welke belastingen moeten worden opgelegd. En van die fascinatie voor de eeuwigheid die hem heeft beheerst, keert hij zich af om zich in te laten met winkeliers en kooplui, geleidelijk aan een weg naar het niets beklimmend. Die welke u naar het niets heeft geleid dat u nu bent. Waarom, messer Alighieri?'

'Misschien omdat bij de rechtvaardige de roep om het goede te doen diepgeworteld is, zoals onze voorvaderen ons hebben geleerd,' antwoordde Dante ijzig.

'*Verum*. Maar wie zijn dan wel de grote geesten die u tot voorbeeld en aansporing hebben gediend? Afgezien natuurlijk van uw leermeester in burgerzaken, die Brunetto Latini, een notoire sodomiet, net op tijd gestorven om de straf te ontlopen die hij had verdiend. En ook hij gedrenkt aan de Parijse bronnen, zodat hij zijn werk zelfs in die taal schreef.'

'Velen hebben mijn vaderland liefgehad en strekken ten voorbeeld. Farinata degli Uberti, Mosca dei Lamberti en Tegghiaio Aldobrandi voorop.'

Acquasparta kneep zijn oogleden tot spleetjes. 'Dat zouden uw inspiratiebronnen zijn? Een Ghibellijnenleider, nietsontziend in zijn woede, een onbezonnen dwaas die met zijn verkeerde advies bloedbaden onder burgers aanricht, en dan ook nog een sodomiet, weer een. Dat gespuis lijkt uw voorkeur te genieten.'

Dante ontvlamde en kwam dreigend dicht op de kardinaal af. Deze leek echter geen gewicht te hechten aan de in hem opkomende woede.

Opnieuw zwaaide hij het verslag onder zijn neus. 'Weet u, messer Alighieri? De mannen van mijn secretariaat die zich met uw geval hebben beziggehouden hebben een eigen theorie. Moet u nagaan, ze zijn ervan overtuigd dat alles gekomen is door de dood van uw vader. Een man van, zeg maar, niet altijd brandschone zaken, maar wel in staat om u, zolang hij leefde, het schitterende geldverslindende bestaan te verschaffen dat u met uw lyrische gedichten hebt verrijkt. Maar die u wel, toen hij eenmaal naar het licht des Heren was geroepen, tot de noodzaak heeft gebracht om elders uw brood te verdienen.'

Al snuivend zijn massieve lichaam losmakend van de leuningen van de armstoel stond de kardinaal moeizaam op. Toen begaf hij zich naar het raam en spoorde zijn gast aan om met hem mee naar buiten te kijken. 'Ziet u die drukte van bedrijvigheid overal in uw stad? Hoeveel nieuwe gebouwen, hoeveel straten, hoeveel winkels zich ontvouwen? En voor elk een toestemming, vergunning, provisie. Lasten en baten, niet van goud zoals in het hemelse Jeruzalem of in de Republiek van uw wijsgeren, maar wel van zilver, dat wel... Ik weet dat u over het wegennet gesteld bent.'

'Dat klopt. Wat dan nog?'

'U hebt de openstelling van een nieuwe straat naar de velden van de Santa Croce verzorgd,' vervolgde de kardinaal, die weer op de papieren wees. Hij hield zijn ogen half geloken, alsof hij helemaal niet hoefde te lezen.

'Dat was noodzakelijk om de doorvoer naar de oosterse wijken te bevorderen.'

'O, heel juist. Maar het toeval wil dat zich juist daar uw landgoederen bevinden, die nu door een pennenstreek van ruw struikgewas tot bouwgrond zijn veranderd, waar de Florentijnen zo tuk op lijken te zijn. Toeval natuurlijk. Maar het toeval, messer Alighieri, is vaak met de vermetelen, zoals de heidenen leren naar wie u uw overtuigingen hebt gevormd.'

Dante kreeg een kleur als vuur. Een doffe woede maakte zich van hem meester. Die opgeblazen speklap was een beerput waar zich alle roddelpraat van die vervloekte stad in opstapelde.

Acquasparta zweeg opnieuw, vervolgens liep hij naar zijn zetel terug, alsof het korte uitstapje naar het raam hem had uitgeput. Zwaar liet hij zich in de armstoel vallen. 'Maar ik, messer Alighieri, ben het nu eens niet met mijn secretarissen eens... Ik heb u gadegeslagen en heb met mijn onfeilbaar oog in u gelezen dat gemoedsrust verzachtend werkt voor iemand die in zijn gelijk staat. En ik denk niet dat uw partijdigheid simpelweg voortkomt uit het verlangen om u te verrijken door geld te onttrekken aan uw ambten. Nee. Dat zou zo zijn wanneer er in u een hebzuchtig gemoed huisde, of een dat verdorven is door onstilbare lusten, of uit is op publieke bijval. Als het zo lag, zouden een paar florijnen volstaan om u om te kopen, voldoende om uw schulden en uw hoeren te betalen. Maar er schuilt in u een diepere afgrond dan deze.'

'Waar hebt u het over?'

'We zijn ervan overtuigd dat uw intrede in de politiek deel uitmaakt van een breed overdacht plan dat door de Dienaren is opgezet om hun mannen te infiltreren in de top van de macht in de Welfische steden. En om als ze daar zijn in het verborgene te werken aan wat uw ware doel is, onhandig verbloemd achter verzen en minneklachten: Italië aan de rechtvaardige overheersing van de Kerk te ontrukken om het weer onder de tucht van de keizer te brengen. Maar de Kerk,' hervatte de prelaat, zich weer oprichtend, ditmaal met onvermoede snelheid, 'heeft de eeuwen door alle kronkelingen van de slang die haar trachtten te wurgen afgeweerd, sinds de opvolgers van Karel de Grote verraad pleegden aan de overeenkomst waarmee hun de keizerskroon werd toegekend. En ze heeft het altijd gewonnen. En winnen zal ze ook van het gesjacher van mannetjes als u. Tevergeefs hebt u de ruiters van de Apocalyps in Florence bijeengeroepen!'

De kardinaal had dreigend een vinger opgestoken. Hij hijgde van opwinding, zijn onderkin trilde. Nadat hij met open mond meermalen naar adem had gesnakt hervatte hij: 'Jullie gaan ten onder, dat is zeker! En dan volgen jullie in je ondergang het vervloekte nageslacht van de Ghibellijnen, die bereid zijn iedereen te verraden, te beginnen bij hun eigen bron van kwaad: die Frederik, die jullie zo bewonderen en die zij zelf, gedreven door hebzucht, hebben vermoord!'

'Wat bedoelt u?'

'De Antichrist werd door zijn bastaardzoon Manfred vermoord opdat deze zich meester kon maken van het land en de kroon, nadat paus

Innocentius had beloofd hem koning van Sicilië te maken.'

'U liegt!' riep de prior woedend uit. 'Koning Manfred was een hoogstaand, edel mens! Het is enkel laster van uw dienaren om hem als een vadermoordenaar neer te zetten, maar het zijn woorden zonder enige grond, het resultaat van uw eigen intriges!'

'Wat weet u van dingen die voor uw geboorte zijn gebeurd, toen u nog een onbeduidende mogelijkheid was in de ondoorgrondelijke geest Gods? Wat weet u van wat de Heilige Kerk de eeuwen door bepaalt? Frederik is gestorven in gewelddadigheid en razernij, weggevaagd door dezelfde storm van Satan waaruit hij tevoorschijn trad toen de hoer van Altavilla hem in Jesi ter wereld bracht.'

Dante wierp hem een misprijzende blik toe. 'Als u dat gelooft, zou ik me vereerd moeten voelen. Een kleine man als ik in het middelpunt van zo'n groot plan.'

'O, word maar niet te hoogmoedig, want in afwachting van de vervulling van uw droom weten we dat uw plannen op dit moment een lagere vlucht nemen. U bent, eerder nog dan op zijn terugkeer, uit op het goud van Frederik. Het lijkt of de slang haar gouden eieren ergens heeft verstopt, en sommigen menen te weten waar.'

'En u zou een van die mensen willen zijn!'

Acquasparta richtte zich in heel zijn lengte op. 'De Kerk heeft recht op dat goud om er de noodzakelijke middelen uit te halen voor de uitoefening van de missie die God Zelf haar heeft toevertrouwd: Italië tot rust brengen onder de herderlijke leiding van de heilige Bonifatius. Lever het aan ons uit en het wijwater van de vergeving zal over uw hoofd druppelen. De Kerk zal het vetgemeste kalf slachten, omdat de verloren zoon de weg was kwijtgeraakt en is teruggevonden.'

'Een kalf in ruil voor een fortuin is een afspraak die Bonifatius zeker deugd zou doen.'

'Godslasteraar! U gelooft nergens in.'

'Ik geloof in één God die het al beweegt en niet wordt bewogen. Die met drie personen regeert, een en drie-een. Niet kenbaar door bewijzen maar door geloof en verlichting.'

De ander barstte uit in een sarcastisch gelach. 'Ook een patarijn, zelfs een kathaar zou uw woorden kunnen onderschrijven. Misschien klopt het wel wat er over u wordt beweerd.'

'Wat wordt er dan beweerd?' vroeg de dichter onverschillig.

'Dat u in Parijs uw kennis hebt opgedaan bij vreemde bronnen. Ook bij die van mohammedanen als Siger.'

‘Siger van Brabant was geen mohammedaan.’

‘Hij was een kenner van Averroës, en dat is genoeg.’

Dante trad dichterbij en bewoog zich naar de kardinaal toe alsof hij hem op de wang wilde kussen. Zijn lippen raakten zijn oor. ‘Liever het licht der heidenen dan de schaduw van uw domheid,’ fluisterde hij.

Acquasparta, paars in het gezicht, deed een sprong achteruit. ‘U krijgt spijt van uw hoogmoed. We weten alles, alles! U, vriend van de Antichrist! Maar zelfs de vier ruiters die hem vergezellen zullen u niet van de ondergang kunnen redden, wanneer het moment daar is. En wij maken uit wanneer dat is!’

Dante schokschouderde. ‘De wil van de machtige, barmhartige God geschiede.’

Pas op de trap besefte hij dat hij de formule van de heidenen had gebruikt.

De dichter sloeg af naar de oever van de Arno, waarlangs de werkplaatsen van de leerlooiers lagen. Hij probeerde zich tegen de middagzon te weren met de sluier van zijn muts en zwaaide met zijn hand voor zijn neus om de dampen te verjagen uit de grote kuipen waarin het leer te looien lag. Het was een zinloos gebaar, toch bleef hij het werktuiglijk herhalen, steeds verder doordringend in die zoele, kleverige golf die alles omspoelde.

Met zijn hoofd vol gegons van de vliegen die de hele wijk teisterden, was hij ongemerkt van de kortste weg naar de San Piero afgeweken en zocht de verkwikking van de schaduw in de tuintjes achter de kerk van de Heilige Apostelen.

Hij dook op uit de stegen onder aan de trap die naar de Ponte Vecchio leidde. Het leek er ongewoon verlaten, alsof een toverspreuk het komen en gaan van de menigte die op elk uur van de dag over de bogen stroomde had stilgezet. Alleen de snelle flits van een wegschietende rat of de schaduw van een zwerfhond verstoorden de kwijnende roerloosheid.

Er heerste een volmaakte stilte, slechts doorbroken door de roep van een meeuw die daar van zee was gekomen. Dante hoorde duidelijk het gemurmel van het water van de Arno, die nu bijna droog stond. Even dacht hij dat de middagduivel elke vorm van leven had uitgevaagd. Vervolgens bereikte hem op een zuchtje wind het geluid van stemmen.

Er bevonden zich mensen midden op de brug, onder de kleine zuilenboog van de aedicula. Twee mannen die zachtjes met elkaar in gesprek waren. Arrigo en Monerre.

Hij liep omhoog de rij houten winkels langs die na afloop van het werk gesloten waren. De twee leken hem niet te hebben gezien. Ze bleven oog in oog onverstaanbare zinnen uitwisselen, om dan weer naar het andere einde van de brug te kijken, alsof ze op iemand wachtten. Er leek tussen hen een geheimzinnige spanning te heersen.

De prior zag Arrigo zijn vuisten ballen, alsof hij iets gehoord had wat hem kwetste. Intussen bleef hij op hen af lopen en probeerde geen geluid te maken. Nu bedroeg de afstand nog maar enkele passen, maar nog steeds gaven de twee geen blijk dat ze zijn aanwezigheid hadden opgemerkt. Zelf ontwaarde hij de schaduw van een derde man die van de andere kant van de brug in aantocht was. Hij kwam stilletjes aangelopen, met de zoom van zijn kleed de stenen rakend. Met zijn lengte en licht wiegende tred was de arts Marcello de trap van de andere kant opgekomen en trad nu snel naderbij.

De drie troffen elkaar midden op de brug zonder een blijk van verbazing, alsof er tussen hen een geheime afspraak had bestaan. Even later voegde ook Dante zich bij de groep. De boze woorden van de kardinaal schoten hem weer te binnen: misschien waren de vier Ruiters van de Apocalyps werkelijk naar Florence gekomen.

De mannen wisselden stilzwijgend een blik, vervolgens nam Monerre als eerste het woord.

'Het is opmerkelijk dat we elkaar midden op een brug ontmoeten, de plaats waar zich volgens de Ouden de wendingen van het lot voltrokken.'

'Misschien omdat het lot op een brug gemakkelijker zijn beslag krijgt, daar waar de weg smaller wordt en de ontsnapping moeilijker,' stelde Marcello.

'En waar naar verluidt de duivel de reizigers opwacht om ze met zijn trucs om de tuin te leiden,' prevelde Dante met het gevoel dat deze ontmoeting iets merkwaardigs had.

'Maar niemand van ons is hier om zo'n boosaardige rol te spelen, messer Alighieri,' kwam Monerre goedmoedig tussenbeide.

De dichter wilde reageren, maar hield zich in. De ander stond weer naar het uiteinde van de reling te kijken. Door zijn positie kon hij nu zien wat aanvankelijk hun aandacht had getrokken: een stuk van een Romeins beeld dat in het metselwerk was gevoegd. Een bebaard hoofd met net zulke monsterlijke trekken als een duivel op de spuiers van een kathedraal: twee koppen aan weerszijden, waarop weer en wind hun diepe sporen hadden achtergelaten.

'Bent u getroffen door de kop van de god Janus, Monerre?' vroeg de dichter. 'Een teken van het oude bijgeloof, ten tijde van de valse, leugenachtige goden.'

De man uit Toulouse richtte zijn enige oog op de dichter en keek hem aan. Even leek hij hem van repliek te willen dienen, toen keek hij weer naar het beeld.

'Onze vriend lijkt geboeid door alles wat tweeledig is,' merkte Arrigo op. 'Misschien omdat hij door de natuur getroffen is in zijn gezichtsvermogen, leeft bij hem de treurnis om de compleetheid die alleen een tweetal kan garanderen.'

Marcello was blijven zwijgen, zijn ogen over de reling gericht naar de grote molen waar de monnik zijn leven had geëindigd in het rad, vlak bij een andere brug. Plotseling was hij er weer bij en sprak Dante aan. 'Maar misschien schuilt de boosaardige natuur van een brug eerder in de vorm ervan dan in de mensen die hem oversteken. Denkt u niet, mijnheer de prior?'

'Merkwaardige woorden van u. Daar zit beslist een zinnebeeld achter, dat ik alleen niet kan duiden.'

'Misschien kan ik u helpen,' zei Arrigo. 'Als ik het wel heb, verwijst messer Marcello naar het doel van die constructies. En in die zin klopt het dat er een vonk van de vroegere arrogantie in schuilt waardoor we het paradijs zijn kwijtgeraakt. Omdat hij immers een barrière slecht die God voor onze doorgang heeft gesteld, vormt hij een belediging voor Zijn plan.'

'Ah, ik begrijp het. Dat is een scherpzinnige observatie. Maar niet om in mee te gaan, vrees ik. Het plan van God zou helemaal voltooid ontstaan. En dus niet vatbaar zijn voor enige wijziging door de mens. Maar dat is in tegenspraak met de Schrift, waar staat dat God de mens tot heerser van de Schepping heeft gemaakt, om alles aan zijn heerschappij te onderwerpen. Als hij niet eens een waterstroom kon onderwerpen, zou die vermeende heerschappij maar weinig voorstellen.'

De oude arts schudde zijn hoofd. 'Maar in dezelfde Schrift staat: Van de boom van kennis van goed en kwaad mag je niet eten; dus niet alles is aan onze heerschappij onderworpen.'

Arrigo barstte in lachen uit. 'Maar afgezien van die boom lijkt het dat we van alle andere de vruchten wel mogen plukken. En ook kappen, zo nodig, voor onze haarden! Ziet u, messer Durante, ook niet meer wijsheid in die opmerking van Heraclitus dat onze dagen enkel stof van de tijd zijn, net zo verloren in de kosmos als de atomen van Lucretius?'

'Ik denk dat er een orde in de dingen bestaat. Als de wereld daar zomaar was neergezet, wat zou beloning of straf na de dood dan voor zin hebben? En had de Zoon van God dan vlees moeten worden dankzij een toevallige gebeurtenis, en alleen voor een toevallig samenraapsel van atomen aan het kruis moeten sterven?'

Marcello schudde ernstig zijn hoofd ten teken van instemming.

Maar Arrigo ging weer kalm in de aanval. 'Ziet u in die toevalligheid dan niet een spoor van de kosmische schoonheid?'

'Misschien, messer Arrigo,' antwoordde Marcello. 'Maar de opeenhoping van toevalligheden, hoe buitensporig ook, kan niet oneindig zijn. In het verre Perzië dacht men, voordat Mohammed er met zijn zwaard kwam, dat alle dingen tweehonderdzestig van onze eeuwen leven en opgaan, om dan weer helemaal overnieuw te beginnen in hun cyclus van toevalligheden, die alleen ogenschijnlijk oneindig is.'

'Zesentwintigduizend jaar? Maar die onmetelijke tijd is slechts een oogwenk voor God,' wierp Dante tegen. 'Hoe zou Zijn oneindige macht voor altijd hetzelfde kunnen herhalen? Zou Zijn rijk, hoe uitgestrekt ook, periodiek in het niets terugkeren? En telkens opnieuw de zes dagen van de Schepping, en telkens het begin van het licht, en zijn weg door de duisternis?'

'Waarom niet, messer Alighieri?' bracht Marcello in. 'Alles keert weer in het niets en neemt dan weer vorm aan, in een sublieme herhaling van hetzelfde. Een eeuwige orde die opnieuw wordt aangebracht.'

'Dat is waanzin, messer Marcello!' riep Arrigo uit. 'En passen ook de vliegen die ons pesten in uw sublieme plan? Zouden die zich ook moeten herhalen, in een oneindige cyclus? En ook de muilezels en ezels van Florence, en hun uitwerpselen die de stad bedelven?'

'Welzeker! U zult het meemaken ook!' schreeuwde de oude.

Dante had aandachtig toegehoord. 'Dus komt alles terug?' mompelde hij. 'Ook de moord op Guido Bigarelli? Zou die nergens door tegengehouden kunnen worden, Marcello? Niet door een andere gedachte, een gewetensbezwaar? Uw leer ketent ons aan het kwaad.'

De stilte die was neergedaald werd verbroken door Monerre. 'Misschien maakt die moord wel deel uit van de orde. Past hij in de logica van een plan.'

'En als die moord deel uitmaakt van een hoger, oneindig plan, waartoe dient dan uw inspanning om hem op te lossen, mijnheer de prior?' sprak Arrigo insinuerend.

'Om recht te doen. Om de aarde dichter bij het verloren paradijs te brengen. Om op aarde een vonkje van Gods licht te halen,' antwoordde de dichter.

'Ik zou niet graag in dat licht willen zitten, messere,' repliceerde de ander ironisch. 'Mijn enige oog is afkerig van overmatige schittering, er past eerder schemer bij dan de straling van sterren.'

Dante gaf geen antwoord en keek hen aan, ervan overtuigd dat er in hun woorden een diepere betekenis schuilging. Nee, de ontmoeting van die mannen was niet zo toevallig geweest als ze wilden doen geloven. Misschien had zijn komst een geheim akkoord verstoord. Of de uitwerking van een plan. Of de bevestiging van compliciteit.

En misschien was hun dialoog onder het mom van een filosofisch dispuut in zijn aanwezigheid voortgezet en staken die drie de draak met hem. Even voelde hij de aanvechting om zijn gedachte prijs te geven en hun rekenschap te vragen voor hun gedrag. Maar samen waren ze sterker: als het waar was wat hij vermoedde, zouden ze elkaar in het nauw gedreven rugdekking geven en iedere poging van hem om de waarheid te achterhalen verijdelen. Hij kon beter wachten en hen een voor een in de val laten lopen.

'Niets zal de straf van de moordenaar kunnen tegenhouden,' riep hij ten slotte uit. 'U zult het zien,' voegde hij er nog aan toe, zijn wijsvinger opstekend. Hij week een pas achteruit en draaide zich toen resoluut om, de drie verder zonder een woord achterlatend.

Achter hem bespeurde hij een schuldbewust stilzwijgen. Of misschien was het enkel hoon, bedacht hij kwaad, terwijl hij wegliep.

In het Priorpaleis

De bargello bleef hijgend boven aan de trap staan om op adem te komen. Vervolgens liep hij vastberaden op de prior toe. 'Er is nieuws, groot nieuws. Mijn mannen hebben tijdens een controle van de marktkramen iets vertrouwelijks gehoord.'

Terwijl ze geld afpersten om beide ogen dicht te knijpen voor de diefstallen en afzetterij die op klaarlichte dag plaatsvinden, bedacht Dante. 'Zegt u het maar.'

'Er is iemand in de stad. Een gevaarlijke Ghibellijn. Hij schijnt uit het Noorden te zijn aangekomen, vast en zeker om zich in verbinding te stellen met zijn handlangers en onze stad schade te berokkenen. Ik wacht tot ze me onthullen waar hij zit en pak hem dan met al zijn medeplichtigen op. Wat u in de Stinche hebt gezien stelt niets voor, als ik hem in handen krijg.'

'En wie moet die gevaarlijke duivel wel zijn?' repliceerde de dichter met zijn armen over elkaar.

'Een vreemdeling, naar het schijnt uit Frankrijk. En ik heb ook een idee wie het kan zijn. Ik denk dat u zijn gevangenneming wel wilt meemaken. Zodra...'

Dante hief vastbesloten zijn hand op. 'Wat ik in de Stinche heb gezien volstaat om u en uw duvelstoejagers tot voorzichtigheid te manen. Florence is een gebied van vrijheid, waar elk mens, of hij er nu geboren is of van buiten komt, het recht heeft om buiten de gevangenis te blijven, tenzij zijn schuld onomstotelijk bewezen is. En dus komt er meer dan een marktroddel voor kijken om iemand in de boeien te slaan.'

De overste van de wachters was vuurrood geworden. 'Maar het is een Ghibellijn...' protesteerde hij met verstikte stem.

'Wacht met in actie komen, dat is een bevel. En houd mij van alles op de hoogte. Ik laat u wel weten wanneer u moet handelen.'

Na die woorden keerde Dante hem de rug toe en begaf zich naar de deur, gevolgd door de scherpe blik van de bargello.

Kort daarop in het paleis van de nuntiatuur

De bargello had bijna op zijn knieën het vertrek van de kardinaal betreden. Bij de massieve omvang van Acquasparta gekomen bukte hij om vurig de ring te kussen, alsof hij hem wel kon opeten. De kardinaal trok verwaten zijn hand terug, maakte toen een zegenend gebaar op zijn voorhoofd.

'U wilde mij per se spreken. Wel, wat kan ik voor u doen?'

De man boog weer, schraapte toen zijn keel. 'Ik heb advies nodig, uwe eminentie, over hoe ik mij in mijn ambt moet opstellen, zodat mijn handelingen altijd de Kerk welgevallig zullen zijn.'

De kerkvorst boog even het hoofd ten teken van instemming.

'Mijn mannen hebben een in Florence ondergedoken Ghibellijnenleider opgespoord. Maar de overheid van de stad lijkt weinig genegen om hem in verzekerde bewaring te stellen. Ik heb opdracht om te wachten, terwijl ik met een paar aanwijzingen zijn schuilplaats zou kunnen ontdekken. Dien mij van advies.'

'Dante Alighieri,' siste de kardinaal, zijn ogen tot twee spleetjes kierend. 'Hij weer.'

De bargello knikte.

'De liefde van paus Bonifatius voor de steden die hem trouw zijn verhindert mij te interfereren in de zaken van uw stad,' verklaarde Acquasparta, 'en het zou dus niet goed zijn om u te adviseren een bevel van de overheid van Florence in de wind te slaan. Ook al kan achter dat bevel de kop van een giftige slang steken. Ook al komt dat bevel met voorbijgaan aan iedere scherpzinnigheid en wijsheid en zou niemand het u kunnen verwijten wanneer u omgekeerd handelde.'

'Maar, eminentie... Ik zou wel de steun van de andere priors moeten hebben...'

'Die zult u krijgen. En u kunt u in elk geval beroepen op noodzaak. Het is onmogelijk een man in nood te vragen zich niet te verdedigen: *nemo ad impossibilia tenetur*. En u krijgt duchtig onze steun bij uw actie.'

De kardinaal klapte hard in zijn handen. Even later verscheen van achter het gordijn de droeve gestalte van de leider van de inquisitie. In plaats van direct naar hem toe te komen liep Noffo Dei een heel stuk langs de muur, alsof hij het rechtstreekse licht van de zon door het venster wilde mijden. Vervolgens boog hij, zijn handen in de mouwen van de wit met zwarte pij verborgen houdend, voor de man van Bonifatius.

'Deze brave man is ons komen verzekeren van zijn toewijding. Hij lijkt het begin van de intrige die ons verontrust te pakken te hebben. U moet hem helpen en hem nieuws over de andere verwikkelingen verstrekken. Mogelijk weet hij die te ontwarren.'

Noffo boog en beduidde de bargello hem te volgen.

'Luister goed naar wat hij u te zeggen heeft,' beval de kardinaal nog, terwijl de overste van de wachters achteruit de deur uitliep.

Na de avondklok

Vanwaar die belangstelling voor het Janusbeeld?

In logement De Engel leken de kamers uitgestorven. Dante vroeg

Manetto om nieuws over de Fransman. De hele middag had hij teruggedacht aan wat hij had gehoord tijdens het gesprek op de brug. Iets wat twijfel bij hem had gezaaid. En nu vervloekte hij zichzelf dat hij de kwestie niet meteen had uitgediept in plaats van nijdig om de ontvangen uitdaging als een boerenkinkel weg te lopen.

'Hij is hier niet meer, mijnheer de prior,' antwoordde de logementhouder. 'Hij schijnt naar een ander logement te zijn verhuisd,' vervolgde hij op een toon van gekwetste trots.

Dante plukte gewoontegetrouw aan zijn lip. 'Heeft hij geen boodschap achtergelaten?'

'Nee. Misschien is mijn simpele onderkomen niet geschikt voor gedistingeerde buitenlanders. Hij is vertrokken in gezelschap van twee onbekenden.'

'Buitenlanders?'

'Ze hebben geen mond opengedaan. Maar ik zou zweren van wel.'

Dante nam afscheid van de logementhouder. Wat moest hij nu? Hij maakte zich ongerust. Instinctief voelde hij dat de Fransman wel eens het middelpunt van de intrige kon zijn, met zijn geheimzinnige manier van doen en zijn geaffecteerde beleefdheid van gentleman van over de Alpen. Als hij echt verdwenen was, zouden ook de moorden voorgoed in duisternis blijven gehuld.

Met langzame passen was hij een steeg achter de Santa Maria Maggiore ingeslagen, zijn blik naar de grond gericht. Zijn aandacht werd getrokken door een dubbele schaduw voor hem. Op enige afstand liepen twee mannen naast elkaar.

Naar hun kledij te oordelen waren het buitenlanders, maar ze hadden toch iets bekends. Nieuwsgierig geworden ging hij achter hen aan. Intussen zocht hij moeizaam zijn geheugen af naar de aard van het bekende dat hij had bespeurd.

Plotseling wist hij het weer. Het waren twee van de mannen die in de taveerne van Ceccherino apart zaten, ogenschijnlijk buiten de sfeer van verdorvenheid die er heerste, en die hem op het moment van de vlucht hadden geholpen.

Hij versnelde zijn pas en kwam achter hen op het moment dat ze vlak bij de oude Romeinse put waren.

'Gegroet, messeri,' sprak hij nadrukkelijk, hun de pas afsnijdend.

Verbaasd hielden de twee stil. 'Kennen wij elkaar?' vroeg de langste na een moment van aarzeling.

'Ik denk niet dat ik u ooit heb gezien,' verklaarde de ander met een snelle blik in het rond, alsof hij zeker wilde weten dat de dichter alleen was.

'Wees niet bang, er is niemand bij me. Ik heb alleen een verzoek aan u.'

De buitenlanders keken hem zwijgend aan en bleven op hun hoede.

'We hebben een gemeenschappelijke vriend, daar ben ik zeker van. En misschien wel meer dan een. Ik doel op messer Monerre.'

De twee bleven onbewogen zwijgen, alsof die naam hun niets zei.

'Ik ben ervan overtuigd dat u weet wie ik bedoel. Zeg hem dat ik hem moet spreken en dat ik morgenavond een uur na de completen op hem wacht achter de apsis van het Baptisterium.'

De twee reageerden niet. Ze bleven hem onbewogen aankijken, knikten even en vervolgden hun wandeling; ze verdwenen om de hoek van de straat.

De prior had hen tot op het laatst nagekeken. Hij bedacht hoe gemakkelijk het was om uit het zicht te verdwijnen in zijn stad, alsof de muren van de huizen opgericht waren ter ere van een duivels plan en in de straten echt die djinns rondliepen waarvan Monerre zei dat hij ze in het Oosten was tegengekomen.

In het Priorpaleis, de nacht van 13 augustus

Hij was één brok onrust. Vanbinnen roerde zich een gevoel van morele verwarring, van lome zinnelijkheid. Amara's ongrijpbare gelaat, even omschaduwd als de buitenkant van een verre maan, achtervolgde hem.

Hij dwaalde door zijn cel, in gedachten het lichaam liefkozend van de vrouw wier schitterende figuur hij had gezien op de kar, waarbij hij een spanning ervoer die niet de vorm van het woord wist aan te nemen, al had hij meermalen getracht die in verzen om te zetten. Hij sloeg op de schrijftafel. De hevige pijn aan zijn vingers bracht hem even tot de werkelijkheid en vaagde de erotische fantasieën weg.

Hij geneerde zich voor die drift. Maar waarom eigenlijk? De aandoening van liefde is het bewijs van hoogstaande gevoelens, en alleen een superieur gemoed is door kennis en deugd bij machte de greep ervan te voelen, een lage lichaamskwaal om te zetten in iets van extase... en moest hij haar overlaten aan die schurk van een Cecco Angiolieri met zijn weerzinwekkende woordspelletjes?

Misschien streken de handen van de Siënees op dat moment wel over haar heen, profiterend van de nacht en de eenzaamheid. En moest hij toestaan dat een maagd in zijn stad werd blootgesteld aan een schending zonder dat iemand te harer verdediging de regels van hoffelijkheid toepaste?

Met een klap sloot hij de wastafeltjes en sprong overeind.

De straten van de stad waren uitgestorven. De route van de nachtwacht, die alleen was uitgezet om de huizen van de voorname families te beschermen, kende hij. Het kostte geen moeite om de ritmische pas te omzeilen toen hij die in de verte waarnam.

Bij de abdij gekomen speurde hij voor de laatste maal de straat af om zeker te weten dat er niemand was. Toen hij op de hoek van het gebouw af liep, had het geleken of hij een metalig geluid hoorde, gevolgd door het snelle geluid van voetstappen van iemand die haastig wegliep. Hij wachtte een paar seconden, maar er heerste weer volmaakte stilte.

Pas toen deed hij de kleine deur open. Binnen was het schip volledig in het duister gehuld, afgezien van een licht maanschijnsel dat bovenin de ramen vulde. Hij bereikte de ingang van de sacristie en ging naar binnen.

In het eerste vertrek was niemand. Snel liep hij de trap op en kwam op de gang van de vroegere cellen. Ook daar kwam hij, tegen de verwachting in, geen levende ziel tegen. De vrouw en Cecco leken verdwenen. Misschien waren ze gevlucht.

Een onduidelijk gevoel maakte zich van hem meester. Het idee dat ze ver weg waren, stelde hem gerust. Het betekende dat het plan om Florence voor schut te zetten inmiddels van de baan was. Het gewicht dat op zijn geweten drukte omdat hij het complot niet had weten te onthullen, werd er lichter door. Maar het verkleinde ook de hoop om de moordenaar te vinden. Nu Brandaan dood was en zijn medeplichtige verdwenen, was er weer een draad van dat fijne netwerk aan vingerwijzingen en schaduwen afgekapt.

Onder de buitenste laag van die overwegingen echter knaagde de teleurstelling: hij zou die vrouw niet meer terugzien, ze was hem voorgoed ontvlucht.

Op dat moment zag hij op de achtergrond een schijnsel afkomstig uit een kleine inham die naar de trap in de toren van de abdij leidde.

Zijn hart klopte in zijn keel, terwijl hij weer toesnelde om de smalle treden van de naar boven wentelende trap te beklimmen. Op de laatste tree gekomen bleef hij hijgend staan onder de ruwe boog die toegang gaf tot het klokkenhuis, dat beschenen werd door een brandende kaars in een nis. Aan de balken van het dak hingen nog de raderen van de oude klokken, en daaronder had iemand kussens neergelegd. In de volstrekte stilte van de nacht hoorde hij de ademhaling van de op dat geïmproviseerde bed liggende figuur, waarover een dunne organzasluier was uitgespreid. Haar vormen... Op dat moment woelde de vrouw met een diepere ademhaling in haar slaap, draaide zich op een zij en toonde haar rug.

De zachte welving van haar rug verscheen in alle luister. Zij leek overgeleverd aan een droom. Haar handen, over haar schaambeen heen, raakten dat met een nauw waarneembaar gebaar, vol tederheid. Alsof ze zich wilde beschermen.

Psyche in afwachting van de hand van Eros, bedacht Dante opgewonden, terwijl Amara weer woelde in haar slaap, met een wulpse beweging haar benen uitstrekkend. Voor het eerst had hij heel de pracht van dat lichaam, dat hij tot dan toe onder de kleding alleen had geraden, voor ogen.

Langzaam kwam hij naderbij totdat hij het bed raakte. Het golvende licht van het vlammetje leek het lichte weefsel tot leven te wekken. Met een siddering strekte hij een hand uit en ontblootte langzaam haar lichaam. In de sierlijkheid van een ivoren beeld verscheen Amara voor hem.

Hij voelde een gloed in zich ontvlammen en zijn ademhaling versnellen. De vrouw had zich met nog een beweging omgedraaid, en daarbij haar nog versluierde schoot aan zijn blik prijsgegeven. Een trillen van haar oogleden verried dat haar slaap nu onderbroken werd. De ogen van licht glas flitsten een paar keer; vervolgens, na een schuchtere zweem van angst bij de aanblik van de over haar heen gebogen man, verscheen er op haar mond een geheimzinnige, vage glimlach, zoals Dante die op de beelden van godinnen uit de oudheid had gezien.

Ze keek hem een paar seconden aan, spreidde toen langzaam haar armen uit. De prior viel op zijn knieën voor haar. Hij voelde hoe haar handen zijn nek beroerden en hem toen zachtjes naar haar geopende lippen trokken.

Haar mond smaakte naar slaap en honing. Met wellust gaf Dante zich over aan die zoen en trachtte de glimlach die hem voor ogen bleef zweven weg te vagen. Haar adem inademend begon hij de dunne windselen die haar boezem bedekten los te maken. De van opwinding opgerichte tepels staken bevrijd naar hem uit.

Toen hij de windselen die haar buik omknelden wilde losmaken, pakte Amara hem onverwacht krachtig bij zijn hand en hield hem tegen. Toen stond ze langzaam op, hem nog steeds met haar vingertoppen op een afstand houdend. Hij deed een stap naar voren en probeerde de vrouw die hem bleef ontvluchten, beet te pakken, maar opnieuw ontworstelde zij zich aan zijn greep en trok zich terug in een hoek van de ruimte naast de vlam van de kaars.

Met een trage beweging als in een dans maakte zij uiteindelijk de laatste windselen die haar buik nog bedekten los en openbaarde zich voor zijn ogen. Dante bracht zijn hand naar zijn lippen, terwijl zijn mond openviel van verbazing.

Voor hem was een wezen met goddelijke vormen verschenen, het monster dat Ovidius beschrijft, man en tegelijkertijd vrouw, de levende Hermafrodiet die in zijn albinoheerlijkheid uit een pagina van de *Metamorphosen* was gestapt.

Een zonderling gevoel nam bezit van de dichter, afschuw en verlangen tegelijk. Hij week een pas achteruit naar de deur, maar bleef op de drempel staan. Het wezen had zijn armen geopend en toonde heel de bleekheid van zijn lichaam. Een grote vederloze vogel. Zo moesten de engelen zijn die hemelhoog een kring vol lofprijzingen vormden, bedacht hij.

Het wezen bewoog zich weer, spoorde hem aan en begon met zijn sneeuwwitte en -koude hand zijn gezicht weer te liefkozen. Aantrekking en afstoting wisselden elkaar bij hem af. De zachtheid van het gebaar en de warmte van de blik waren die van een verliefde vrouw. Maar toen Amara weer dichterbij kwam, zag hij met afgrijzen dat ook het mannelijk deel van dat wezen opgewonden raakte.

Niet in staat te reageren zag Dante zich opgesplitst tussen twee verlangens, net zoals het monster dat zijn armen naar hem uitstrekte. Met uiterste wilskracht greep hij de organzasluier die op het bed lag en wikkelde die voorzichtig rond dat ivoorblanke lichaam, vechtend tegen het verlangen om het tegen zich aan te drukken en het te bezitten. Nu de naaktheid ervan was uitgewist, was ook de dubbelheid weg en was Amara met dezelfde toverkracht die haar een moment eerder tot man had gemaakt, weer vrouw geworden.

Nog ontredderd haastte Dante zich de cel uit en vluchtte zonder omkijken weg. Op de trap kwam hij Cecco tegen, die met zijn armen over elkaar op de eerste trede stond. Zonder een woord passeerde de dichter hem en ontweek de sarcastische blik die de ander hem toewierp.

Hij was ervan overtuigd dat de Siënees alles wist en zich vrolijk over hem had gemaakt. Maar hij kreeg nog wel de tijd om met hem af te rekenen, zei hij bij zichzelf, de scheldwoorden die op zijn lippen waren gekomen inslikkend.

Andere overwegingen verdrongen zich nu in zijn hoofd. Ontsteltenis en machteloze woede temperden inmiddels de geilheid, en de stem van de rede sprak weer tot zijn oor. Amara was tevens een man... Stel dat zij in haar mannelijke staat degene was die zou komen, de erfgenaam van Frederik die zijn troon in ere zou herstellen? Bernardo had niet duidelijker kunnen of willen zijn over het geslacht van de erfgenaam. Omdat hij niet wist of Bianca Lancia de keizer een zoon of een dochter had geschonken? Of omdat de twee geslachten zich verenigden in één afstammeling en de nieuwe keizer beide naturen op de troon zou brengen?

Hij schudde zijn hoofd om dat krankzinnige idee te verjagen. Amara oogde niet ouder dan twintig, terwijl ze minstens vijftig had moeten zijn om uit het zaad van de keizer te zijn voortgekomen. Maar zelfs daarover voelde hij zich niet zeker meer. Waren het niet zijn leermeesters geweest, de grote schrijvers uit de oudheid, die verhaalden van sprookjesachtige wezens met de gave van onsterfelijkheid?

Op straat snelde hij weg, als een gewond dier op zoek naar zijn hol.

In het Priorpaleis

Nerveus verfrommelde Dante het vel waar hij zojuist enkele regels op had geschreven. Hij richtte zijn blik op de schamele riem papier die op de schrijftafel lag: zo dadelijk zou die op zijn, en hij wist niet of hij nog een andere kon krijgen. Hij zou weer in zijn hoofd moeten schrijven en het boek van het geheugen moeten aanspreken.

Een felle steek trok achter zijn oog langs met zijn vinger van vuur. Hij sloot krachtig zijn ogen en wachtte tot de gloeiende vonkenregen was opgelost.

Terwijl hij zijn vuisten tegen zijn oogleden hield, was het of hij achter de deur iets bespeurde en of een hand de deurklink aanroerde.

Maar hij had niet de kracht om zich om te draaien. Toen dat lukte, zag hij de onbekende, die binnengekomen was en roerloos tegen de deurpost stond te wachten.

'Pietra... jij?' prevelde hij toen hij de slanke gestalte van de vrouw herkende. Het vlammetje op de schrijftafel onttrok haar maar net aan de schaduw. 'Hoe ben je binnengekomen?'

'Voor Lagia's vrouwen gaan de deuren altijd open. Zelfs onder jouw wachters heb ik vrienden,' antwoordde ze, met haar ordinaire lach.

Dante kwam moeizaam overeind en liep op het meisje toe. Hij strekte een hand uit om haar wang te beroeren, maar zij onttrok zich eraan door haar hoofd naar de andere kant te buigen.

'Niet aan me komen. Je hebt niet betaald.'

De dichter liet zijn hand zakken. Het meisje keek hem met haar in de diepe kassen verzonken groene blik aan. De massa donkere krullen, los op haar schouders, omlijstte haar gezicht. Het was of haar ogen een lichte gloed uitstraalden door de flakkerende straal van de kaars. De lieflijke schim van Amara schoof even over die harde trekken heen en onttrok ze aan het oog.

Aandachtig onderzocht Pietra zijn verhitte gezicht. Toen barstte ze uit in haar ordinaire lach. 'Wat heb je bij die vrouw geprobeerd? Bij haar ook al?' Ze lachte opnieuw, spottend. 'En vond je het lekker, zeg es?'

'Ga weg,' mompelde Dante, onpasselijk.

'Wil je geen echte vrouw, om die andere te vergeten?'

De korte, rechte neus, stevig aan het begin, en de dunne lippen benadrukten het katachtige van haar gezicht. Om haar magere lichaam met de smalle heupen en de brede schouders als van een jongeling droeg ze een lichte strakzittende tuniek. Ze bleef bij de muur staan, haar lichaam gebogen, de kleine opgerichte boezem die de stof deed spannen. 'Niet aan me komen,' herhaalde ze, haar hand naar hem uitstrekkend, alsof ze een grens tussen hen wilde trekken. Toen keek ze om zich heen en liet haar blik rusten op de papieren her en der. 'Alweer woorden. Dát kun je. Met woorden komen.'

'Dat troost de eenzame mens. Zijn woorden.'

'Jij wilt eenzaam zijn omdat je bang bent om in de steek gelaten te worden,' wierp Pietra misprijzend tegen. Dante wilde reageren, maar zij liet hem de tijd niet. 'Woorden, in je eentje.' Ze pakte een van de vellen papier en wierp het woedend op de grond. 'Al die zinloze woorden.'

De vuurgreep bleef om het voorhoofd van de dichter klemmen. Wankelend liet hij zich op het bed vallen.

Pietra had hem met haar ogen gevolgd. 'Weer die kwaal van je?' vroeg ze kil.

Hij gaf geen antwoord. Het meisje deed een stap en kwam dichter naar hem toe, tot ze met haar boezem zijn voorhoofd raakte. Toen legde ze een hand achter zijn nek en duwde hem zachtjes tegen haar lichaam aan, waarbij ze met haar vingers zijn nekspieren beroerde. Dante rook de geur van haar huid in zijn neusgaten, een mengeling van de goedkope oliën uit Oltrarno en een heimelijke subtiele geur die opsteeg van haar buik. Hij sloot zijn ogen, zich overgevend als een kind in de armen van zijn moeder. Hij voelde tranen opwellen in zijn ogen, snikken deden zijn borst schokken. Toen werd hij weer een warmte in zich gewaar.

Hij hief zijn gezicht op. Pietra, die ophield hem aan te halen, boog haar lippen naar de zijne. Toen ving hij haar mond in een eindeloze zoen, terwijl zijn handen omhoogkropen langs haar benen, haar tuniek oplichtten tot aan haar buik. Hij zoende de strakke huid die bezaaid was met lichte sproeten, trok haar toen naar zich toe op bed, rukte haar kleren uit en zonk in haar lichaam weg als in een donkere zee.

Gedurende een tijd die hij niet zou hebben kunnen berekenen bleef hij roerloos. Het meisje dat naast hem lag keek hem met een raadselachtig gezicht aan, op een elleboog geleund.

'Pietra... ik...'

'Niets zeggen,' viel de prostituee hem met een vinger op zijn lippen in de rede. 'Verpest nou niet altijd alles met je woorden. Niets meer zeggen,' mompelde ze, waarna ze hem weer ging kussen. Maar haar mond was koud geworden. Het was of ze enkel gehoorzaamde aan de regel van haar vak voor het moment van het afscheid.

'Waarom ben je gekomen?' vroeg hij zachtjes.

Zij antwoordde niet en haalde haar schouders op. 'Wie zal het zeggen. Misschien had ik wel zin om je te zien.' Haastig kleedde ze zich aan, haar hoofd alweer bij andere gedachten. In de deur draaide ze zich nog naar hem om. 'Je bent in gevaar. Jij en de anderen die met jou in je zaakjes zitten,' zei ze.

'Waar heb je het over?'

'Dat weet je best. Lagia heeft alles aan de inquisitie verteld. Ze hebben over je gesproken.'

'Wat heb je gehoord?'

'Ik heb maar een paar woorden kunnen opvangen. Maar jij moet vluchten,' zei het meisje weer met een onverwachte flits van tederheid in haar ogen. 'Ze zeiden dat je plan ontdekt is. Ze hadden het over een vervloekte zoon.'

Dante ging op haar af en greep haar bij een arm. 'Weet je het zeker? Zeiden ze dat zo?'

Zij onttrok zich aan zijn greep, waarna ze langs de zuilengang wegvluchtte.

Weer alleen begon de prior in vliegende vaart na te denken. Dus Acquasparta was op de hoogte van de samenzwering om de keizerlijke dynastie in ere te herstellen. Maar wist hij ook de naam van de vervloekte zoon? Wellicht niet, aangezien hij van hem een bekentenis verwachtte: Dante leek het geheim te kennen. Bestonden in het beslotene van zijn geest soms alle onderdelen van het geheim al, en had alleen hij zelf het nog niet door? Was hij echt het slachtoffer van die hoon van het lot?

8

Na het middaguur van 13 augustus

Ongemerkt moest hij van uitputting zijn weggedommeld. En toch had hij het gevoel dat hij maar even zijn ogen had dichtgedaan, zich overgevend aan dat vage gonzen van geluiden en beelden die uit de houten vloer leken op te stijgen. Het was of onder zijn voeten de oude grafstenen van de in de kerk begraven doden waren opengegaan en hun schimmen daar waren opgestegen om hem gade te slaan en tot handelen aan te zetten. Toen hij zijn ogen weer opendeed, baadde de cel in het licht. Hij keek om zich heen, zijn hoofd nog wazig, en probeerde aan de hand van de hoogte van de zon de verstreken tijd te berekenen. De dagster was zijn hoogste punt al gepasseerd en begon naar het westen te zakken. Met een ruk stond hij op en probeerde zijn gedachten te herordenen.

Intussen werden de geluiden en stemmen rondom duidelijker. Er was een gejaagd heen en weer geloop onder de zuilengalerij. Hij liep op de deur toe en zwaaide hem open.

Een man van de bargello verscheen buiten adem in de deur. 'Kom mee, mijnheer de prior! Er is weer een moord gepleegd!'

'Waar?' vroeg Dante gealarmeerd, terwijl hij in allerijl naar buiten ging.

'In de Santa Croce. In het huis van meester Alberto, de Lombard.'

'Wat is er gebeurd?'

'De man, de meester... Hij is vermoord in zijn werkplaats, kom mee!'

Met een woede die zijn bloed vergiftigde zette de prior zich in beweging. De mannen van de bargello probeerden hem te escorteren en een weg te banen in de menigte, maar werden dwarsgezeten door hun lange lansen, zodat hij alleen de deur van de werkplaats bereikte. De man lag onder het bloed op de vloer, bij de werktuigen van zijn vak, die zich nog netjes op de werkbank bevonden. Voor zover Dante nog kon nagaan, was er niets aangeraakt. De kisten en kasten waren niet opengebroken, alsof de moordenaar geen enkele belangstelling voor de inhoud had gekoesterd. De dader leek niets te hebben meegenomen.

'Waar is Amid, zijn slaaf?' vroeg hij aan de bargello, die in de deur stond.

'Die is nadat hij zijn meester heeft vermoord op de vlucht geslagen. Alle wachters van de wijk zitten achter hem aan. Die loopt niet lang vrij rond,' antwoordde de overste van de wachters zelfgenoegzaam. 'We hebben al gekeken, maar er ontbreekt niets. Boven in de slaapkamer staat een kluisje met florijnen. Niet de hand van een dief, maar de wraakzuchtige hand van zijn slaaf heeft hem omgelegd.'

Dante trok een afkeurend gezicht. Als de mannen van de bargello die onschuldige jongen te pakken kregen zou niets hem kunnen redden, bedacht hij bitter. Zelfs zijn gezag als prior, dat bijna afgelopen was, niet. In een hoekje zag hij het gebedstapijt van die arme drommel, en daarbovenop het boek.

Hij pakte de codex op, terwijl hij om zich heen bleef kijken. De man die de mechanicus met twee messteken in zijn hals had vermoord, moest op iets anders uit zijn geweest. Hij was blij dat hij de vooruitziende blik had gehad om het mechaniek in veiligheid te brengen.

Intussen dacht hij als een bezetene na. Meester Alberto had niet in het complot gezeten, en toch stond zijn dood in verband met de geheimzinnige intrige die iemand in Florence aan het opzetten was, iets in verband met de grote keizer. En ongetwijfeld met het mechaniek dat het slachtoffer had gereconstrueerd.

De moordenaar had echter niets in de werkplaats gezocht, een teken dat hij al wist dat de machine daar niet meer was. Waarom had hij dan gemoord? Daarop bestond maar één logisch antwoord: hij wilde verhinderen dat de enige man die zoiets kon bouwen, in leven bleef. Eerder dan Alberto's leven had hij het geheim de wereld uit willen helpen.

De moordenaar? Opeens viel zijn blik weer op de wonden van de meester, die zo leken op die van de anderen. Waarom één moordenaar? Bij alle lijken leek zich eenzelfde schema te herhalen, twee steken dicht bij elkaar, waarvan er maar één dodelijk was. En stel eens dat er twee plegers van die moord waren? Twee mannen die gewend waren om samen te vechten en toe te slaan, die van twee kanten een kwetsuur konden toebrengen, zonder dat het slachtoffer zich kon verweren. Gewend de dood te delen, zoals ze bereid waren alles te delen: hun brood, hun paard, een vrouw... Een onverwacht idee schoot door zijn brein. De krankzinnige onderdelen van het plan leken duidelijk vorm aan te nemen: in gedachten snelde hij terug naar de dialoog die op de brug had plaatsgehad. En naar alle merkwaardige acteurs in dat drama. Natuurlijk moest het zo liggen. Het Janusbeeld verscheen weer voor zijn ogen.

Maar als dat waar was, dan was het misschien nog mogelijk om die keten van gruwelen te verbreken. Met een ruk stond hij op en liep onder de ontstelde ogen van de bargello langs hem heen.

Hij arriveerde bij logement De Engel. Beneden kwam hij de baas tegen, die bezig was uit een grote kruik wijn over te gieten.

'Is messer Bernardo boven?' vroeg hij in het voorbijgaan, waarna hij de trap opstormde.

'Nee, mijnheer de prior, hij is net weggegaan. Volgens mij wachtte iemand hem buiten op.'

'Hebt u niet gezien wie?'

'Nee. Messer Bernardo leek tobberig. Hij vroeg of er niemand voor hem geweest was, ik zei van nee en hij is gaan zitten; hij vroeg wat te drinken. Maar het was duidelijk dat hij iemand verwachtte. Nu en dan stond hij op en liep naar de deur om naar buiten te kijken. Bij de laatste keer maakte hij een gebaar en is toen weggegaan. Maar ik heb niet gezien met wie.'

Dante knikte, liep toen door naar het vertrekje op de eerste verdieping. De deur zat niet op slot, alsof Bernardo niet vreesde voor zijn spullen. Misschien dacht hij dat geen dief geïnteresseerd kon zijn in beschreven vellen, of dat niemand in een stad van dieven zich kennis wilde toe-eigenen, bedacht Dante bitter.

In de kamer was ook niets de moeite van het stelen waard. Amper een simpele kast aan de voet van het bed, met wat kleren van ruwe makelij. Bernardo moest het werk waaraan hij bezig was haastig in de steek gelaten hebben: de *Res gestae Svevorum*. Op de schrijftafel lag een dunne ingebonden codex open met daarnaast een paar vellen lompenpapier en een inktpot.

Hij begon hardop te lezen. 'Dit boek heet de *Cronica federiciana*, waarin het handelt over aangelegenheden van mijn vorst, de verbazing der wereld...' Dante sloeg even zijn ogen op, richtte zich toen weer op het perkament. '... die ik, Mainardino, bisschop, heb gezien, en wiens nagedachtenis ik aan de rechtvaardigen overlaat: begonnen in de jaren van de vleeswording van Jezus Christus MCCLV.'

Verbaasd keek hij op. 'De *Cronica* van Mainardino...' mompelde hij. 'De grote biograaf van Frederik. Hij bestaat dus echt. Bernardo heeft niet gelogen.'

Hij bekeek snel de pagina's, liep gejaagd jaren van heldendaden en roem door. De welhaast wonderbaarlijke geboorte in Jesi, de strijd om de kroon. De triomfale intocht in Jeruzalem met de honderd torens, de overwinningen en de nederlagen, de onverzadigbare zucht naar kennis en de luister van zijn hof. Zijn verzen...

Hij vloog naar de laatste bladzijden. Het plechtige proza van de bisschop beschreef het einde van de keizer in de toonaarden van een antiek drama. De marteling van de ziekte, de valse hoop bij een ogenschijnlijk herstel. De troebele verwevenheid van hartstochten en rivaliteit rond zijn doodsbed. Toen merkte hij met verwondering een zin op die Mainardino bijna terloops vermeldde: '... men bracht Frederik het doodsbericht van een zoon van hem, een novice bij de franciscanen. En Frederik weende.'

Meteen daarna keerde de bisschop terug naar hofzaken. Dante bleef staan nadenken, zijn lip pijnigend met zijn tanden. Kon het gaan om de zoon van Bianca Lancia? Maar als hij dood was, op wie stelden de Ghibellijnen dan hun hoop? De hele Rome-onderneming berustte op het charisma van het keizerlijk bloed. En was een mogelijke terugkeer van het geslacht van de Antichrist niet de grote vrees van kardinaal Acquasparta?

Geboeid begon hij weer te lezen. Pagina's vol daden, leed, roem, die hij indronk zoals een dorstige water drinkt. Aan het eind van het manuscript beschreef Mainardino de vergiftiging van de keizer, 'gedood door de hand van de onvolledige man, die was'...

Dante sloeg de bladzijde om in de verwachting dat de tekst op de achterkant verderging. Maar het vel was blanco: het laatste stuk perkament was zorgvuldig uitgescheurd, zodat de laatste regels met de naam van de moordenaar waren verwijderd. Wie had het vel uitgescheurd? En vooral, waarom?

Als het de dader van de moorden was die iemand had willen beschermen, waarom had hij dan niet de hele bladzijde laten verdwijnen of zelfs het hele werk? Waarom zou hij alleen de naam van de moordenaar verdoezelen, terwijl elk spoor van de moord zelf uitgewist had kunnen worden?

Of was het Bernardo zelf geweest, wellicht om de enige bewaker van zo'n vreselijk geheim te blijven? Maar waarom zou hij de tekst die zijn beweringen kon staven vernietigen, als hij van plan was zijn werk openbaar te maken?

Hij moest de historicus koste wat het kost opsporen. Hij richtte zijn blik in het rond op zoek naar antwoord op de twijfels die hem kwelden. Even had hij gemeend de oplossing van het raadsel te hebben bereikt. Dan wel de ontdekking van de schuldige en diens geheime medeplichtige.

Bernardo's verdwijning betekende echter de nekslag voor zijn theorie. Als de man een van de twee moordenaars was, zou hij nu al ver weg zijn. Hij werd door moedeloosheid bevangen. Afgezien van de codex waren er geen voorwerpen van waarde in de kamer, niets wat een man op de vlucht niet straffeloos zou kunnen achterlaten. Maar als zijn theorie niet klopte, dan bevond Bernardo zich op dat moment dicht bij het noodlottige zwaard, en met zijn dood zou de laatste kans om het raadsel op te lossen voorgoed verkeken zijn.

Hij verscheen boven aan de trap in de hoop de schim te zien opduiken die de historicus door zijn kwaal geworden was.

Beneden zat iemand aan de gemeenschappelijke tafel.

Dante liep de trap af en ging stilletjes achter hem staan.

De man moest zijn aanwezigheid echter op enigerlei wijze bemerkt hebben. 'Welkom, mijnheer de prior. Treed nader,' hoorde hij hem fluisteren.

De dichter liet iedere behoedzaamheid varen. Hij liep langs de tafel en posteerde zich voor Marcello. De arts zat roerloos met gesloken ogen, een dik cahier voor zich. Op de hoek van de tafel stond een zandloper: het zand was helemaal doorgelopen naar de onderste helft, alsof de man nogal wat tijd in zijn werk verdiept was geweest.

'U lijkt wel in het donker te kunnen kijken, als een kat,' riep Dante verbaasd uit.

'Uw tred is licht, en toch heeft hij een onmiskenbaar eigen geluid.'

De prior schoof nauw waarneembaar langs de rand van de tafel op en trachtte bij het schaarse kaarslicht te zien wat Marcello had geschreven.

De oude man, nog steeds zijn oogleden omlaag, vertoonde iets van ongeduld. 'Hou op met dat gedraai om me heen en ga bij mij aan tafel zitten. Hebt u het begin van dat kluwen aanwijzingen nog gevonden waarvan u sprak?'

'Nee, nog niet.'

'En wat de bedoelingen van de grote Frederik betreft, hebt u daarvan het plan gereconstrueerd? Wat ging er in dat hoofd om, voordat de Dood kwam?'

Dante keek naar de grond en beet op zijn lip. 'Dat weet ik niet,' bekende hij.

'Bij God, messer Durante, wat moeten die vier simpele woorden u een moeite gekost hebben!' riep de oude baas triomfantelijk uit, op slag zijn ogen openend. 'En toch volstaan ze om uw hoogmoed tot menselijke proporties terug te brengen. "Dat weet ik niet"! Houw ze in brons uit op de deur van uw huis!'

Dante balde zijn vuisten en weerstond de aandrift om op te springen en weg te lopen. 'Je zou toch zeggen dat u niet meer weet dan ik,' siste hij als reactie.

De oude man pakte de zandloper en keerde hem om. Zijn gezicht was zachter geworden, alsof hij zich excuseerde voor het sarcasme van zo-even. 'De verstreken tijd en wat gezien en gemeten is geven mij de zekerheid van het weten,' vervolgde hij goedmoedig.

Dante haalde zijn schouders op. 'De zekerheid van het weten!' herhaalde hij kwaad. Hij leunde op de tafel, zijn hoofd tussen zijn handen. Hij keek naar het zand dat weer was gaan stromen. 'Dat is niet meer dan een illusie, zoals de tijd niet meer dan een illusie van onze zintuigen is,' vervolgde hij mistroostig. 'Kijk die korreltjes. Net als die vallen de korrels van onze tijd uiteen in uren en dagen. En wat weten wij, verloren in dat stof?'

'Raakt u uw geloof kwijt, mijnheer de prior?'

'Nee... maar nog nooit zo als in deze uren was het alsof ik rondwaarde tussen luchtspiegelingen. Zelfs mijn gesternte lijkt verduisterd met zijn nutteloze licht,' wierp Dante met de tanden op elkaar tegen.

'En toch zal er gebeuren wat er in de sterren staat. De zege, als die u wacht. Of de nederlaag, als de hemel u die dicteert.'

'Ik geloof niet in voorbestemming. Als ik faal, dan komt dat door de zwakte van mijn rede en mijn deugd, niet door een kille ver weg flitsende vonk.'

Marcello overpeinsde even zijn laatste woorden. Toen schudde hij zijn hoofd, sloeg met een gebaar van nijd tegen de papieren voor hem en smeet ze op de grond. 'Geen kil licht, mijnheer de prior!' schreeuwde hij. 'Maar een edele weerklank van de goddelijke luister. Dat licht dat oproept tot het zijn en de dingen een naam geeft. Eerder dan de stem van Adam. Eerder nog dan de Schepping. *Fiat lux*, Zijn eerste daad!'

In zijn val was de bundel losgeraakt en waren de vellen te zien die vol berekeningen en sterrenkundige symbolen stonden. Onmiddellijk was Dantes aandacht weer gewekt. 'U zou beter op uw geschriften moeten letten,' riep hij uit, terwijl hij bukte om de gevallen vellen op te rapen. 'Grote werken van het talent uit de oudheid zijn door een ondoordacht gebaar verloren gegaan.'

'Niets gebeurt wat niet is voorbestemd. Niets gebeurt wat niet vanaf de eerste dag geschreven staat in het boek van het lot,' hield Marcello aan, zijn stem gebroken door een onverwachte kortademigheid. Hij strekte zijn handen uit om weer in het bezit van zijn geschrift te komen.

Dante, die de pagina's zo'n beetje weer op een rij had gelegd, probeerde iets van de tekst te begrijpen, maar de ander rukte hem die uit zijn hand, alsof hij vreesde dat hij vuil zou worden. Hij was verbaasd over het vuur van de oude man. 'Denkt u echt dat we door een onbekende kracht geleid worden, zelfs in de gewoonste dingen die we doen, met voorbijgaan aan de vrijheid die door de Schepper is verleend?'

'De ons vergunde vrijheid staat gelijk aan die van de eikel om een eik te worden. Het is enkel de bedrieglijke beperking van onze zintuigen waardoor we onszelf wijsmaken een verandering in de dingen te zien, waardoor we gedwongen zijn fragmentarisch te zien wat al voor altijd is bepaald.'

'Maar daar volgt uit dat zelfs de beweging van de lichamen een zinsbegoocheling is,' wierp Dante tegen. 'En toch worden we omgeven door het duidelijkste bewijs van het tegendeel, en wel bij die hemellichamen waarop onze wetenschap berust. Komt de zon niet elke dag op, gaat de maan niet elke maand precies volgens zijn eigen maat onder? En als ook deze lichamen stilstonden, beweegt dan niet in elk geval hun licht, dat ons bereikt om ons hun beeld te bezorgen?'

'Nee! Het licht is geen verbreiding van stralen, zoals de heiden al-Kindi roept! Het is bewegingloos, even vast als de sterren van de Eerste Dag!'

'Dan zou de mens in die sterren de pracht en praal kunnen lezen van Babylonië, de brand van Ilium en het spoor dat Rome trof, en de troon van Petrus en het tweede Keizerrijk, en de grote Frederik en ten slotte zelfs deze nacht, en onze ontmoeting...'

'Wie zegt u dat het niet zo ligt? Als...'

'U vloekt, Marcello! Adam werd geschapen met de vrije keuze tussen goed en kwaad. Als het niet zo was, zou God onze voorvader alleen in bekoring hebben gebracht om een zondeval te kunnen bewonderen die in Zijn hoofd al had plaatsgehad.'

'Kijk dan eens hiernaar!' riep de oude man, terwijl hij op het perkament een vierkant begon te tekenen. 'U krijgt de samenvatting van uw leven, en wat u wacht in het resterende deel. En u krijgt het leed dat u verdient!' Daarop trok hij korte nerveuze lijnen en veranderde het vierkant uit het begin in een duidelijk raster. Hij schetste de reeks van de Huizen, vervolgens zette hij de symbolen van de planeten neer. Hij deed het allemaal uit zijn hoofd en maakte geen enkele berekening.

Hij moest een wonderbaarlijk brein hebben om zich zo de hoekposities van elk hemellichaam op de ecliptica te herinneren, zei Dante vol bewondering bij zichzelf. Of hij moest dat diagram in het verleden ook al hebben gemaakt, en was nu eenvoudigweg aan het overschrijven wat hij in het verborgene van zijn onderzoekingen had ontdekt.

Voordat de dichter echter stem kon geven aan die twijfel, was Marcello al klaar. 'Dit zijn de tekens van uw uur op aarde, messer Alighieri. De schitterende zon in Tweelingen, in de laatste onstuimigheid van het veranderlijke voorjaar, die uw tweeslachtige en dubbele instincten regeert, waar hij een paar vormt met de grillige Mercurius, de heer van uw diefachtige wetenschap van de kennis uit de oudheid en net zo ijdel. Uw onverzadigbare wellust, geregeerd door de ster Venus in vervoering in Kreeft, uw meedogenloosheid, rood gekleurd door Mars in Leeuw. Bovendien...'

'Ik zie dat u flink hebt rondgegluurd in de verwikkelingen van mijn leven,' viel de dichter hem spottend in de rede. 'Velen in Florence zouden ze beter kunnen afschilderen!'

'Maar niemand zou u kunnen beschrijven wat ervan resteert.'

Dante stak een hand uit om het perkament te pakken, maar de energieke hand van de oude hield hem op tafel tegen.

'Negen is het getal dat over u heerst. Negen. Hetzelfde getal als van het lot van Frederik, die stierf voor de negende schim met het dubbele gezicht.' De prior wist niet zeker of hij het begrepen had, maar voor hij iets kon zeggen, hervatte de ander: 'Op uw negende leerde u de eerste verlichting kennen, op uw achttiende de hongerige greep van de wellust. Op uw zesendertigste krijgt u wanhoop en ballingschap. U zult ver weg als balling sterven aan een dood zonder de troost van de hoop. Dat voorspel ik u.'

Dante had de laatste woorden met opeengeklemde lippen aangehoord, terwijl verbazing en woede zich een weg baanden in zijn gemoed. 'En u, Marcello? Waar staat uw dood geschreven?' bracht hij honend in. 'Of hebt u alleen zekerheid over andermans toekomst?'

'Zoals van iedereen staat ook mijn einde geschreven. Op het uur en de plaats die de sterren vaststellen, en die ik ken. Het zal een vochtige dood zijn die me meeneemt, beheerst door de vochtige Vissen. Zoals alle mensen kom ik uit het water. Naar het water keer ik terug.'

Zwijgend pakte Dante de horoscoop. Toen sloot hij zijn vingers, alsof hij zijn lot in zijn vuist wilde nemen.

Nacht

De achterste hoek van het Baptisterium grensde aan de oude bouwsels die eromheen drongen, en was er alleen door een smalle steeg van gescheiden. Op dat punt onttrok de steenmassa de Santa Reparatakathedraal volledig aan het oog, en geen sprankje licht van de brandende toortsen op het plein dat daar kwam.

Dante wachtte nu al langer dan een uur. Met regelmatige tussenpozen klonk er een kreet, misschien een zieke die zijn angst uitschreeuwde. Of iemand die door kwelduivels werd getroffen. Langzaam was hij langs de muur van het gebouw gegleden, totdat hij op zijn hurken zat. Een loomheid door hitte en vermoeidheid maakte zich van hem meester. Hij voelde zijn gedachten golven, op de grens van dromen. En toch leek de achter zijn nek loerende slaap afzijdig te willen blijven, alsof zijn ziel zich nog niet wilde bevrijden van het uitgeputte lichaam, dat nu op het punt van instorten stond.

Na even weg te zijn geweest deed hij zijn ogen weer open, opnieuw waakzaam. Het was of hij een lichte tred aan hoorde komen. Toen schoof een donkere gedaante tussen hem en de uitgang van de steeg. Onder de prikkel van dat nieuwe gevaar vloeiden zijn krachten weer terug. Hij kwam overeind, opnieuw tegen de muur leunend en roerloos luisterend. Hij trok zijn dolk, gereed om de indringer af te weren als het niet de persoon was op wie hij wachtte.

Voor hem was een gestalte verschenen die tot en met de onderkant van zijn gezicht volledig in een lichte linnen mantel was gehuld. Net als landlieden droeg hij op zijn hoofd een gevlochten strohoed, diep over zijn voorhoofd getrokken, zodat alleen zijn ogen te zien waren.

En toch herkende de prior op slag de ongewone bezoeker, die hem onverschillig voor de stalen punt op een paar duimen afstand aanstaarde, ofschoon slechts één fakkel de duisternis van de loggia doorbrak.

Monerre kwam dichterbij en bleef op een pas afstand staan.

'Ik weet dat u mij zoekt,' zei hij.

Dante wachtte tevergeefs tot hij verder zou gaan. Toen boog hij zich naar hem over tot hij met zijn lippen zijn wang raakte. 'Ik weet alles van wat u hebt uitgedokterd. Geen truc om het geld, zoals uw verrichtingen wilden doen geloven. Dat was alleen maar de dekmantel, mocht iemand u verdenken, of erger nog het bedrog van de Maagd doorzien.'

Hij viel stil en wachtte tot de Fransman met een weerwoord kwam. Maar de man bleef zwijgen en hem opnemen. De dichter voelde de ergernis over die houding in zich groeien. 'Ja, er was iets nog smerigers in uw opzet, dat weet ik zeker. Degene die het plan heeft beraamd wilde dat de truc ontdekt zou worden, want dat zou uw vijanden sterken in de overtuiging dat ze alleen maar met een handvol schurken van laag allooi van doen hadden. Zelf ben ik ook in die val getrapt, maar slechts voor korte tijd.'

Monerres ogen flitsten. 'En wat is nu uw overtuiging?' prevelde hij, zijn stilzwijgen verbrekend.

'U had een heel ander plan: het schema van de vierde kruistocht herhalen, toen mannen, lansen en paarden voor het Heilige Land werden geworven, die tegen het rijk in het Oosten werden opgezet om het te plunderen. Datzelfde plan leefde bij u: getrouwen bijeenroepen, ze aanzetten tot de strijd, de gemoederen verhitten door ze heil en buit voor te spiegelen. De simpele geesten veroveren met de glans van het wonder. En intussen op alle posten zeer betrouwbare Ghibellijnen neerzetten. En dan is daar op weg naar het Heilige Land het ware doelwit: Rome! En dat veroveren, zoals destijds Constantinopel. Na uw schare op de pleinen van Rome bijeen te hebben gebracht, zogenaamd in afwachting van de pauselijke steun, zou het eenvoudig zijn om een tumult te ontketenen door alleen maar door een halfgesloten deur het licht van een gouden kelk, een met stenen bezaaide tabernakel te laten zien...'

De Fransman keek hem zwijgend aan, zijn enige oog fonkelend in het donker als dat van een kat.

'Ginds waren de Colonna's en de andere voorname Romeinse families bereid u met hun manschappen te ondersteunen om de klauwhand van Bonifatius af te schudden, geholpen door het geld van de mannen van de republiek Venetië!' vervolgde de dichter. 'Dat was het plan van de Dienaren, nietwaar? Dat is de schat waarover iedereen het heeft: de schatkisten van Petrus.'

‘Ga met ons mee, mijnheer de prior.’ De stem van Monerre klonk kalm, afstandelijk. Maar er school een geheimzinnige warmte in die woorden.

‘En niet alleen dat van hen!’ hield Dante aan.

‘Ga met ons mee,’ herhaalde de ander. ‘We wreken de laatste keizer, de vermoorde adelaar.’

‘Met jullie? De Tempelorde?’ siste de prior.

Monerre rechtte zijn schouders. Toen knikte hij langzaam.

‘Hoe hebt u dat ontdekt?’ Er klonk geen afkeuring in zijn stem, alleen verbazing. De verlegenheid van een knaap die betrapt is op een verboden spelletje.

‘Het werd me duidelijk toen ik uw woorden hoorde. Het verhaal van uw reizen en het gebruik waarvan u vertelde om met twee ruiters één rijdier te delen. Zo gaat dat bij de tempeliers: niet om het reistempo te verhogen, maar om altijd een vers paard te hebben op het moment van de aanval. Zo brachten de uwen de heidenen van hun stuk, daardoor wonnen ze altijd met de helft van de strijdkrachten. Door het gebruik dat u nu tot symbool hebt verheven op uw zegels.’

Een bleke glimlach verlichtte het gelaat van de man uit Toulouse. ‘Ons zegel... u hebt gelijk. En hoeveel domoren geloven niet dat het de armoede van onze orde symboliseert... Ga met ons mee,’ herhaalde hij voor de derde keer. Bij het schaarse licht van de olielamp tekende het litteken zich als een duivelsmerk af in de schaduwen op zijn gezicht.

‘Om mijn rug te buigen en de gruwelijke Baphomet te aanbidden, de vuile god met de twee koppen? Ik herinner me nog goed uw lofzang op Janus, dat andere geheime symbool van jullie. De dubbele demon die in jullie harten huist, zelfs als boegbeeld van jullie schepen, zoals het schip dat verloren is gegaan in de moerassen van de Arno. Jullie camoufleren met adel wat enkel een weg van ketterij en verderf is.’

‘Het is dus aangekomen!’ riep de Fransman uit, hem in de rede vallend. ‘En waar...’

‘Het is aangekomen met zijn doodslading. Wachtte u daarop?’

‘U begrijpt het niet, messer Alighieri.’ Monerre schudde zijn hoofd. Toen sloeg hij zijn ogen op, als om inspiratie te putten uit de sterren die aan de hemel pinkelden. ‘Wat staat uw oordeel ver af van de waarheid en wat is het een verstand als het uwe onwaardig. Onder onze heiligste symbolen koesteren wij het hoofd met het dubbele gezicht. Maar het gaat niet om een heidense afgod...’

‘Wat is het dan, een symbool dat in zijn verdorven trekken de juiste harmonie van de Schepping aantast? Wat zou er voor heiligs aan moeten zijn?'

'De vrede, messer Durante. Het hoogste streven van rechtvaardige zielen, dat u ook in uw geschriften hebt verheerlijkt. Die twee gezichten, die samen de hele horizon bestrijken, vormen het symbool van een allerhoogst verbond dat gesloten is in de landstreken die de geboorte van Christus hebben gezien.'

'De *Pactio secreta*... maar dat is een legende,' mompelde Dante vol verbazing.

'Dat is geen legende. In Jeruzalem werd in aanwezigheid van Frederik, te midden van het strijdgewoel dat vergeefs tegen de vijandelijke legerscharen inging, werkelijk een verbond tussen ons en de islamitische wijzen gesloten. Het staat niet in de perkamenten, maar het beeld dat wij sindsdien bij ons dragen, draagt er het ontastbare zegel van. Zijn twee gezichten vertegenwoordigen het Oosten en het Westen: verschillend, maar één in één enkele vredesgedachte. Tegenover elkaar gesteld, opdat niets aan hun blik ontgaat.'

Dante luisterde aandachtig, terwijl een groeiende onrust hem bekroop. 'U hebt uw missie, de bevrijding van het Heilige Land, verraden,' sprak hij ijzig.

'Nee, messer Durante. We hebben alleen de ijdele ambities van kleine lieden verraden voor iets hogers. Een echt wereldrijk.'

De zekerheden van de dichter begonnen te wankelen. Misschien hadden de Tempelorde en de republiek Venetië die achter de intrige opdook werkelijk een breder plan dan plundering van de heilige stad.

'Dat grote plan is in duigen gevallen,' hervatte Monerre. 'Gebroken, evenals de kracht van de keizerlijke familie. Maar nu is het mogelijk dat het weer wordt opgepakt en ten einde gevoerd, en dat de wettige roomse keizer, de erfgenaam van Frederik, op de troon van Rome terugkeert. Ga met ons mee,' vervolgde hij op droeve toon.

'De erfgenaam van Frederik... U geeft schimmen gestalte.' Onwillekeurig hoorde Dante hoe zijn stem minder vast begon te klinken. Er begon zich twijfel een weg te banen in zijn ziel. Hoop...

'Nee, hij bestaat. Hij leeft en is bereid zich aan de wereld bekend te maken, de onderneming te leiden en de roem van zijn voorvader te verheerlijken door Frederiks grote plan ten einde te voeren: de grenzen van de wereld vaststellen.'

'Wat bedoelt u?'

'Zijn grote onvoltooide werk.'

'Maar wie is de man over wie u het hebt?'

Monerre opende even zijn mond, maar zweeg toen. Hij deed een pas achteruit, alsof hij afscheid wilde nemen. Even later nam hij weer het woord. 'Een man van wie we allemaal hebben gezworen zijn identiteit met gevaar voor eigen leven te zullen beschermen. De laatste zoon van Bianca Lancia, de enige vrouw van wie de keizer heeft gehouden. Ver van het hof grootgebracht en daarna verborgen in een klooster bij rijksgetrouwe monniken, om hem te redden uit handen van de paus en uit die van Manfred, zijn ambitieuze halfbroer.'

Dante dacht na over wat hij had gehoord. 'De erfgenaam in de *Cronica* van Mainardino, voor wie Bernardo in Florence bestaansbewijzen zoekt?' De ander keek hem onbewogen aan, zijn lippen krachtig op elkaar. 'Wilt u hém op de troon zetten? Bent u daarom aan het moorden?'

De Fransman bleef zwijgen, terwijl hij zich terugtrok. 'Ga met ons mee,' zei hij toen wederom. 'Nu kan het nog!'

Nadat hij om de hoek van het Baptisterium was verdwenen, ging Dante op een van de sarcofagen zitten naast de zuidelijke deur van de tempel. De steen was nog lauw van de zonnegloed.

Hij probeerde dat wat hij zojuist had gehoord een betekenis te geven. Monerre had oprecht geleken toen hij hem het plan schetste en probeerde hem als medestander te krijgen. En toch was er iets in wat hij had gehoord dat hem niet volledig overtuigde. Een lichte trilling in zijn stem nu en dan, alsof er een zweem van wanhoop over zijn woorden lag.

Dat volmaakte plan moest ergens door verijdeld zijn. De hand van de moordenaar was aan de pijlers van het toekomstige bouwwerk gaan wrikken en haalde de opzet van het ontwerp onderuit.

En als het het doel van de moordenaar was om de droom van de keizerlijken te verstoren, dan zou je denken dat Bonifatius erachter zat met zijn bloedige hand.

Een rilling liep over zijn rug. Vervolgens was het of hij achter zich een voetstap hoorde en hij draaide zich om.

Iets donkers viel over hem heen en verblindde hem. Even bespeurde hij een scherpe schimmellucht, terwijl een hand een lap voor zijn mond hield. Hij probeerde overeind te springen en zich los te wringen. Duidelijk voelde hij de massa van een lichaam achter zich en hij maakte instinctief een zijwaartse beweging om zich aan de greep te ontrukken.

Van achteren scheurde een lemmet door de geïmproviseerde kap en gleed op zijn schouder. Hij voelde hoe het koude staal zijn keel raakte en hoe een scherpe pijn van onderin zijn hals naar boven schoot. Vervolgens trok zijn belager het wapen terug om opnieuw toe te steken.

Intussen was hij er met een ruk in geslaagd zich los te wringen; hij maaide met zijn armen blindelings voor zich uit om zijn belager op enigerlei wijze te treffen. Maar zijn handen stuitten enkel op lucht. De man moest zich weer achter hem bevinden, bedacht hij met schrik, en hij trok de blinddoek nog strakker aan.

Hij wierp zich naar voren om zich te bevrijden. Maar van angst raakten zijn bewegingen vertraagd en verward. Dus spartelde hij alleen maar als een ingespannen trekdier, wetend dat hij even later opnieuw de tand van het staal zou voelen. En ditmaal zou de wond dodelijk zijn. Onverwacht echter voelde hij de kracht die hem tegenhield meegeven, alsof de hand van zijn tegenstander opeens was opengegaan. Plots losgelaten wankelde hij blindelings een paar stappen naar voren, waarna hij struikelde en viel. Op de grond draaide hij zich krampachtig op zijn rug.

Intussen had hij zich eindelijk weten los te maken uit de lap. Even bleef door het donker buiten zijn gevoel van machteloze blindheid nog in stand, maar toen konden zijn ogen weer zien. In de imposante gestalte die voor hem stond herkende hij Arrigo.

De filosoof boog zich over hem heen. Hij leek elk moment weer aan te kunnen vallen. Wanhopig schoppend duwde Dante zich op zijn rug een paar passen naar achteren. Vervolgens wist hij met een ruk weer overeind te komen en zijn dolk te trekken.

Arrigo leek echter geen kwaad in de zin te hebben. Hij stak zijn handen uit om te laten zien dat hij ongewapend was, en richtte kalm het woord tot hem. 'Wees niet bang, messer Alighieri. Uw belager is gevlucht. Hij is die kant op gegaan,' zei hij, wijzend naar het labyrint van steegjes achter het Baptisterium. 'Hoe voelt u zich?' vervolgde hij, met zijn blik op de wond.

Dante betastte het punt onder in zijn hals waar de pijn vandaan kwam en trok zijn vingers terug, onder het bloed. De snee dichtdrukkend deed hij een paar passen achteruit om afstand van de ander te houden, die hem leek te willen helpen.

Arrigo begreep het en bleef staan. Een glimlach plooide om zijn lippen. Hij spreidde weer zijn armen uit. 'Ik ben niet degene die u probeerde te vermoorden.'

'Iemand heeft dat toch geprobeerd. En mijn ogen zien alleen u.'

De filosoof klemde zijn lippen opeen, toen ontspanden zijn trekken zich. Zijn ogen kregen een scherpzinnige gloed. 'Dat klopt, maar keer terug naar uw wetenschap: de wereld wemelt van wat we zien zonder dat het tastbaar is. De iris die de hemel kleurt, de wind die het zeil bolt, het lied dat de ziel raakt met zijn lieflijkheid. En evenzo is hij vol van wat er is zonder dat we het zien, zoals het netwerk van oneindig kleine deeltjes dat vorm geeft aan onze lichamen, de aarde en heel het universum.'

Na een korte aarzeling stopte de dichter zijn wapen weg. 'De atomen waarvan u spreekt zijn gewoon zand, deeltjes van een zielloos niets. Maar het lemmet dat mij probeerde uit te schakelen is uiterst voelbaar.'

Arrigo had uit zijn tas een linnen lap gehaald. Hij deed een stap naar voren en reikte hem de dichter aan.

'Vertelt u mij eens wat u hier deed, aangezien ik bereid ben te geloven dat het niet was om mij aan te vallen,' hervatte Dante, terwijl hij zich zo goed en zo kwaad als het ging verbond. 'Op dit nachtelijk uur, met voorbijgaan aan de avondklok... en het gezond verstand.'

'U zult gezien hebben, mijnheer de prior, hoe dezelfde vormen veranderen naarmate het licht erop valt of de schaduw ze met zijn waas bedekt.'

'Dat maak je dagelijks mee.'

'Welnu, ik wilde zien welke vorm uw Baptisterium aanneemt wanneer de duisternis eroverheen valt.'

Dante keek hem verbaasd aan, toen vloog zijn blik naar de indrukwekkende donkere massa achter hen. De grote stenen achthoek torende boven koepels uit die meer aan de noordkant eromheen lagen. 'En wat zijn uw bevindingen?'

'Dat het, zoals zoveel monumenten van uw godsdienst, bruikbaarder is in het donker.'

De prior wist niet zeker of hij het begrepen had. Maar overmand door bewogenheid legde hij een hand op de schouder van de oude leermeester. 'Onze godsdienst, Arrigo? Ik meende toch dat uw denken op de grens van geloofsverzaking was blijven staan. Dat u niet verloren was.'

Arrigo glimlachte opnieuw, maar zijn blik was kil geworden. 'Er zit niets in die stenen tamboer, niets behalve duisternis. Maar juist daarom zou hij waardevol kunnen zijn.'

'Hoe kan ik u in deze waanzin helpen, wat u ook bedoelt?' fluisterde Dante.

De ander leek hem niet te hebben gehoord. Hij pakte hem bij zijn armen en hield hem in een knellende greep. 'U bezit de sleutel van die poort!' riep hij. Hij leek wanhopig. 'Sta die af, en ik zal u in mijn heerlijkheid opnemen!'

Even had Dante de indruk dat de filosoof gek geworden was. Zijn ogen waren verwijd. Met een ruk maakte hij zich uit zijn greep los en week terug. De ander deed geen moeite om hem weer te naderen. Hij bleef zijn armen naar hem uitstrekken alsof hij meende dat hij hem nog steeds vasthield.

Opeens kwam hij weer bij zinnen. Dante zag hem verward zijn hoofd ronddraaien, alsof hij net uit een droom was ontwaakt en moeite deed om zich te oriënteren. Toen keerde hij zich om en liep terug naar het Baptisterium. De prior zag hem met zijn slepende tred tot onder aan de muur lopen, waar hij bleef staan en zijn armen spreidde. Die houding hield hij even aan, een dramatische parodie op het kruisbeeld dat hij zo-even nog had gehoond. Ten slotte dook hij een zijstraat in en verdween om de hoek, in dezelfde straat waar Monerre verdwenen was.

Dante stoof zijn richting uit om hem in te halen. Maar toen hij de hoek om was, was er van de filosoof geen spoor meer te bekennen.

9

De middag van 14 augustus,
in het Priorpaleis

De laatste raadsvergadering van de priors was voor het derde uur bijeengeroepen. Aan de lange tafel van de zaal luisterde Dante niet eens naar het gegons van de woorden die de anderen gedempt met elkaar uitwisselden, alsof ze bevreesd waren dat hij hen kon afluisteren. Meermalen had hij een onderlinge blik van verstandhouding opgevangen, maar zijn gedachten werden al te zeer in beslag genomen door de laatste verwikkelingen van de voorgaande nacht. Hij begon in zijn hoofd een bepaalde gedachtelijn te volgen, maar meteen ging die lijn verloren in een vloed van vage veronderstellingen.

De vergadering was nu al uren gaande, verspreid over een op het oog oneindige veelheid aan onbeduidende beslissingen. Maar sinds enkele ogenblikken was iets hem gaan irriteren en met een schel geluid in zijn gepeins doorgedrongen.

'Het stuk moet wel ondertekend worden...' hoorde hij in zijn oren galmen. Een van de priors was naderbij gekomen en reikte hem inktpot en ganzenveer aan.

'Ik heb geen tijd voor uw papieren!' riep hij uit.

'Maar het is het verslag van het tweemaandelijks bestuur,' stamelde Antonio van het Calimala-gilde vanaf de andere kant van de tafel. 'Het is uw plicht om dat te ondertekenen, als lid van onze vergadering. Een niet bekrachtigde zaak kunnen we niet aan de volgende priors overdragen...'

Uitdagend schoof Lapo Salterello de inktpot weer naar hem toe. Dante sprong overeind en raakte daarbij met zijn hand het flesje, dat omkieperde en in een donkere vlek zijn inhoud over tafel verspreidde. Toen keerde hij zich tot ontsteltenis van de aanwezigen met een ruk om en liep zonder een woord naar de deur.

De vijf mannen keken elkaar verbluft aan. Toen pakte Lapo de ganzenveer en doopte die in de uitgegoten inkt. Vervolgens zette hij na een laatste blik op de anderen een paar tekens onder aan het register, op het punt waar de naam van de dichter stond. 'En laat hem nu maar zeggen dat hij er niets van weet,' grijnsde hij naar de deur. 'U hebt hem allemaal zien tekenen.'

De beteuterde schaduw op de gezichten van de andere vier loste op in een lachje.

Tot het uiterste gedreven had Dante de zaal verlaten. Op de trap werd hij bijna omvergelopen door een hijgende bode die op de deur af rende. Hij greep hem bij een arm en hield hem tegen.

'Wat is er aan de hand?'

De ander moest hem herkend hebben, want hij maakte een buiging. Toen wierp hij een onrustige blik op de deur, waarachter nog de drukke stemmen van de andere priors klonken. 'Ik word gestuurd door de bargello; ik moet de raad een bericht van het hoogste gewicht meedelen,' zei hij opgewonden, terwijl hij weer wilde gaan rennen.

Dante pakte hem opnieuw vast en trok hem terug. 'Vertel mij eerst wat je mee te delen hebt.'

'De bargello laat weten dat zijn mannen een groep rebellen, Ghibellijnse ketters, hebben omsingeld in hun schuilplaats in de Maddalena. Hij gaat een inval doen in hun hol om ze allemaal op te pakken. Hij vraagt om versterkingen in staat van paraatheid te brengen voor eventualiteiten en de strijdklok te luiden om de manschappen van Oltrarno bijeen te roepen.'

De dichter beet op zijn lippen; toen liet hij om zijn ongerustheid te verbloemen de arm van de man los. 'Keer onmiddellijk terug naar je taken. Ik breng de boodschap wel aan de raad over. Maak je maar nergens meer zorgen om.'

De bode wierp een verbaasde blik op de deur, weinig overtuigd. Even leek hij van plan om aan te dringen, toen besloot hij rechtsomkeert te maken en op zijn schreden terug te gaan. Dante spitste zijn oren, bang dat iemand zijn woorden had kunnen horen. De priors waren echter nog steeds in de vergadering verdiept, die onder kwinkslagen en gelach verderging. Om onopvallend weg te komen begaf hij zich naar de trap, keek strak voor zich uit en ontvluchtte de blikken van de wachters die op de binnenplaats het tafereel hadden bijgewoond.

In de kloosterhof stuitte hij op de gemeentesecretaris, die naar iemand op zoek leek.

'Messer Alighieri, goed dat ik u tref. Ik meende dat u het wel wilde weten.'

'Wat?'

'U vroeg me u in te lichten over de pelgrims van logement De Engel. Er is er een, messer Marcello, die gezien is terwijl hij zijn biezen pakte. Hij vroeg in de stallen van Porta Romana om een muilezel en om sjouwers voor zijn bagage.'

'Is hij al vertrokken?' vroeg Dante misnoegd. 'Ik had bevolen dat er niemand mocht vertrekken...'

De ander haalde zijn schouders op. 'Hij werd nergens van beschuldigd.'

Even woog de prior de mogelijkheid om iemand op te dragen de achtervolging van de oude arts in te zetten. Hij kon niet ver zijn. Maar waar zou het toe dienen? Dan ging hij zijn schuld maar uitboeten in Rome, met medeneming van al zijn bijgelovige angsten. Wat er in de abdij gebeurde was heel wat belangrijker.

Buiten de San Piero zag hij niets anders dan het gewone verkeer van koop- en ambachtslieden op weg naar de Ponte Vecchio. Gelukkig leek het nieuws zich nog niet te hebben verspreid. Misschien was hij nog op tijd om de situatie ter hand te nemen, in de laatste uren van zijn gezag. Ja, hij zou proberen de bargello tegen te houden met een beroep op de hogere belangen van de stad.

Zo zou hij tijd winnen en kregen Cecco en Amara de gelegenheid om zich in veiligheid te stellen.

Hij rende over de straat die naar de kerk leidde, geleid door het rumoer dat allengs sterker werd.

In een wegversmalling moest hij stilhouden omdat hem de toegang werd versperd door een bejaarde vrouw die gebukt ging onder een bundel hout en langzaam zijn richting uit strompelde. Hij probeerde tussen de vracht en de muur door te glippen, maar dat lukte niet. Na de tweede vruchteloze poging snoof hij geërgerd: 'Laat me erlangs, oudje! Loop naar de hel met dat hout van je!'

In plaats van opzij te gaan draaide de vrouw zich om, zodat ze hem in het gezicht kon kijken. 'Waarom beledigt u mij, mijnheer de prior? Ik help de brave bevolking van Florence. Er komt een brandstapel voor ketters, daarginds bij de toren van de Cavalcanti's. En mijn hout is hout van het seizoen, goed voor witte rook!'

'Wie zou je dan willen verbranden, heks? Denk liever aan je eigen ziel!'

'Denkt u maar aan de uwe!' kaatste zij terug, zonder aanstalten te maken om aan de kant te gaan. 'Of wou u hen te hulp schieten?' voegde ze er met een flits van kwaadaardigheid aan toe waardoor haar staardoffe ogen opleefden.

Woedend duwde Dante de bundel opzij. Het oudje viel vloekend op haar achterwerk. 'God zal u straffen!' krijste ze, terwijl hij het weer op een lopen zette.

Hij had minstens tweehonderd passen afgelegd toen hij moest stilhouden om uit te hijgen, en steunend op zijn knieën kwam hij weer op adem. Voor hem, aan het eind van de steeg, zag hij een werveling van fakkels voor de deur van de kerk. De vesper had net geslagen en er was nog licht genoeg. Die vlammen hadden een onheilspellender doel, bedacht hij, terwijl hij het rennen hervatte.

De straat voor de deur van de abdij was overspoeld door een massa gewapende mannen. Het leek wel of een staaltje van de hele christenheid had afgesproken voor het gebouw om op kruistocht te gaan. In een oogwenk herkende hij de livrei van de Franse piekeniers uit de garde van Acquasparta, en die van de Genuese kruisboogschutters, naast de mannen van de bargello en de wacht van de wijk. Ook de zware pantsers van enkele Teutoonse huurlingen vielen her en der op, samen met de grove plunje van de met hooivorken gewapende boeren.

Er lagen een paar lijken languit op de kasseien, onder het bloed. Al rennend kwam hij langs een daarvan, mager en verstijfd in de greep van de dood. De man lag op zijn buik, zijn gezicht tegen de keien.

Hij boog zich over hem, een kreun onderdrukkend. Bernardo was in zijn rug getroffen, twee bloedige japen iets onder het begin van zijn nek. Hij maakte snel een kruisteken voordat hij hem de open ogen sloot. Dus hij maakte ook deel uit van de samenzwering, al was hij aan het eind van zijn krachten.

Of was hij toevallig bij het conflict betrokken geraakt? Zonder aan het risico te denken liep hij naar voren, in de richting van de openstaande deur. Bij zijn aanblik kwamen er een paar van de mannen op hem afgestoven, het zwaard in de hand. Over hun maliënkolders droegen ze bonte tunieken, anders dan die van de andere strijders. Dante ontweek de eerste, op wiens borst een luipaardkop prijkte. Vervolgens wist hij zich al bukkend te onttrekken aan de greep van een reus die een leeuwenkop op zijn kleed geborduurd had staan. Hij wilde net de deur doorgaan, toen hij tegen de borst stootte van een derde krijger die uit de schaduw was getreden. Door de vaart gleed hij uit op de grond, maar zag tot zijn schrik nog net dat de man zijn zwaard had getrokken en wilde toeslaan. Hij ving een glimp op van de wolfskop op zijn helm voordat hij instinctief zijn ogen sloot.

Door een bekende stem werd hij gered. 'Messer Durante, bent u gekomen om de rechtspraktijk bij te wonen?' kraste de bargello ironisch, terwijl hij de arm van de krijgsman tegenhield. 'Het strekt u tot eer: plichtsgetrouw tot de laatste snik. Maar u had u de moeite kunnen besparen. De raad heeft uw opvolgers al gekozen.'

Dante was zichzelf weer meester geworden, al bonsde zijn hart nog in zijn keel van de spanning. Snel kwam hij overeind en klopte het stof van zijn kleed. 'Mijn mandaat loopt om middernacht af. Net als mijn gezag. Leg mij uit wat er aan de hand is, en wel meteen. Waarom dit krachtsvertoon zonder bevel van mij?' vroeg hij, wijzend op de kruisboogschutters die als een razende bezig waren hun wapens gebruiksklaar te maken op de vorken die door bedienden werden opgehouden.

'Er is een complot tegen de veiligheid van Florence ontdekt... mijnheer de prior. Onder het mom van een kruistocht ronselden de Ghibellijnenleiders soldaten, ongetwijfeld om de stad en de publieke orde omver te werpen. De leider schijnt die Brandaan te zijn, een valse kettermonnik. En wat de Maagd betreft...'

'Wie heeft bevel gegeven om in te grijpen?' viel Dante hem woedend in de rede. 'De wereldlijke macht staat onder het gezag van de priors. Niemand mag zich hun rechten toe-eigenen!'

'Die heeft niemand zich toegeëigend,' wierp de ander tegen, zich in heel zijn geringe lengte oprichtend. 'Uw collega's hebben mij opdracht gegeven om op te treden, nadat ze ten paleize audiëntie verleend hadden aan de Heilige Inquisitie. Daarom zijn hier ook de mannen van de paus...'

Verbitterd boog Dante het hoofd. Nu zijn mandaat op het punt stond de geest te geven, zetten de raven hun veren op. Hij moest voorzichtiger te werk gaan. En vanaf middernacht zou het van levensbelang zijn om geen argwaan te wekken.

Op dat moment waren de kruisboogschutters aan het eind van hun bewerkelijke laadoperaties en begonnen hun projectielen op de openingen tussen de kantelen en de kleine schietgaten in de toren te richten. Het was onduidelijk op wie of wat ze schoten, afgezien van een paar schimmen die bovenin te zien waren. Evenmin leek er een leider te zijn die de schoten coördineerde, maar iedereen scheen naar eigen inzicht te werk te gaan. Gelach en ongezouten commentaren maakten de sfeer er nog onwezenlijker op, alsof er een macaber spel aan de gang was in plaats van een dodelijke aanval.

Het eerste salvo, zonder veel precisie, was op niets uitgelopen. Veel pijlen waren over de toren heen gevlogen en verdwenen, andere hadden de muur geraakt, waardoor er stukjes steen en stof in het rond waren geschoten. Onder opgewonden geschreeuw werden de kruisbogen herladen.

Die Genuezen leken ver achter te blijven bij hun faam, bedacht Dante. En de stad had moeten bloeden om hun diensten te krijgen, het vervloekte tuig. Op dat moment doorbrak een onverwacht geraas de stilte. Er brak iets boven op de toren, alsof iemand de spits aan het neerhalen was. Aanvankelijk bolde er een stofwolk naar omhoog om daarna langzaam neer te dalen. Toen begon met een reeks klappen een klein deel van het kanteelwerk steeds sneller naar buiten toe over te hellen en stortte boven de hoofden van de belegeraars met een donderend geraas naar beneden.

Dante was nog bezig de gevolgen van het schot van de kruisboogschutters in te schatten. Instinctief greep hij de bargello bij een schouder en trok hem onder de luifel van een werkplaats. Ze vielen bovenop elkaar, terwijl het merendeel van de brokstukken voor hun neus neerkwam en een hagelbui aan puin op het paneelwerk roffelde.

Op het smalle plein hadden niet alle belegeraars kans gezien om zich in veiligheid te stellen. Kreten en jammerklachten klonken uit de wolk van stof en kalkgruis op als bewijs dat menigeen was getroffen.

De dichter richtte zich pijnlijk op. 'Vervloekte ketters, ik maak jullie allemaal af!' krijste naast hem de bargello, vuurrood aangelopen. Hij zat daar met zijn benen wijd, hijgend van woede en angst. Plotseling was een aanvankelijk duistere en ongrijpbare tegenstander uit de schaduw getreden en even gevaarlijk gebleken als een vijand van vlees en bloed.

'Dacht u dat ze braaf afwachtten om zich door uw soldaten aan het mes te laten rijgen als Turken op een steekspel?' hoonde de prior.

De ander hoestte hevig om zijn keel vrij te maken van het stof. Om hen heen was een chaos uitgebroken van mannen op de vlucht, verblind door het stof en vol angst dat zo'n instorting zich weer kon voordoen. De ongedeerd gebleven mannen probeerden zich intussen weer te hergroeperen en sleepten de gewonden aan de kant. Een compagnie van boogschutters was teruggeweken naar het begin van de drie steegjes die uitkwamen op het plein, vanwaar ze de toren opnieuw bestookten. Een menigte aan brandende pijlen vloog tegen de stenen en stuitte met een vonkenregen terug.

Sommige projectielen waren door de smalle kijkgaten heen gedrongen, andere waren in de dakspanten blijven steken. De lappen harsdoek die om de punten zaten rookten in de lucht. Een kreet van pijn, gevolgd door de schim van een naar beneden vallend lichaam, gaf aan dat ten minste een van de pijlen doel had getroffen, onder jubelkreten van de schutters. Her en der zag de dichter op het dak roodachtige punten oplichten waar de pijlen de houten bedekking hadden geraakt en doorboord.

Intussen dacht hij gespannen na wat hem te doen stond. Door de open kerkdeur zag hij de vage silhouetten van andere druk bewegende mannen. Plotseling stortte hij zich naar voren en liep door de ontwrichte deur de kloosterhof van de abdij in.

Meegesleept door zijn onstuimigheid klampte hij zich aan de deurlijst vast en keek om zich heen. Nu ze hun verwarring door de instorting de baas waren, snelden er ook anderen toe. De plek wemelde van de soldaten die over de open ruimte binnen de zuilengang verspreid bezig waren met zwaardhouwen weerloze mannen en vrouwen af te maken, die onder kreten van angst en gejammer ineendoken.

Alles was verloren, voor Cecco en de anderen. Hoe had hij het bloedbad dat zichzelf aankondigde kunnen tegenhouden? Zijn gezag zou zelfs over een paar uur afgelopen zijn. Hij wrong zijn polsen in de mouwen van zijn kleed, ten prooi aan een machteloze smart.

Maar hij mocht niet aan wanhoop toegeven, besloot hij. Voorzichtig trad hij naar voren, in de luwte van een kleine pilaar. Om hem heen lagen de kasseien vol verminkte lijken. Iemand die nog in doodsstrijd verkeerde, kreunde zachtjes, terwijl hij naar een onbereikbare schuilplaats probeerde te kruipen. Geen van de lijken op de grond was gekleed in een van de uniformen die hij buiten had gezien. De belagers moesten de belegerden zonder veel moeite verslagen hebben: de doden droegen geen pantser, evenmin lagen er wapens op de grond, een teken dat het leger van God niet de tijd had gehad om de zwaarden te pakken die in de crypte verborgen werden gehouden.

Bloedsporen markeerden het pad van de aanvallers, die nu tekeergingen op de trap van de toren. Van binnenuit, ter hoogte van de eerste galerij, klonken nog meer jammerklachten en smeekbeden om genade. Dante trok zich nog verder in de schaduw terug, twijfelend wat hij zou doen. Elk idee dat in dat bloedbad bij hem opkwam was nu te laat. Alles was verloren, en voorgoed. Hij was op weg naar de uitgang toen hij uit de schaduw achter hem een gedempte stem hoorde komen.

Het leek of iemand gebeden aan het prevelen was, een vaag, onverstaanbaar gemompel waarin de prior te midden van andere verwensingen alleen maar een obsessief herhaald 'vervloekt' kon onderscheiden. Voorzichtig liep hij op de herkomst van de stem af. Ineengedoken achter een van de pilaren zat een man die tot de wand van de zuilengalerij leek te smeken. Toen hij achter hem stond, zag hij hem opeens overeind veren en zich naar hem toedraaien, waarbij een paarsige flits het compacte donker doorbrak.

Hij voelde hoe een hand hem op zijn mond raakte. Instinctief hief hij zijn arm op en weerde de dolkstoot af. Onder zijn lippen proefde hij de zoetige smaak van bloed. Toen wist hij met een vertwijfelde ruk aan de greep te ontkomen en wierp zich naar voren om hem op zijn beurt te treffen. In de schermutseling was hij buiten de overkapping beland, en zijn tegenstander met hem. De gloed van het brandende dak verlichtte opeens hun gezichten. Met van angst vertrokken gelaatstrekken en zijn gezicht onder het bloed stond daar Cecco Angiolieri voor hem.

Nog natrillend van de opwinding leunde Dante tegen een van de zuilen. Hij liet zijn wapen zakken en keek hem ongelovig aan. Zijn vriend droeg een gepluimde helm die een Romeinse keizer niet zou misstaan, en een dik leren pantser. Maar daaronder zag je het pofwerk van zijn wambuis uitsteken en de bekende paarse kousen. Half oorlogsgod, half sater. Zoals altijd een paljas.

De ander leek blij hem te zien. Nog natrillend omhelsde hij hem, zijn wangen overladend met kussen. Hij leek wel een jonge hond. 'Beste vriend, ik wist dat je ons eruit zou halen! Dienaren helpen elkaar altijd!' Toen werd hij ineens argwanend; hij wierp een vragende blik op hem. 'Heb jij opdracht gegeven om ons in het nauw te drijven?' vervolgde hij.

Het leek Dante eerder een pijnlijk verwijt dan een vraag. 'Dat had ik moeten doen toen ik zag hoe de slang uit al zijn kronkelingen zijn kop opstak. Maar nu moet je vluchten, jullie moeten allemaal vluchten! Waar is Amara?'

'Dat... dat weet ik niet,' stamelde de Siënees, terwijl hij zijn hozen rechttrok. 'Na de inval van de troepen hebben we ons opgesplitst. Ik heb haar naar de toren zien vluchten...'

Boven hun hoofd gingen de opschudding en het geschreeuw door. Cecco sloeg even zijn ogen op, alvorens hij Dante met een moedeloos gezicht weer aankeek. 'De verscheuring en de grote slachtpartij,' mompelde hij op hoogdravende toon, daarbij het lemmet ronddraaiend als een derderangsacteur op het podium.

Heel de bovenkant van de toren stond in lichterlaaie, als een reusachtige fakkel in de nacht. Door de hitte was zelfs de tufsteen van het bouwwerk bezig te verkolen en werd in een helleregen van vonken weggevoerd door de wind. Als iemand daarboven zijn heil had gezocht, was hij nu verstrooide as.

Er roerde zich iets ter hoogte van de eerste verdieping, waar een raam uitkeek op een smalle gemetselde galerij. Twee mannen waren daar verschenen en trokken nu de aandacht van de anderen verder naar beneden.

De een hield een mensengestalte bij de haren. 'Kijk eens wie ik heb gevonden!' schreeuwde hij spottend. Met een felle ruk duwde hij het lichaam over de rand en liet het naar beneden hangen. 'De Maagd van Antiochië... en wel helemaal heel, startklaar voor een tweede wonder!'

De vrouw brak uit in een gekreun van angst, haar naakte voeten bengelden in de diepte op zoek naar houvast. De andere man kwam een stap dichterbij en rukte met een spottende grijns haar kleed af, haar natuur onthullend.

'Het is een gedrocht!' riep hij vol afkeer uit. Hij zwaaide met twee handen het zwaard dat hij aan zijn zij droeg, hief het boven zijn hoofd en liet het met volle kracht op haar neerdalen.

Het staal trof Amara onder aan de rug; het kliefde haar delicate vlees en brak haar wervels. Een regen van bloed en ingewanden stortte naar beneden. Van haar wijdopen lippen kwam enkel een snik, gevolgd door het zwakke gemekker van een geslacht lam, toen een straal bloed haar boezem raakte. Meermalen zwaaide ze in een laatste stuiptrekking met haar armen, als in een wanhopige poging om weg te vliegen van de pijn. Ze leefde nog, de in handen van de inwoners van Sodom gevallen engel. De man die haar vasthield schudde haar hoonlachend heftig door elkaar en liet toen los. De massa haren gleed tussen zijn vingers weg als een bundel dode slangen en spreidde toen als een waaier open, terwijl het lichaam neerstortte.

Dante hield een arm voor zijn gezicht om niet te hoeven kijken, overgeleverd aan een onbedwingbaar trillen. Het gedaver van een kolkende zee steeg op naar zijn slapen. Hij moest zich aan de balk van de overkapping vastgrijpen om op de been te blijven. Naast hem brak Cecco in een onderdrukt snikken uit.

En dat snikken riep de prior weer tot de werkelijkheid. Hij wendde zich tot zijn vriend, die versuft naar het hoopje bloederige resten keek op een paar passen bij hen vandaan. 'Word wakker, of je bent verloren, net als die vrouw!' siste hij, terwijl hij hem aan een arm schudde.

De ander bleef roerloos, alsof hij doof was. 'Het was geen vrouw...' stamelde hij. Hij had een paar passen naar voren gezet en stond buiten de overkapping. Met ogen die gloeiden van een merkwaardige wellust keek hij naar het lijk.

'Volg mij!' beval Dante, die hem naar de deur duwde. 'Maar help eerst even iets kostbaars op te halen.'

'Geld?' hijgde Cecco, plotseling opverend. 'De schat? Je weet dus dat die bestaat!' riep hij uit.

'Misschien wel meer. De sleutel van een rijk.'

De ander keek hem onthutst aan. Er bevond zich werkelijk iets kostbaars in die abdij. Iets buitengewoon gevaarlijks. Iets wat de dichter voor geen prijs mocht achterlaten. Het apparaat van al-Jazari dat in de crypte verborgen lag.

Als de soldatenbende zijn laatste weerstand had overwonnen en tot plundering overging, was het nog maar een kwestie van tijd voor hij de sarcofagen bereikte. En de bargello had het apparaat gezien, zij het dan in stukken; hij zou het kunnen herkennen en hem kunnen aangeven als medeplichtige van de samenzweerders. Hij kon evengoed zijn hoofd op een zilveren presenteerblad aanbieden aan zijn vijanden. Het apparaat moest verdwijnen.

Op de drempel hield hij stil, Cecco achter zich tegenhoudend. Binnen leek er niemand te zijn, het geschreeuw en het gestamp van voetstappen klonken nu verder weg. Stilletjes glipte hij naar de ingang van de kelder, zijn vriend aan de hand meetrekkend. In de crypte tilde hij de plaat op, waarna hij met behulp van Cecco de kist tevoorschijn haalde. Tijdens die operatie keek de Siënees steeds met een hebberige blik naar het voorwerp, maar Dante had al zijn stilzwijgende vragen genegeerd.

'We moeten via die weg vluchten,' zei hij, wijzend op het gat achterin. 'Help even, met zijn tweeën lukt het wel.'

De afkeer voor die stinkende opening overwinnend liet hij zich in de doorgang zakken. Er was geen tijd om aan een fakkel te komen, en de lucht was zo vol walmen dat elke vlam hun het ademhalen onmogelijk zou maken. Op de achtergrond zag hij een gang de muur in verdwijnen. Op handen en voeten begon hij de weg voorwaarts, daarbij de uitgegraven wanden aftastend om zich te oriënteren. Het gewelf van de gang was zo laag dat ze meermalen hun hoofd in moesten houden tot ze bijna over de grond schuurden.

In een Egyptische duisternis gingen ze voort, zich verlatend op hun intuïtie. Cecco volgde hem als een blinde zijn gids, terwijl boven hun hoofd de haastige voetstappen van de soldaten klonken als een verre trilling. De lucht werd almaar warmer, doortrokken van een hevige brandlucht, een teken dat de rook van de brand ook daar was doorgedrongen.

Dante liep door met een misselijk gevoel en toenemende duizeligheid. De gang werd steeds smaller. Onder zijn vingers herkende hij de regelmatige oneffenheden van een stenen wand: ze moesten onder de funderingen van de toren zijn. Met Cecco achter zich aan, die tegen alles en iedereen bleef vloeken, begon hij de weg omhoog, die op sommige punten zo smal was dat de kist bleef steken.

De lucht werd gaandeweg verstikkender en de prior voelde vanbinnen de beklemming toenemen. Zonder te weten waar die weg naar toe leidde was hij eraan begonnen, en een steeds sterker gevoel van benauwdheid nam bezit van hem. Achter hem hoorde hij de zwoegende ademhaling van zijn kameraad.

Hij werd bevangen door angst: zou hij wel terug kunnen als de doorgang nergens op uitkwam, of als hij versperd was? Als Cecco's krachten hem begaven en hij instortte, zou zijn lichaam iedere kans op redding in de weg staan. Of als de kist klem kwam te zitten...

Het spook van een gruwelijke dood danste hem voor ogen. In zijn naar lucht snakkend brein begonnen de gedachten door elkaar te hollen. In paniek voelde hij de verleiding om rechtsomkeert te maken. Het was of hij Cecco niet meer hoorde. Misschien was hij achtergebleven omdat hij niet verder durfde. Misschien was de kist waarvan hij het gewicht bleef voelen alleen maar een zinsbegoocheling. Stel... stel dat de Siënees hem met opzet in die val gevolgd was om zich van hem te ontdoen? Konden zijn kwebbelzieke onbehouwenheid, zijn zachtmoedige geluibak geen masker zijn voor de muil van een moordzuchtig beest?

Hij stond op het punt de beheersing over zijn bewegingen te verliezen, toen hij in zijn gezicht een fijn zuchtje wind bespeurde, eerst nauw waarneembaar, maar allengs duidelijker. Eindelijk vond hij de eerste van een rij treden. Hij beklom de korte trap en kwam uit in de put van het Forum.

Achter hem dook ook hijgend zijn kameraad op. Hij was door en door bezweet. Naar adem happend en ontheemd keek hij om zich heen. 'Waar zijn we?' vroeg hij verbaasd.

Dante had de put met stilstaand water aan zijn voeten herkend. 'In de oude Romeinse put,' zei hij, wijzend op de smalle trap die naar de openlucht leidde. 'Hier zouden we veilig moeten zijn.'

'Die vervloekte...'

'Op wie ben je nu weer kwaad, Cecco?'

'Die beul van een ouwe... Mijn vader. Het is zijn schuld dat ik er hier zo aan toe ben... Die vervloekte!' Cecco's stem was van angst nog scheller geworden. 'Als ik heelhuids terug ben in Siena, smijt ik hem van de trap, dat zweer ik. Hij zal het me geven tot op de laatste cent, al moest ik het met mijn nagels afpakken. Ik vreet hem levend op, ik verslind hem en kak hem uit in de Arno...'

Intussen maaide hij met zijn armen, de dolk die hij getrokken had naar links en naar rechts zwaaiend. Hij leek verwikkeld in een veldslag met de schaduwen, terwijl zijn groteske masker almaar tragischer werd. Ook zijn gezicht onder de golvende vederbos van de helm was donker gaan staan. Hij trilde nog steeds, vol onstuitbare woede. Meermalen priemde hij de dichter met zijn wijsvinger op de borst. 'Ik ben het gezelschap van Armoede zat. Wanneer komt ons moment eindelijk, vriend? Wat zit daar trouwens in?' vroeg hij plotseling argwanend, wijzend op de kist. 'Dat heb je me nog niet verteld. Wil je alles voor jezelf houden, wil je een oude wapenbroeder beroven?'

Al sprekend had hij met een snelle beweging het deksel van de kist gepakt en de kist opengemaakt. Teleurstelling was van zijn gezicht te lezen toen hij het toestel verplaatste om te zien of er niets onder zat. 'Een klok... dat allemaal voor een vervloekte klok...' prevelde hij, terwijl hij met de rug van zijn hand over de wond op zijn voorhoofd ging. 'En... de schat?'

'Er is geen schat, idioot!' riep Dante geïrriteerd. 'Die bestaat niet, heeft nooit bestaan! Alleen de dood, schaduwen en deze hel. Kijk maar!' vervolgde hij. Hij greep hem bij zijn wambuis en draaide krachtig zijn hoofd in het rond.

Cecco hoestte en probeerde zich aan de greep te onttrekken, toen verslapte hij, alsof alle levensgeesten hem hadden verlaten. 'De schat...

bestaat niet,' mompelde hij mismoedig. 'Ze hebben me te grazen genomen. Mij, de meester.'

Versuft was hij neergezegen. Dante kon een glimlach niet onderdrukken. 'Ga naar Pistoia, stommeling. Via de Porta d'Aquilone,' zei hij zachtjes. 'Alle compagnieën zijn hier in de buurt verzameld, en niemand zal op je letten. Wacht tot de nacht voorbij is en meng je morgenvroeg onder de boeren die naar het land gaan. Je kunt het redden, als het meezit.'

Opeens sprong de Siënees overeind, als een pop aan een touwtje. Hij wiep zich op de dichter, omhelsde en kuste hem. Hij huilde van vreugde bij dat vooruitzicht op redding.

Dante keek weg, zich uit zijn greep bevrijdend. De twijfel die hem van meet af aan had gekweld kwam nu over zijn lippen. 'Waarom hebben ze hen vermoord?'

Cecco verstijfde op slag, een grimas van verbazing op zijn gezicht.

'Waarin doorkruiste de oude Bigarelli jullie plannen? En die stakkers van de galei?' drong de prior aan.

'Nergens in! Ik weet niet waar je het over hebt!' stamelde de Siënees. Hij was op zijn hoede geworden. Nerveus wierp hij een blik achterom, alsof hij een hinderlaag vreesde.

'Er is niemand,' stelde Dante hem koel gerust.

'Ik heb het je al gezegd, en ik zweer het op de deugdzame vrouw Bacchina, mijn geliefde, en op de hoorns die zij me opzet.'

'Cecco, ik weet alles. Monerre heeft me het plan onthuld. Maar wie wilden jullie weer op de troon brengen? Een van degenen die dood zijn? Of...'

'De Fransman heeft je dus niet onthuld om wie alles draait? En nu zou je willen dat ik, je oude vriend, de kaarten voor je op tafel legde?'

'Dat kun je ook beter, volgens mij.'

'Ha, in vals spelen doe jij voor niemand onder!'

'Wie is het, Cecco?' brulde de dichter. Hij greep hem in zijn nekvel en schudde hem krachtig door elkaar.

'Arrigo,' piepte de Siënees, terwijl hij probeerde zich aan de greep te ontworstelen.

Dante zette nog meer kracht. Onder zijn handen was het gezicht van zijn zonderlinge vriend rood aangelopen. Op dat van hemzelf voelde hij de spatjes speeksel uit de mond die wanhopig adem trachtte te krijgen. Toen liet hij opeens los. 'Arrigo!' mompelde hij. Dat was ook degene die hij had verwacht. Het moest wel zo zijn. Overeenkomstig de rede, die niet dwaalt. De man die steeds door zijn hoofd had gespeeld. Arrigo, met de tekortkoming aan zijn been, het teken van de Boze. Arrigo, de 'onvolledige man'.

De ander leek nog iets te willen zeggen. Hij stond daar zijn hals te wrijven en na te hijgen. Maar toen draaide hij zich opeens om en liep weg in de door Dante aangegeven richting, waar deze hem zag vervagen in de kringen bijtende rook.

Even later kwam de dichter weer tot zichzelf. Met een laatste krachtsinspanning hees hij de kist op zijn schouders en begaf zich naar het beslissende doel. Daar, in Arrigo's cel, zou hij alle antwoorden krijgen.

Hij keek om zich heen: de buurt wemelde van de soldaten, maar niet één die op hem lette. Met zijn gezicht tegen zijn last aan liep hij voort in de hoop dat niemand hem zou herkennen. Ze zouden hem waarschijnlijk aanzien voor een van de belegeraars die had geplunderd.

Op dat moment boog in de verte het dak van de toren met veel geraas door onder zijn eigen gewicht en verdween binnenwaarts, waarbij het de tussenliggende vloeren meesleepte in zijn val. Instinctief draaide Dante zich om, net op tijd om een massa gloeiende balken te zien neerstorten die door de raampjes in de muur knipperende lichtflitsen te zien gaven, alsof een menigte met fakkels ijlings de trap afdaalde. Bovenin bleef alleen de verkoolde kring van kantelen, een enorme haard waaruit rook en roodachtige flitsen kwamen, zoiets als de muil van een draak die de hemel probeerde te bijten.

Omdat ze de instorting voelden aankomen, hadden de belegeraars zich al teruggetrokken en de lichamen van hun slachtoffers her en der op de binnenplaats aan de verwoesting van het vuur en het puin prijsgegeven. Inmiddels was er geen vijand meer om te doden, en de brand ontzegde iedere mogelijkheid om te plunderen. Zonder daartoe het bevel af te wachten waren de reguliere compagnieën zich aan het verzamelen, terwijl de vrijwilligers zich al verspreid hadden.

Enkele groepen soldaten liepen hem voorbij en negeerden hem. Opgewonden bespraken ze de gebeurtenis, als jachtkameraden op de terugkeer van een drijfjacht. Somber was Dante op een oude Romeinse steen gaan zitten om op verhaal te komen, en intussen luisterde hij naar de gruwelijke grappen en de grootspraak van het gepeupel, dat nog juichte om de moordpartij. Rondom heerste alleen nog de opwinding van de *vigiles* van de wijk, die toegesneld waren met emmers en spuiten om te voorkomen dat de vlammen zich naar de naburige huizen verspreidden.

Na op adem te zijn gekomen hervatte hij snel zijn tocht. In de Santa Maria Novella vond hij de deur van de kerk vergrendeld. Alleen een fakkel naast de boog was al ontstoken met het oog op de vallende nacht. Een van de zijdeuren stond echter nog open; de prior glipte naar binnen en liep snel het verlaten schip door.

Vanuit de kerk stapte hij de kloosterhof in, en vandaar de gang met cellen. Die van Arrigo was vanbinnen vergrendeld. Hij klopte zonder antwoord te krijgen. De kist zette hij op de grond en hij rammelde aan het deurtje in de hoop dat het open zou gaan. Van de andere kant hoorde hij het metaalgeluid van de grendel die tegenstand bood.

Toen werd hij gegrepen door de angst dat Arrigo was gevlucht. Misschien had hij vermoed dat hij was ontdekt. Of had hij, toen hij hoorde van het bloedbad in de Maddalena, besloten te vertrekken om zijn plan voor zover mogelijk nog te redden. Of wellicht was hij op zoek naar andere slachtoffers om zijn plan ten einde te voeren, bedacht hij met een huivering.

Maar waar kon hij zijn? Misschien zou hij in zijn cel een aanwijzing vinden. Nogmaals duwde hij tegen het deurtje en ditmaal harder. Bij de tweede stoot voelde hij de uitbalk meegeven en ging hij naar binnen.

De cel was in schemer gehuld, enigszins verzacht door het zwakke schijnsel dat door het gesloten raamluik filterde. Hij bleef een moment op de drempel staan wachten tot zijn ogen waren gewend.

'Arrigo, het gezag van Florence is met mij, opdat u rekenschap geeft van uw moorden,' schalde hij met kloeke stem, zijn hand geheven als het beeld van een antieke Justitia.

Geleidelijk aan kreeg hij duidelijker zicht. Hij onderscheidde het profiel van de filosoof op de kleine zetel aan de schrijftafel en zag het wit van het papier. Ondanks het weinige licht leek de man iets op te schrijven.

'Arrigo, leg verantwoording af,' vervolgde hij minder kil, terwijl hij dichterbij kwam. Er vielen barstjes in zijn vastberaden toon. Die volstrekte zekerheid over zijn schuld die hem het laatste uur had vervuld en hem daarheen had geleid, wankelde tegenover de betekenis van wat hij ging doen.

Had hij niet blind moeten geloven in de tekst van Mainardino?

Als Arrigo echt de natuurlijke zoon van Frederik was, dan stroomde in zijn aderen het edelste levensvocht dat de wereld na Karel de Grote had gekend. Was het terecht om op een door Gods plan bevoorrecht wezen regels toe te passen die ontstaan waren om een handvol kooplieden en boeren bijeen te houden? Was het terecht om een man op wie de verwachtingen tot herstel van het keizerrijk rustten, de hoogste constructie van de menselijke geest, de spiegel op aarde van de goddelijke ordening, was het terecht om zo'n man aan de arm van de beul uit te leveren?

En als de *Cronica* gelijk had en Arrigo werkelijk een bedrieger was? Zou er uit dat bedrog dan niet toch een droom van vrede en grootheid kunnen voortkomen? Zou hij dan niet evengoed een grote keizer zijn? De zo lang verbeide feltro die wolven recht kwam doen?

Krachteloos viel zijn hand terug tegen zijn zij. De ordinaire koppen van het priorcollege, de hoogmoed van kardinaal Acquasparta, de wreedheid van de inquisitie, het zedelijk verval van zijn medeburgers, dat alles zou kunnen worden rechtgezet door de man, wiens werk hij nu ging tegenhouden. Misschien was de poging mislukt. Manfred en Konradijn hadden hun partij al verloren, maar de hoop was nog pril. Het viel te proberen.

Hem stoppen op het hoogtepunt van de onderneming... zou dat niet pas moord betekenen?

Moest hij zich niet aan zijn voeten werpen, al zijn vernuft, zijn wilskracht, zijn kennis ten dienste stellen van zijn grote taak? De nieuwe Frederik tot raadgever dienen, hem tot stem zijn, degene die zijn hart sluit en ontsluit met de sleutels van de wijsheid en de deugd. De misstappen herstellen, de onachtzaamheden verhelpen, verder gaan waar het plan van de Dienaren had gefaald...

Bovendien dit alles in zijn werk bezingen en het de vorm van een geestelijke reis geven door de duisternis van de wanhoop naar het licht van een hervonden orde, de bruidegom van de orde. En tot dichter gekroond worden in de San Giovanni!

Hij trad nog naderbij, totdat hij de schouder van de man raakte. Arrigo hield zijn hoofd gebogen alsof hij sliep, zijn hand op het vel papier voor zich. Dante snelde naar het raam en zwaaide het luik open om het weinige licht van buiten op te vangen. Het laatste avondlicht stroomde de kleine ruimte binnen, maar nam amper de schaduwen weg.

Hij was dood. Voor hem, op het papier waar zijn hand een paar regels had geschreven, stond een beker die nog vochtig was van de wijn.

Hij bespeurde een scherpe lucht, de geur van wijn met iets metaligs erin. Een fijn stroompje roodachtig speeksel liep uit de mondhoek van de filosoof, het onmiskenbare teken van het gif dat hij had binnengekregen.

Zachtjes trok Dante onder de bewegingloze hand het vel papier vandaan, waarop Arrigo in een door de doodskrampen onzeker handschrift een paar woorden had neergeschreven: *Omnia tempus corrumpit, non bis in idem datur hominibus.*

De tijd tast alles aan, de mensen wordt geen tweede gelegenheid geboden.

De ogen van de dichter vulden zich met tranen. 'Waarom heb je niet op me gewacht?' schreeuwde hij, terwijl hij de dode zijn vuisten liet zien. Hij zeeg neer op de stoel vóór hem. In Arrigo's half geloken ogen wekte het licht van de avondschemer een onverwachte schijn van leven. Het leek of hij afstandelijk naar de beker keek waaruit hij de dood had gedronken. Nu pas zag Dante er de schittering van, die hem in de opwinding van het moment was ontgaan.

Het duister werd gaandeweg sterker. Uit zijn tas haalde hij de vuurslag en stak een kaars op tafel aan, vervolgens hield hij de beker bij de vlam om beter te kijken. Hij was van goud, zo groot als een miskelk.

'Hij is echt...' mompelde hij ongelovig. Een brok in zijn keel brak de kreet die naar zijn lippen was gestegen. Hij bevoelde met zijn vingers de fijne ciseleerkunst van de beker, een krans van rozen en laurierbladeren die over de bovenrand liep als bekroning van vier keizerlijke adelaars met gespreide vleugels. Een kostbaar werk, de lippen van een keizer waardig. De acht zijden van de beker deden denken aan de volmaakte vorm van de tempel van Jeruzalem. Maar ook aan de oude onvoltooide burcht van Frederik en het afgebrande bouwwerk op het land van de Cavalcanti's.

Er stonden Griekse letters onder de adelaars gegraveerd. Geciseleerd in het Oosten dus, misschien wel in Constantinopel. Maar iemand had de inscriptie verpest door er ruwweg met een ijzeren punt drie Latijnse letters in te graveren: FRI.

Het geschenk van de Latijnse keizer uit het Oosten om bondgenootschap en bescherming te hernieuwen. De beker waar hij zijn laatste dag op aarde uit had gedronken. *Federicus Rex Imperator...*

Er liep een rilling over Dantes rug. Snel zette hij het voorwerp eerbiedig op de schrijftafel terug. Het goud leek gloeiend te zijn geworden en brandde in zijn vingers.

Het was geen levensbeker, maar een doodsbeker. Daarmee was Frederik gedood. Door een lafaard, een 'onvolledige man'.

Hij keek naar het gelaat van de filosoof, dat in de schaduwen van de avond al aan vastheid had ingeboet. Alsof er een raam voor stond dat hem uit de wereld verwijderde. Over zijn trekken was nog niet het spottende masker van de dood gevallen. Hij toonde een onbezorgd gezicht, alsof zijn aftocht de laatste akte was van een lang voorbereid stuk, een geluidloos gevonden en gepasseerde laatste deur, met de plechtige tred van een Romein uit de oudheid.

En voor zich, nog vlak bij zijn hand, de gouden beker. Arrigo zou niet toevallig die manier gekozen hebben om te sterven.

Alsof hij een oude schuld moest inlossen.

Maar als hij bezig was een zo ambitieus werk te voltooien, waarom had hij dan zijn dagen beëindigd voordat het af was? Dat zwakke punt contrasteerde met het beeld van de man zoals Dante hem had leren kennen.

Hij begon nerveus te ijsberen in de kleine ruimte van de cel. Hij liep op de uitgerukte grendel af en bestudeerde aandachtig de deur. Er was geen mogelijkheid om hem van buitenaf weer op slot te doen. Hij schudde zijn hoofd, het vermoeden dat even bij hem opgekomen was verwerpend. Arrigo moest op het *moment suprême* alleen geweest zijn. Overgeleverd aan zijn wanhoop.

Opnieuw werd hij door emotie overmand en weer vulden zijn ogen zich met tranen. Een watervalgeraas overspoelde zijn geest, die uitdoofde in de merkwaardige slaap van de wegvluchtende ziel.

Na een onduidelijke tijdspanne kwam hij gedesoriënteerd weer bij zinnen. Hij lag languit op de vloer, al zijn ledematen pijnlijk geworden door de val. Een paar uur later zou zijn mandaat verstreken zijn: hij moest terug naar de San Piero en de machtsoverdracht aan de nieuwe priors regelen. Maar eerst wilde hij de orde in die van bloed vergeven puinhopen herstellen. Te beginnen bij Arrigo's lijk, zodat het niet aan het lot der zelfmoordenaars werd overgeleverd.

Hij zou het gerucht verspreiden van een ongeneeslijke ziekte bij de filosoof op weg naar een onmogelijke redding door de pelgrimage naar Rome. Die idioot van een geneesheer kon toch geen drenkeling van een dode door brand onderscheiden.

De spanning van de laatste gebeurtenissen verslapte en liet hem leeg achter. Dat beeld vol ruïnes vormde de balans van al zijn inspanningen, bedacht hij vertwijfeld. De kracht van zijn rede had niets bijgedragen aan de oplossing van het raadsel. Als een met stomheid geslagen idioot tegenover de verkleedpartij van een kunstenmaker had hij de fatale ontwikkeling van het hele verhaal meegemaakt zonder op enigerlei wijze te kunnen ingrijpen.

Misschien had Marcello gelijk omtrent de totaal blinde voorbestemming van een mensenleven. Door een ondoorgrondelijke ironie van het lot hadden twee mannen de dood ingedronken als gevolg van hetzelfde ambitieuze plan. Het tweede slachtoffer door zijn eigen wil te volgen, het eerste door de verdorven wil van anderen. Beiden stof in de boven ons gestelde eeuwige kringloop.

Hij kwam overeind, zich stuttend tegen de schrijftafel. Hij wilde Arrigo's gezicht afdekken voordat hij iemand erbij riep. Zijn voeten stootten tegen iets op de grond wat hij niet had gezien. Werktuiglijk stak hij zijn hand uit en raapte een groot aantekenboek op. Hij hield het manuscript bij de vlam van de kaars.

Het was een codex *in folio*, meer dan honderd bladzijden bijeengenaaid perkament: *Decem continens tractatus astronomiae*.

Het grote werk van Guido Bonatti. Het belangrijkste astrologieboek van alle eigentijdse uitgaven. En Bonatti was de astroloog van Frederik geweest. Weer een terugkerende geestverschijning uit het verleden, alsof de keizer vanuit het dodenrijk had bevolen zijn hof voor een laatste maal bijeen te brengen in de stad Florence, die zich altijd aan zijn volledige heerschappij had onttrokken.

Instinctief gingen zijn handen voorzichtiger te werk. De eerste pagina's bladerde hij vol bewondering door. Arrigo was dus ook zo goed ingevoerd in de wetenschap van de sterren dat hij dat zeer kostbare werk bezat. En bovendien in staat het te annoteren, gezien de talrijke opmerkingen die geschreven stonden in een nerveus, priegelig handschrift in de kantlijn, zo anders dan het regelmatige Karolingische schrift van de anonieme klerk die de tekst had gekopieerd.

Al lezend zag hij hier en daar een opmerking die op een vreemde manier aansloot bij zijn eigen inzichten. Iets aan de schrijver van die aantekeningen bracht hem geheel onverwachts dichterbij. Zoals twee pelgrims gebeurt die elkaar op vreemde bodem als landgenoten herkennen nog voor ze een groet uitwisselen of hun naam bekendmaken. De harmonie van de ziel die alle burgers van de Republiek van Plato verbindt.

Tot de laatste bladzijden bleef hij de codex doorbladeren. In het bandwerk waren twee hele cahiers toegevoegd, deels al gevuld met terzijdes en opmerkingen van dezelfde hand die de aantekeningen had geschreven. Een nieuw hoofdstuk, *Liber undecimus de amplitudine rei universalis.*

De uitgestrektheid van het universum. De opsteller van de aantekeningen had zich dus niet beperkt tot het annoteren van de tekst, maar ook het voornemen gehad om die aan te vullen met een organische behandeling. Dantes gevoel van bewondering nam toe naarmate hij verder las. Had Arrigo die opmerkingen geschreven?

Hij keek weer naar het profiel van de dode: zijn edele trekken konden hem terugvoeren naar het oude Hohenstaufenras. Misschien was ook hij misleid door zijn beeld, toen hij dat weergegeven zag in de spiegel, en had hij wanhopig in een ondoorgrondelijk lot willen geloven dat hem leek te roepen als troonopvolger van een gedroomde vader.

De troon van Frederik.

Dood. Vermoord.

Een nieuwe mogelijkheid kwam bij de dichter op: stel dat Arrigo geen zelfmoord had gepleegd omdat zijn plannen waren mislukt, maar aangezet door spijt om een moord van lang geleden, een schaduw die vijftig jaar lang zijn schreden had gevolgd? Kon hij de moordenaar van de keizer zijn, de 'onvolledige man'?

Bij het lezen van de bladzijden van Mainardino had hij gedacht dat die metafoor verwees naar een lichamelijke tekortkoming, of naar een moreel gebrek. Maar stel dat de bisschop met een 'onvolledige man' iemand aanduidde die toen nog maar een jongen was? En stel dat die jongen had gehandeld als blind instrument van andermans verdorvenheid, uit haat tegen een vader die hem op een onverklaarbare manier had verloochend en gekwetst in de persoon van zijn aanbeden moeder?

Dat oud zeer kon de aanzet gegeven hebben tot een drama waardoor een geslacht was uitgemoord en het keizerrijk verwoest. Tot aan de ultieme daad, die zich onder zijn ogen had afgespeeld, toen mannen uit de vier windstreken van de aarde enkel naar Florence waren gekomen om er het ijzige masker van de dood te treffen.

En die stad, zijn stad, die hij buiten de kloostermuren voelde kloppen, vormde het schouwtoneel van dit alles. Dwars door de wanden die op hem af leken te komen en Arrigo dood en hem levend in eenzelfde stenen omhelzing sloten, was het of hij de straten en de muren, de huizen, de dichte deuren zag, de plundering van verdorvenheid en kwaad die altijd op het punt van uitbreken staat. En hij hoorde niemands voetstap. Dat was immers de stad Dis, waar de duivels de poorten bewaken.

Arrigo had de man die hij zijn vader waande met diezelfde beker vermoord. Maar hoe had hij dat gedaan? Na de samenzwering van de baronnen was Frederik heel achterdochtig geworden: hij onderwierp zijn voedsel aan trouwe Saraceense voorproevers. En zelfs als het gif aangelengd was, zodat het trager werkte, zouden er met hem ook anderen gestorven zijn. In dat geval zouden daarover direct geruchten zijn gegaan, terwijl er geen bericht bestond dat iemand de keizer naar het schimmenrijk had vergezeld.

Misschien was Frederik door een onoplettendheid in de val getrapt, een klein hiaat in zijn argwanende behoedzaamheid, wellicht omdat hij afging op de bastaardzoon die hij van kindsbeen af gewend was om zich heen te zien en aan wie hij geen aandacht meer schonk...

Monnikskap werkt via direct contact, herinnerde hij zich. Tijdens zijn studie had hij de krampen van een konijn gezien waarbij de tinctuur in de oren was gedruppeld. Misschien zat er in de voet van die beker wel een punt die de vingers van de keizer had bezeerd?

De schittering van het goud vulde de kleine cel. Met uiterste behoedzaamheid pakte hij het voorwerp op en hield het op ooghoogte, als in een stil offertorium. Hij liep weer de ciseleerkunst na, waarbij hij het punt zocht waar de keizer misschien zijn lippen tegenaan had gehouden bij zijn laatste slok. Maar hij vond niets wat dat vermoeden bevestigde.

Hij sloot zijn ogen en richtte zijn gedachten weer op de keizer. Nu lag zijn lichaam gebalsemd in Palermo. Maar waar was zijn hart, toen dat uit zijn borst was gehaald? Weerklonk hier in de cel niet een echo van zijn geest, die sterker was dan alles wat er rond zijn vergane weefsel, rond de vodden van zijn koninklijk kleed in de kist zweefde?

Misschien was dat wel de diepere betekenis van de voorspelling van Michael Scotus: *Sub flore morieris*. Je zult je dagen eindigen in Florence.

Net als zijn grote bouwmeester. De man die zijn graf had willen oprichten. Waarschijnlijk had het afgebrande gebouw op het land van de Cavalcanti's een cenotaaf van de keizer moeten zijn, een groots monument om ogenschijnlijk eer te bewijzen, maar in werkelijkheid om een moord te verdoezelen.

Had Arrigo dat uitgedacht? Zich laten kronen in die kopie van het Castel del Monte, versierd door toverspiegels die zijn glorie tot in het oneindige zouden vermenigvuldigen en vereeuwigen in een uiterste herhaling van hetzelfde.

Met een huivering zag Dante de waanzin achter dat plan: Nero had voor zichzelf een troon opgericht die de beweging van de zon volgde. Arrigo had zelf die zon willen zijn, roerloos in het middelpunt van een verblindend planetarium.

Hij had zijn ogen weer opengedaan, en opnieuw overviel de schittering van de beker, die hij was blijven vasthouden, hem.

Hij dacht aan zijn nog onvoltooide werk. Een duidelijk bewijs van zijn beperkingen als dichter, zei hij bitter bij zichzelf. Kon dit de zo lang gezochte oplossing voor zijn paradijs zijn? Een reusachtige gouden beker, dezelfde als die van Frederiks offer, maar even uitgestrekt als talloze hemelen, waar de zielen der zaligen zwommen in een bad van eeuwige zuivering?

Vol afschuw over zijn eigen godslastering duwde hij de beker ver van zich vandaan en zette hem met een klap op tafel. En toen doorbrak een metalige klik de stilte. Hij keek aandachtig naar het voorwerp. In het licht van de kaars werd de omtrek duidelijk omlijnd. De glooiingen en welvingen van de voet met hun symmetrisch verloop vormden op het oppervlak twee tegenovergestelde mensengezichten. De schim van de man met de Januskop over wie Marcello het had gehad. De negende schim...

Wat betekende dat? Hij tilde de beker op en zette hem opnieuw op tafel, zijn oren spitsend. Opnieuw was het of hij hetzelfde iele metalige geluid bespeurde. Hij herhaalde de handeling: de bewerkte voet leek inderdaad een effect te hebben. Het kleinood was dus niet in één stuk gegoten, maar bestond in elk geval uit twee gedeelten. Hij voerde dezelfde handeling nogmaals uit en drukte steeds harder op de bodem, toen liet hij zich ontgoocheld achterover in zijn zetel vallen. Er was niets veranderd aan die ellendige beker. Er zat geen enkele geheime doorn aan die de vingers van de drinker kon bezeren.

Heel zijn theorie brokkelde af tegenover de onloochenbaarheid van de feiten. En toch wist hij zeker dat een en ander ongeveer zo was gegaan. Hij sloeg met zijn vuisten op zijn voorhoofd, wanhopig her en der in de cel zoekend naar iets wat een oplossing kon bieden. Toen kreeg hij een idee.

De negen. Het getal dat volgens de oude Marcello hun beider lot verbond. Hij begon opnieuw met de beker druk op de tafel uit te oefenen. Bij de vijfde poging ging er in de bodem een spleet open, die amper in een volle beker zichtbaar zou zijn geweest. Op die manier kwam de wijn in aanraking met het gif dat in de voet zat. Telkens als de beker op tafel werd neergezet ging het verscholen mechaniek een stap verder naar de dood.

Dit zou zelfs iemand ontgaan die de kleine beweging van de voet had opgemerkt, ogenschijnlijk een smeedfout. En wie anders had de beker ook naar zijn lippen durven brengen? Alleen de keizer gebruikte hem, alleen hij kon in de val trappen. Zo was de vader vermoord en ook de man die zich zijn zoon waande. Of dat wanhopig wilde zijn.

Zo was hij vergiftigd door de moordenaar, die zijn toevlucht had genomen tot een spottende herhaling van de eerdere moord...

Beklemd keek hij om zich heen. Nu wist hij waarom de moordenaar alleen de laatste regels van de *Cronica* had uitgescheurd: hij wilde dat hij in de dood van de erfgenaam het bewijs van Arrigo's schuld zou lezen. En als hij niet het geheim van de beker had ontdekt, zou hij ook in de val getrapt zijn en gedacht hebben aan de zelfmoord van een valse moordenaar-pretendent, verslagen en wanhopig.

Een moord die een halve eeuw verborgen was gebleven openbaarde zich aan zijn ogen. Misschien was het gesternte dat zijn geboorte markeerde en zijn weg leidde werkelijk buitengewoon. Misschien had Marcello wel gelijk: er bestond in ieders leven een pad, en leven betekende alleen maar blind dat pad afleggen.

Uit zijn tas haalde hij het verkreukelde papier waarop de arts de grenzen van zijn lot, de grenzen van zijn glorie en van zijn leed had geschetst. Voor zijn ogen danste het netwerk van lijnen en punten door de vlammen van de migraine heen. Hij begon met zijn wijsvinger de tekens die zijn lot verbonden na te lopen. Tot aan het kwaadaardige vierkant van Jupiter, waar Marcello de aankondiging van zijn ballingschap had gelezen. Hij streek met een hand over zijn voorhoofd, vervolgens schudde hij zijn hoofd.

De schets van de horoscoop gloeide vóór hem met zijn aantekeningen. Die letters, dat petieterige handschrift...

Plotseling ging hem een licht op. Hij wierp zich op het manuscript van de *Decem continens* en vergeleek de twee handschriften. Zelfs bij het schaarse licht van de kaarsen waren de lijnen van de pen die de symbolen van zijn lot had getekend identiek aan die welke achtergelaten waren door de hand die de tekst had geannoteerd, de enige die het werkelijk kon wagen de voltooiing van de *Tien boeken* te ondernemen. Die van de schrijver ervan, de grootste astroloog aller tijden.

Een rilling deed hem verstijven toen hij dacht aan degene die zijn ongeluk had voorspeld. Maar toen rechtte hij met een ruk weer zijn schouders, het nare voorgevoel verdrijvend. Nee, die tekens op papier vermochten niets. Alleen hij was de baas over zijn lot.

Woedend greep hij het papier om het te verscheuren. Hij trok de rand eraf, maar hield toen op. Bij het scheuren had hij het papier naar de andere kant gedraaid en voor het eerst zag hij nu iets.

De astroloog had zijn horoscoop in één moeite door getekend op een vel papier dat hij lukraak uit zijn tas had gehaald. In de opgewonden woordenwisseling waarin ze verwikkeld waren had hij niet gemerkt dat hij de achterkant van een van Bigarelli's tekeningen had gebruikt, die hij na zijn dood bij de beeldhouwer had weggepakt.

Het gewicht van de waarheid trof hem. Hij was de moordenaar. Maar waarom? Hij schreeuwde zijn vraag naar de muren van dof steen, naar Arrigo's roerloze lichaam. Vervolgens richtte hij zijn aandacht weer op de tekening die hij nog steeds in zijn hand hield, bevend van emotie.

Hij ging aan de schrijftafel zitten en vouwde het papier open onder het licht. Een grote achthoek waaraan zich in de hoeken andere kleinere achthoeken vertakten. Castel del Monte, met zijn krans van torens. Maar ten opzichte van de kaart die hij bij het bouwersgilde had gezien was er nog meer.

Het schema van de vertrekken en gangen werd door verschillende tekens uitgebreid: acht sanguine lijnen in elk van de acht vertrekken, elk gemarkeerd door een zin, *lucis imago repercussa*, en door een hoekmaat. Een fijn inktlijntje verbond de roodachtige tekens onderling, alsof het een traject aangaf dat ze in een keten verbond.

'Weerspiegeling van een lichtend beeld...' mompelde Dante, terwijl hij op zijn onderlip beet. De ontdekking leek de pijn te hebben overwonnen, alsof de opwinding van de ziel iedere zwakheid van het lichaam kon verslaan. 'Acht weerspiegelingen... in acht spiegels.'

Hij bleef Bigarelli's tekening bestuderen, gefascineerd door de volmaakte geometrie van de lijnen, met zijn wijsvinger bij de merkwaardige posities van voorwerpen en hun onderlinge relaties. Als in de schoonheid en de harmonie van de figuur de waarheid werd geopenbaard, dan moest in die tekening, in de symmetrie ervan, een waarheid schuilgaan die in gelijke mate verwant was aan de schoonheid.

Er stond een noot bij in piepkleine, bijna onzichtbare letters. Zelfs zijn arendsblik had er aanvankelijk moeite mee om hem te ontcijferen. Het leken aantekeningen die betrekking hadden op het gebouw.

Met zijn vinger probeerde hij het door de pen uitgezette pad te volgen. Het was alsof Bigarelli de koortsachtige tocht van een kracht had willen weergeven, een beeld dat van spiegel naar spiegel herhaald werd in de grote blinde tamboer van het kasteel, tot het met een laatste afbuiging het midden van het gebouw bereikte, in wat de binnenplaats moest zijn. Daar was met een paar nerveuze lijnen het schema van een voorwerp aangeduid, bestaande uit een paar raderen. Bovendien een detail, buiten de schaal en omcirkeld door een rode lijn: een balk met twee tegenovergestelde halvemanen en een mensenoog dat naar een van de uiteinden kijkt...

Lucis imago repercussa... Een idee baande zich een weg in zijn hoofd. Iets wat hij in de *Cronica* had gelezen toen hij er de pagina's van had gezien in Bernardo's cel. En wat nu weer boven kwam drijven in het kostbare meer van zijn geheugen: 'Toen kwam de keizer voor de grote proef te staan. En het was de wijze Michael die de manier vond, tegen de opvatting van zijn astroloog in...'

Zijn blik lichtte op, terwijl hij met een ruk zijn hoofd ophief. *Lucis imago repercussa.* Wat de grote Frederik niet te weten had kunnen komen, omdat hij tegengehouden was door de dood. Nu bevond de poort van die kennis zich daar voor hem, gereed om open te gaan.

Zijn blik ging naar de nog gesloten kast met de stapels kostbare boeken. Met de punt van zijn dolk forceerde hij het deurtje. De lamp van Elia. Nu begreep hij de zin van alles. Daarom was de kopie van Castel del Monte dus gebouwd en was Fabio dal Pozzo, de wiskundige, erbij geroepen, om te berekenen...

Dit had Arrigo willen begrijpen naast de muur van het Baptisterium, dat enkel waardevol was door het duister onder zijn gewelf. Een meer van duisternis dat de filosoof nodig had om de oude droom van zijn vader te verwezenlijken.

Niet de wedergeboorte van het keizerrijk, dat schipbreuk geleden had in de storm der tijden. Dit was het plan van de mannen uit het Noorden, uit Venetië, de tempeliers. Arrigo had zich er alleen voor geleend. Grootmoedig had hij zijn hart in de poging gelegd. Maar zijn hoofd was elders, in beslag genomen door een andere droom. Een droom die nu ook Dante eindelijk begreep.

Een plotselinge angst overviel hem. Als iemand doordrong tot dat geheim betekende dat dan niet dat hij doordrong tot het geheim van God? Hij voelde zijn ogen vochtig worden en een brok zijn keel afsluiten als een ijzeren hand. Hij barstte in tranen uit, overmand door verdriet.

'Is dit dan wat je wilde?' vroeg hij snikkend naar Arrigo toegewend.

'Wat gebeurt er, meester? Voelt u zich niet goed?' hoorde hij buiten de deur roepen. Met moeite beheerste hij zich. 'Niks!' antwoordde hij kortaf. 'Alleen een nare droom,' vervolgde hij, in de hoop dat die lastpost zou verdwijnen. Maar hij zag de deur langzaam opengaan.

Een monnik met een lantaarn in de hand verscheen op de drempel. Achterdochtig geworden speurde hij naar binnen, waarbij zijn blik meermalen tussen hem en het lijk heen en weer schoot. 'Maar... mijnheer de prior, wat doet u hier? En messer Arrigo...'

'Hij is dood, broeder. *Sed non a Deo advocatus.* Met ongelukkige hand heeft hij ervoor gekozen zich voortijdig bij de geest der vaderen te voegen. Hij heeft zich het leven benomen,' besloot hij, toen hij zag dat de ander hem ongelovig aan bleef kijken.

Bij die woorden bracht de monnik zijn hand naar zijn mond in een gebaar van afschuw. 'Een zelfmoord... hier, op een heilige plaats... Ik zal de abt moeten waarschuwen,' stamelde hij, starend naar de dode.

'Doe dat. Alleen straks. Laat eerst iemand van de Misericordia komen, met de lijkwagen.'

De monnik keek hem verbluft aan.

'De begrafenis dient ogenblikkelijk plaats te vinden,' legde de dichter uit. 'Het is niet goed dat uw klooster in het schandaal wordt meegesleept. Ik wil dat het lijk vannacht nog, zonder licht, buiten de muren wordt gebracht.'

De monnik knikte en verdween.

Er was misschien een uur voorbijgegaan toen hem werd aangekondigd dat degenen die hij had laten roepen aan de deur stonden. Zelfs de abt, bezorgd, was gekomen om het nieuws te vernemen. Hij wierp een snelle blik op de dode, waarna hij meteen wegkeek, alsof hij bang was door die aanblik bezoedeld te raken. Achter hem verdrong zich reikhalzend een groepje monniken in de deuropening.

'Wikkel het lichaam in een doek en breng het naar beneden,' beval Dante.

Met een knikje stemde de abt met het verzoek in. De monniken leken maar al te graag af te willen van de ongemakkelijke aanwezigheid van het lijk en verdwenen snel met het stoffelijk overschot.

De dichter hees de kist met het mechaniek op zijn schouder en volgde hen op zijn beurt, nadat hij met zijn andere hand de in een lap gewikkelde lamp van Elia had gepakt.

Buiten het klooster zag hij de donkere gestalten van twee leden van de broederschap verscholen in hun kappen. De een hield de bomen op van een karretje met grote wielen, bedekt met een zwart doek waar de monniken Arrigo's lichaam al onder hadden neergelegd.

'We zijn hier, broeder,' zei de ander, die een kleine olielamp ophield. 'Wat zijn dat voor spullen?' vroeg hij toen verbaasd met zijn blik op de kist en het bundeltje.

Zonder antwoord te geven legde Dante zijn vracht achter in het karretje, aan de voeten van de dode. 'Volg mij. Naar de Maddalena-abdij.'

'Daar komen we net vandaan. Tot voor kort vroeg de strijd onze aandacht,' bracht de ander verbaasd in.

De prior rukte hem zijn lamp uit handen. 'Kom mee, ik zal jullie leiden. Eerst moeten we wat spullen laden,' zei hij, terwijl hij op weg ging. Achter zich hoorde hij een verbijsterd gemompel.

Eindelijk vatte de langste van de twee moed. 'Messere, wat is dit, een grap? Ziet u de lijkwagen voor een verhuiskar aan?'

'Doe wat ik zeg en wees niet bang. Ik ben de prior van Florence en er schuilt een bedoeling in wat ik doe. Niets van wat jullie gaan zien is tegen jullie regel.'

Snel begaf hij zich op weg naar het lakenpakhuis, begeleid door zijn sinistere gevolg. In het vertrekje naast de vergrendelde poort sliep de bewaker al geruime tijd. Slaapdronken kwam hij naar buiten, met een verveelde uitdrukking op zijn gezicht die op slag veranderde in ontzetting bij de aanblik van degenen die zijn slaap hadden verstoord.

'Wat... wat willen jullie?' hakkelde hij doodsbenauwd. Hij leek bijna in katzwijm te vallen van angst dat die stoet met spoken daar voor hem stond. Pas nadat hij de dichter had herkend leek het trillen dat zich van hem meester had gemaakt te bedaren.

'De stoffen van koopman Fabio dal Pozzo. Ik kom ze in beslag nemen. Ga opzij, ik ken de weg.'

Toen, zonder de reactie van de nog beduusde man af te wachten, drong Dante de doolhof van de stellingen met zware eikenhouten planken binnen, de lijkwagen door de smalle doorgangen leidend tot aan het punt waarop het vilt van de Venetiaan was opgeslagen. In het tot de nok volgestouwde pakhuis was de lucht nagenoeg verstikkend door de hitte.

'Help mij die balen onderaan te laden. Met de grootste voorzichtigheid. Er zit iets breekbaars en kostbaars in. Pas op dat je ze niet laat vallen.'

Nu hij de platen weer onder ogen had, besefte hij ten volle hun omvang. Op de kar was er geen plaats voor. Onder de ogen van de twee broeders, die ontsteld assisteerden, pakte hij snel Arrigo's lijk bij de oksels en tilde hem in een zittende houding. Toen wees hij op de in vilt gewikkelde platen en zei hun die rechtop naast het lijk te zetten.

De broeders van de Misericordia raakten steeds meer van hun stuk. De as van het wagentje kreunde vervaarlijk onder de last. 'Ze lijken wel van marmer!' riep een van de twee uit, klam van het zweet onder zijn kap, terwijl de ander, geholpen door Dante, het karretje in gang zette. 'Wat zit er eigenlijk in?'

'Een droom,' mompelde de prior, terwijl hij op zijn beurt zijn voorhoofd afwiste. 'De droom van een groot man.'

'We zullen de overste van de Misericordia van dit alles op de hoogte moeten stellen.'

'Morgen. Morgen hebben jullie overal tijd voor.'

De kleine rouwstoet dook weer op uit de poort van het magazijn en passeerde weer de nog natrillende bewaker.

Rondom werd het duister getemperd door de maneschijn. Dante wees in de richting van het Baptisterium. Met een duw zette de kar zich in beweging achter hem aan.

Bij een bocht in de straat posteerde zich vlak voor hen een wijkpatrouille. Bij de aanblik van de kappendragers gingen de mannen schielijk opzij en sloegen een kruis. De prior liep voorbij zonder hun een blik waardig te keuren. Even dacht hij dat de twee broeders de soldaten wilden aanspreken om alles te vertellen, maar ze hielden hun mond en bleven de kar voortduwen.

In de verte kwam de straat uit op de Santa Reparata. Op de achtergrond tekende de grote marmeren tamboer van het Baptisterium zich af tegen de donkere lucht als een keizerskroon in een met sterren bezaaide mantel. Dante versnelde vol spanning zijn pas.

Ze belandden op het verlaten plein tussen hopen bouwmateriaal. Verderop verscheen al een hoek van de muur van de toekomstige Dom.

Resoluut begaf hij zich naar de zijkant van het Baptisterium. Er stond iemand voor hem.

'Gegroet, messer Alighieri,' hoorde hij de schim zeggen. 'Ik wist dat uw hardnekkigheid u vroeg of laat hierheen zou voeren. In de sterren van vannacht stond het precieze tijdstip van uw waanzin geschreven.'

De man zat op een van de Romeinse sarcofagen langs de muur van het Baptisterium. Zijn hoofd in de kap van zijn reiskleed verborg zijn trekken, maar Dante had hem direct herkend. Hij deed een paar passen zijn kant uit.

'U ook gegroet, messer Marcello. Ik wist ook dat ik u op een dag weer zou tegenkomen. Of misschien zou ik u bij uw ware, uw oude en beroemde naam moeten noemen.'

Zijn woorden maakten bij de man geen enkele reactie los.

'Guido,' zei Dante toen. 'Guido Bonatti. De astroloog van koningen en keizers. De tovenaar. Een man die de weg van de sterren kent... en een moordenaar.'

De bejaarde gaf nog steeds geen weerwoord. Hij hief zijn hoofd omhoog, alsof hij in het donker de sterren zocht waarover hij het had gehad. 'De vorm is perfect,' mompelde hij, verwijzend naar de tamboer van de koepel boven hem. 'Van een zinloze perfectie, zoals altijd wanneer het menselijk handelen de natuur wil nabootsen,' vervolgde hij sarcastisch.

Dante stond inmiddels voor hem. Met een teken beval hij de twee broeders halt te houden. De wagen bleef stilstaan naast de sarcofaag.

De astroloog tilde een rand van de doek op en keek er aandachtig onder. Zijn blik bleef rusten op het serene gelaat van Arrigo, vervolgens op de kist aan zijn voeten. Daarop richtte hij zich weer tot de dichter. 'Het was dus in uw handen. Ik had het kunnen weten,' zei hij, wijzend op de zak met het toestel. 'Ik wist zeker dat ik het had vernietigd.'

'Alberto de mechanicus heeft het weer in elkaar gezet... voordat u hem de hel in joeg.'

Guido Bonatti knikte. 'Hij was goed. Ik heb zijn verrichtingen in de werkplaats gezien. Bijna even goed als die duivels die dit hebben gemaakt,' zei hij, opnieuw naar de machine wijzend.

'Net als de man uit het Oosten die u hebt vermoord, nadat men u had ontvangen op de galei. Bent u op Malta aan boord gegaan? Of hebt u zich vanaf het vertrek onder de passagiers gemengd, al overzee?'

'Ik was in Sidon toen mij het gerucht bereikte dat het onverkwikkelijke geval weer was gaan lopen. Ik heb die mannen ervan overtuigd dat ik van pas zou kunnen komen.'

'Om één man te vermoorden hebt u een bloedbad aangericht.'

'Zijn geest moest worden uitgewist. Zelfs zijn herinnering. De rest deed er niet toe.'

'Ook niet het leven van al die onschuldigen die u hebt omgebracht met uw vreselijke gif, hetzelfde waarmee u vader en zoon hebt gedood?'

'Niemand is onschuldig,' zei Bonatti, vol verachting zijn schouders ophalend. 'Arrigo was geen zoon van Frederik. Alleen in zijn dwaze hoogmoed had hij dat kunnen verzinnen.'

'Arrigo was geen zoon van den bloede van de keizer, maar hij was een waardige zoon van zijn intellect, en alleen al daarom had hij het verdiend te leven en te regeren. Vanwege zijn toewijding aan de geest van Frederik. Een toewijding die u hebt uitgebuit door hem te vleien en te doen geloven dat zijn keizerlijke bestemming bevestigd werd in de sterren. Daarom hebt u hem uw traktaat over waarzeggerij laten zien. Bovendien hebt u hem aangespoord om een dronk uit te brengen op zijn onderneming met de schitterende beker die van zijn vader was geweest. En die hem heeft gedood, op dezelfde manier als Frederik.'

'Mijn traktaat... een levenswerk,' prevelde Bonatti, zijn stem omfloerst door treurnis. 'Verloren gegaan.' Maar toen schokschouderde hij en zijn stem werd weer spottend. 'En waarom heb ik dat gedaan? Ik die mijn keizer aanbad. Zou u me dat kunnen vertellen, Alighieri?'

'Ja. Nu kan ik dat. Nu weet ik alles,' riep de dichter zegevierend uit. 'Omdat Frederik een onderneming begonnen was die iedere zekerheid van u zou aantasten.'

'En bent u daarom hier?' vroeg Bonatti. 'Met hem,' vervolgde hij, op Arrigo's lichaam wijzend zonder ernaar te kijken.

'Ja. Ook hij heeft er recht op te zien wat ik ga zien.'

De oude man kromde zich onder die woorden, alsof een onstuimige wind hem had getroffen. 'En wat denkt u te gaan zien?' vroeg hij een moment later, woedend.

'Frederiks droom. Het rijk van het licht. Hij riep de grootste geesten van zijn hof bijeen om de onderneming voor te bereiden. Elia da Cortona om met alchemie een flits te creëren die die van de dag der Schepping zou evenaren. En Michael Scotus om de manier waarop te onderzoeken en Leonardo Fibonacci om met zijn berekeningen het resultaat te meten. En Tinca de meester, met zijn wonderbaarlijke ruiten. En uit het Oosten al-Jazari met zijn machines, en Guido Bigarelli, om de plaats van de proef te bouwen. Ontdekken hoe ver het licht had gereisd in de zes dagen van de Schepping. Hij wilde de uitgestrektheid van het universum kennen, het rijk Gods meten.'

Bonatti knikte langzaam. 'Frederik was gek en godslasterlijk. Een meester in het onmogelijke. Als het licht een eigen beweging had, zou die nu nog steeds doorgaan, in een baan naar een gruwelijke, oneindige leegte. Iedere zekerheid, iedere bestendigheid van de Schepping zou uiteenvallen. Dat alles moest worden tegengehouden. Het stond in de sterren geschreven dat ík dat doen moest.'

'U bent zelf gek. Het zou het hoogste werk van het menselijk vernuft geweest zijn om het geschapen universum te meten, een lofzang voor God.'

Met een onverwachte behendigheid was de astroloog recht overeind gaan staan en zijn kant uit gekomen. Dante week een pas achteruit. Maar Bonatti leek hem niet te willen aanvallen. Hij keek naar iets achter hem. De dichter draaide zich instinctief om: de dubbele wond op het lichaam van de vermoorde mannen schoot hem weer te binnen en hij was bang dat zich achter hem de tweede moordenaarshand ophield.

Er was echter niemand. Bonatti was verdiept in het schouwspel van een groep sterren laag aan de horizon. 'Daar komt de Schorpioen op... Zo stond het er ook, zo zal het gebeuren,' mompelde hij, zijn ogen luikend, met een stem die plotseling vaag was geworden. 'Alle verdorvenheid van de Moren en hun tovenarij kunnen niet op tegen de wonderbaarlijke bouwkunst van de Schepping, het roerloze licht en de vastomlijnde grenzen ervan.'

'Niet de Moren hebben de waarheid gezocht, maar de beste breinen van onze eeuw, van ons ras, ons geloof, onze taal! En velen van hen hebt u omgebracht,' wierp Dante woedend tegen. 'Niet uw zekerheid, maar uw angst heeft u tot moorden aangezet.'

De oude balde zijn vuisten naar hem, terwijl zijn mond openging voor een weerwoord.

'Hoe oud bent u, messer Bonatti?' joeg de prior hem op. 'Hebt u niet een groot deel van deze eeuw meegemaakt? En na al die jaren, waarin u alles hebt gezien en gehoord, zou u zichzelf van de grootste ervaring willen beroven? Ik daag u uit voor deze proef: in het Baptisterium met zijn perfecte geometrie. Wat in Apulië niet mogelijk was zal hier plaatshebben,' vervolgde hij vastberaden, terwijl hij zijn hand uitstrekte naar de marmermassa achter hen.

'Net als de heilige Thomas wilt u de waarheid zoeken in het bloed,' prevelde de astroloog, zijn stem verwrongen van wrok. 'Dat bloed zal het hellevuur van uw trots doven, het zal uw aanmatiging temperen. Ik vrees uw uitdaging niet. Treed dus de tempel binnen, als u die durft te ontwijden met uw verwarde wetenschap.'

'Door de noorddeur. In het Baptisterium wordt de laatste hand gelegd aan het grote mozaïek van de koepel, en die deur wordt opengelaten zodat de werknemers in en uit kunnen gaan.'

Achter hen hadden de twee broeders de hele tijd geruisloos hun confrontatie bijgewoond, hun verbaasde gezichten verhuld door de kap. De groep stiefelde langs de zijkant van het Baptisterium en liep door de smalle steeg die het scheidde van de meest naburige bouwsels, die als haveloze bedelaars tegen zijn perfecte vorm aanleunden.

'Duw de wagen naar binnen en laat ons alleen. Ik zal voor het verder vervoer van het stoffelijk overschot zorgen,' beval de dichter, terwijl hij met de olielamp de kerk in beende. 'Keer terug naar de plaats van de strijd en begraaf de resten van de Maagd van Antiochië achter de San Lorenzo.' Zijn stem klonk vol rouw. 'En respecteer ze, want haar einde was erger dan haar schuld. Wat betreft hetgeen jullie hebben gezien, vergeet alles.'

Bonatti was afzijdig gebleven. Toen ze alleen waren, schoof hij met een van aandoening trillende hand de zware vilten lap opzij die een van de platen beschermde, bevoelde toen met zijn vingers het ijskoude oppervlak, als een blinde die op de tast bevestiging zocht voor zijn verbeelding.

Bij het zwakke maanlicht dat door de ramen binnenviel vond Dante een kandelaar en met een paar slagen met de vuurslag stak hij de kaarsstompjes aan. Toen keek hij naar Guido Bonatti, die op de rand van het doopbekken was gaan zitten. Hij leek uitgeput en bezweet, alsof zijn ouderdom opeens aan het licht getreden was. Hij ademde moeizaam de drukkende, zware lucht in, zijn ogen starend in de uitgedoofde van Arrigo.

De dichter haalde Bigarelli's schema uit zijn zak. Maar de astroloog, met onvermoede kracht weer tot leven gekomen, was al begonnen met grote stappen de vloer van het Baptisterium af te lopen, alsof datzelfde schema met vuurletters in zijn hoofd stond geprent.

'Ontelbare keren heb ik dat duivelse plan gelezen, ontelbare dagen ben ik met de afbeelding ervan op mijn netvlies opgestaan, ontelbare nachten ben ik met medeneming ervan in de duisternis afgedaald. Dat vuile papier is niet nodig. Zet de eerste spiegel daar maar neer!'

In een hoek leek Arrigo's lichaam in zijn zweetdoek hun verrichtingen gade te slaan. Een slip van de lap was weggegleden en had zijn gezicht blootgelegd. Het was net of hij erbij was, bedacht Dante. Er waren nog geen twee uur voorbij sinds zijn dood, en zijn ziel waarde nog rond aan de grenzen van het schimmenrijk. Hij kon nog zien.

Een voor een werden de acht platen tegen elk van de muren geplaatst. Bonatti volgde de omtrek van het gebouw en wees uit zijn hoofd de hoeken aan, alsof hij op de steen de lijnen van een ultieme, buitengewone horoscoop uitzette. Dante volgde hem en controleerde bij een kaars of elke spiegel het beeld van zijn buurman rechts zou vangen en het precies zou doorsturen naar die van links, in een cirkel van herhaalde beelden.

'Denkt u werkelijk dat dit alles een betekenis heeft?' vroeg de astroloog, zijn armen tegen zijn borst geklemd, wachtend tot de laatste spiegel stond opgesteld.

'Ja. Dat weet ik zeker,' antwoordde de dichter, die bij het licht van de kaarsen het punt controleerde waarop de lamp van Elia moest worden geplaatst, naar de eerste spiegel gericht.

Hij wierp een laatste blik op Arrigo. Zijn handen beefden van opwinding toen hij het luikje van de lamp openmaakte. Toen hield hij met een wat resoluter gebaar de felle vlam bij het kleine flesje.

Het witte poeder ontvlamde met een gloeiende flits. Geconcentreerd door het koperen schild leek de straal tegen het glazen oppervlak te dansen. Om hen heen ontstond als een krans van vlammen een lichtend schimmenspel langs de wanden van het Baptisterium. De pracht van Elia's licht ontstak het poeder, dat door de stralen veranderde in een melkweg van sterren. Bovenin bevonden zich, wazig in de schaduw, het gelaat van Christus koning en alle engelenscharen, de stille getuigen van wat er gebeurde.

'Kijk!' riep Dante naar zijn tegenstander, en hij wees op de lichtstrepen die van het ene glazen oppervlak naar het andere kaatsten. 'Dat zijn de stralen waar al-Kindi van spreekt. Het licht is van de ene spiegel naar de andere gesneld!'

'U vergist zich! De kring van flitsen om ons heen is in één klap verschenen en niet geleidelijk. Het bewijs van niet beweging, maar van eeuwige bewegingloosheid. Even alomtegenwoordig en onveranderlijk als de Schepper ervan.'

De prior schudde krachtig zijn hoofd en ontgrendelde de veer van het apparaat. De getande as begon te draaien, eerst langzaam en toen steeds sneller. Hij hield zijn oog bij het gat aan de kant tegenover die van de lamp. Rondom schitterde de kring van licht, maar in de opening was het pikkedonker.

Ook Bonatti was op het kijkgat afgekomen, waarna hij zich met een spottend gezicht terugtrok. 'U aanschouwt het duister dat u straft voor uw onwetendheid, messer Alighieri,' riep hij misprijzend. 'Ik ken de aard van dit duivelse apparaat, sinds Michael Scotus ons er de werking van toelichtte. Als het licht door de tanden van de twee tegenovergelegen raderen zou gaan was dat het bewijs van de beweging ervan. Maar het was enkel de illusie van zijn verduisterde geest. Niets hiervan zal gebeuren.'

Dante beet twijfelend op zijn lip. Het steeds sterkere gezoem van de raderwerken vulde de lucht, naarmate de aandrijving van de veer de rotatiesnelheid verhoogde. De kleppen van het regulatiemechanisme gingen omhoog en de remmende werking had een aanvang genomen. Even later zou de as de beoogde capaciteit bereiken en zich stabiliseren.

Intussen bleef hij door de opening kijken zonder iets te zien. Met zijn hand ging hij over zijn met zweet beparelde voorhoofd, terwijl de bittere gewaarwording van de nederlaag bij hem begon op te komen, zwaar als een molensteen. Toen verspreidde zich plotseling een schijnsel uit het gat, gevolgd door een stroom verblindend licht dat tegen zijn gezicht knalde. Instinctief hief hij een arm op om zich af te schermen van de flits die pijnlijk zijn netvlies trof.

Al worstelend met zijn kortstondige blindheid bespeurde hij naast zich een onderdrukt gesteun. Vaag zag hij hoe Bonatti verbijsterd naar zijn door het licht beschenen gezicht keek.

'Het licht van God!' riep Dante, die zich tegen de schittering bleef verweren. 'Het beweegt... zoals alles beweegt!'

De vorm van de hemelsferen, dat zo gezochte rijk der rechtvaardigen waarvoor de woorden hem steeds waren ontsnapt, had hij nu voor zich, vol van de eerste pracht. In zijn nog verblinde ogen leek de door de flitsen getekende achthoek te dansen in een bovennatuurlijke beweging.

'Frederik had gelijk!' schreeuwde hij.

De astroloog schudde meermalen vastberaden zijn hoofd. Hij had zijn oogleden gesloten, alsof hij probeerde niets meer te zien. 'Denkt u te zegevieren?' sprak hij na een lange stilte, die alleen verbroken werd door het koortsachtige gezoem van het nog altijd draaiende mechaniek.

'Ja! En hier, in de San Giovanni, is dit mijn stralenkrans!' antwoordde Dante, terwijl hij in verrukking naar de flits bleef kijken. Het zo lang gezochte beeld van de heerlijkheid der hemelsferen had hij nu voor zich, de Komedie vond eindelijk haar epiloog. 'Dit is door God geschreven in de natuur van de onmetelijke schittering, dit zal mijn woord op de perkamenten weergeven, dit zullen de mensen lezen als het ultieme voorbeeld!'

Guido Bonatti leek versteend. 'Dit... dit kan niet!' stamelde hij, op hem aflopend. Hij fladderde met zijn handen in de lucht, alsof hij de lichtstralen wilde grijpen en tegenhouden. De dichter ging aan de kant staan om hem door de opening te laten kijken.

De astroloog aarzelde even en maakte toen een beweging naar het ooggat toe. Vervolgens week hij met een ruk terug, al schreeuwend en zijn gelaat met zijn handen afdekkend, alsof er een steekvlam uit de machine was opgekomen. De spot die zo-even op zijn gezicht lag, had plaatsgemaakt voor vertwijfeling.

'Wat zegt u van dit teken, messer Bonatti!' hoonde de prior. 'In welke leugenachtige horoscoop gaat u dit nu inpassen?'

De lange haren van de oude man, waar een van de cirkelvormige stralen op viel, leken in brand te staan. Langzaam trok hij een van zijn handschoenen uit.

'Dit is toverij... Het is niet echt... het is niet...' stamelde hij weer. Zijn linkerhand, nu ontbloot, glansde in het licht. Een zilveren hand.

De 'onvolledige man'. De door Mainardino vervloekte man.

Dante zag hem met zijn gezonde hand aan de pols morrelen. De wijsvinger en de pink staken met een ruk uit en veranderden in twee fonkelende tongen.

Bij die aanblik deinsde hij terug. Bonatti hief het wapen zo ver op dat het de straal kruiste. Het staal ontvlamde door de lichtweerkaatsing. Hij leek op een engel met zijn zwaard van vuur.

'Kent u dit wapen, messer Alighieri?' prevelde de oude met een onverwacht kalme stem. 'Gesmeed in Damascus en in het bloed van de gevangenen gestaald door de beul van de kalief. Een man die in zijn eerste leven een dief was geweest, verminkt door de bijl van de beul. De handwerkers smeedden voor hem deze hand zodat hij zijn taak kon blijven verrichten.'

Hij had zijn gezicht bij de twee punten gebracht en bekeek ze aandachtig, alsof hij nu pas het bijzondere karakter ervan ontdekte. 'Eveneens een schepping van die duivels, wier vernuft u zo op prijs lijkt te stellen, bedoeld om de veroordeelden in één klap te verblinden. Ziet u hoe de afstand tussen die punten precies die tussen de ogen van een mens weergeeft?'

Hij bewoog het wapen naar Dantes gezicht alsof hij hem persoonlijk wilde laten controleren wat hij had gezegd. De dichter trok zich verder terug, tot hij achter zich de koude steen van de muur voelde. De messen kwamen vervaarlijk dichtbij, die messen die zoveel mensen met hun evenwijdige steek hadden gedood.

Hij hief zijn armen op om zich op een of andere manier te verweren. Maar Bonatti leek niet te willen toeslaan. Gefascineerd keek hij naar de messen in de stroom van licht; toen boog hij er zich met een onverhoedse beweging overheen en doorboorde zijn ogen. Vol huiver zag Dante een scharlaken stroom uit de dubbele wond opwellen, terwijl de oude man zonder een kik de messen terugtrok, zijn gezicht een masker van bloed.

'Als je oog je op de verkeerde weg brengt, ruk het dan uit en werp het weg. Dat zegt de Schrift. Aldus is gedaan. Zelfs de keizer kan het plan Gods niet overwinnen. Niets van uw toverij kan tegen mijn wetenschap op,' reutelde hij, zijn tanden opeenklemmend van de pijn.

Toen draaide hij zich om, liet zijn armen langs zijn zijden vallen en liep wankelend naar voren. Zijn wapen gleed op de grond en onthulde het stompje. Dante kwam naast hem om hem te ondersteunen, maar Bonatti leek voor alles ongevoelig, opgesloten in zijn wereld van duisternis en perfecte weergaven. Resoluut duwde hij de dichter van zich af, alsof hij door het scharlaken floers dat hem het zicht benam zijn aanwezigheid had gevoeld.

Hij liep naar het midden van het Baptisterium. Dante volgde hem met zijn blik, verlamd door spanning. Hij zag hem op de doopgeulen vol water afgaan en struikelen over de rand van een ervan. Hij wankelde even, houvast zoekend in de lucht, waarna hij voorover, op zijn knieën, in het ronde bekken viel. Het water kolkte op door de verwoede pogingen van de oude baas om boven te komen, en zijn benen spartelden wanhopig. Onder het doopwater vonden zijn handen geen hou vast en gleden weg over het gladde oppervlak van het oude Romeinse marmer.

Even bleef Dantes reactie uit. Roerloos staarde hij naar die vochtige dood die gekomen was om de moordenaar te straffen overeenkomstig zijn exacte voorspelling. Misschien was het goed dat dat gebeurde, ter afsluiting van het noodlot dat een halve eeuw eerder zijn loop begon.

Toen rukte een woedende schok hem uit de lethargie die zich van hem meester had gemaakt. Bonatti zou triomferen, zelfs in zijn wanhoop, als zijn berekening toch uitkwam. Het water zou zijn longen vullen via de grijnslach op zijn lippen. Hij zou de dood krijgen waarvan hij door zijn valse wetenschap zeker was. En hij zou voorgoed over hem zegevieren.

Hij snelde naar het bekken en greep hem bij zijn enkels om hem uit het water te trekken, dat inmiddels bloederig schuim was geworden. Het lichaam van de man bood weerstand, zwaar geworden door het vocht dat zijn lange gewaden had doordrenkt. Dante zette een voet schrap en trok uit alle macht. Onder de druk brak een van de zuiltjes, maar de dichter wist vol te houden, tot hij het lichaam van de astroloog eruit had gesleurd.

Bonatti leefde nog. Hij zag hem zich oprichten op zijn ellebogen, terwijl de massa tegen zijn hoofd geplakte natte haren de verminking van zijn gezicht verhulde. Naast hem bleef Dante met moeite overeind, zijn handen op zijn knieën geleund, nahijgend van de inspanning.

Ze hielden even deze houding aan, toen kwam de astroloog met een ruk op de been, alsof er een duivelse kracht in hem gevaren was. De dichter herinnerde zich wat hij had horen verluiden: er waren reeds gestorven lichamen die de hel in bezit nam en met zijn adem leven inblies.

Hij zag hem langzaam naar de nog openstaande deur toe lopen, met een spoor van bloed achter zich aan, waarna hij verdween in de wirwar van steegjes naar het noorden.

'De vochtige dood heeft u geweigerd, Guido! Uw wetenschap klopte niet helemaal, al net zo blind als uw geest!' riep hij hem achterna, maar de ander leek het niet te horen.

Om hem heen had de krans van stralen aan kracht ingeboet naarmate het fosformengsel opraakte. Nu resteerde alleen nog een bleke schaduw van de triomf van licht die het Baptisterium in luister had gezet.

Dante raapte het wapen van de grond, met bloed en stukjes vlees er nog aan. Het apparaat van al-Jazari kwam met een laatste gezoem tot stilstand.

Op dat moment werd hij overmand door emotie. Hij liet zich langs de wand naar beneden glijden en voelde zijn zinnen wegzakken in het niets.

Toen hij bijkwam zag hij zich in een duisternis gehuld die nauwelijks getemperd werd door de maan, waarvan het schijnsel door de ramen naar binnen viel. Er moest een bepaalde tijd verstreken zijn, maar hoeveel? Hij voelde hoe een ruwe hand hem door elkaar rammelde en hoorde een barse stem zijn naam roepen.

'Word wakker, messer Durante! Wat is er gebeurd?'

Om hem heen waren donkere gestalten druk in de weer, rondwarend in de lege ruimte van het Baptisterium. Hij herkende het logge silhouet van de bargello, die van top tot teen gewapend was.

'Wat is er gebeurd, mijnheer de prior?' hoorde hij hem argwanend herhalen. 'Dat bloed...'

Met een beroep op zijn laatste krachten probeerde Dante overeind te krabbelen.

'De wacht van de Porta ad Aquilonem heeft om hulp geroepen omdat hij dacht dat er in de San Giovanni brand was uitgebroken. Toen we arriveerden, schitterde het Baptisterium in de nacht alsof er talloze fakkels in brandden. Wat is er gebeurd?' vroeg de overste van de wachters ten derden male, wijzend op het apparaat in de hoek en op de spiegels die nog tegen de nissen in de muren stonden. 'En wie heeft de rand van de bekkens gebroken? Was u dat? Bent u gek geworden? U komt er nog wel achter,' oordeelde hij weer met iets van voldoening in zijn stem.

Dante hoorde het niet. Hij keek onafgebroken naar het donker achter de openstaande deur, waar Guido Bonatti was verdwenen. Wel twee keer was het of hij zijn schim zag wankelen in de verte, tussen de graven van San Lorenzo.

'En wat heeft dit allemaal te betekenen?' vroeg de bargello, nogmaals op de machine en de spiegels wijzend.

De prior tilde de nog walmende lamp van Elia van de grond en keek er aandachtig naar. Uit zijn borst welde een diepe zucht op. 'Licht. Hetzelfde licht waar dromen uit bestaan,' antwoordde hij.

Toen liep hij langzaam naar buiten de nacht in, onder de sterren.

Noot van de auteur

De door Michael Scotus bedachte en door Arabische werktuigkundigen gerealiseerde machine is weliswaar duidelijk denkbeeldig, maar niet geheel en al ongeloofwaardig. Het toestel is in grote lijnen een afspiegeling van dat van de Fransman Armand Fizeau, dat halverwege de negentiende eeuw werd gebruikt om de beweging en de snelheid van het licht te bepalen.

De werking berust op het gebruik van twee tandwielen die geroteerd ten opzichte van elkaar op een as gesoldeerd zijn, zodanig dat met iedere tussenruimte tussen twee tanden van het eerste rad altijd een tand van het tweede correspondeert.

Nadat de as aan het draaien is gebracht en een bepaalde snelheid heeft bereikt, wordt op het eerste rad een lichtstraal geprojecteerd: deze gaat door de opening, wordt door een spiegel op aanzienlijke afstand teruggekaatst naar het tweede rad, dat in de tussentijd zo ver is gedraaid dat het het licht een nieuwe doorgang biedt.

Door de verhouding tussen de afstand die de tanden van het raderwerk hebben afgelegd en die welke door de lichtstraal is doorkruist te berekenen, is vervolgens bij benadering de snelheid ervan vast te stellen.

Gezien de betrekkelijke eenvoud van het apparaat is het denkbaar dat op de intuïtie van de Fransman is vooruitgelopen door de wijzen uit de kring van de grote Frederik II. Dat dit niet is gebeurd kan een bron van spijt vormen voor de historicus, maar stoort de verteller allerminst.

Er is echter geen enkele noodzaak waarom de lichtstraal een achthoekige baan zou moeten beschrijven, zoals in de voorstelling van de roman: maar het idee dat het geheimzinnige Castel del Monte een soort dertiende-eeuwse *tokamak* kon zijn, boeide me dermate dat ik het heb gewaagd het aan de lezer voor te leggen.

Dankwoord

Velen hebben mij geholpen bij de totstandkoming van dit verhaal. Met name wil ik mijn dank uitspreken aan Piergiorgio Nicolazzini en Leonardo Gori, als werkelijk onschatbare vrienden. En vooral aan de voltallige redactie van Mondadori, die beslissend heeft bijgedragen aan de vorm van het boek door het in elke fase te volgen: van het geduldige editen tot de zorgvuldigheid van het uiteindelijke drukken.

En altijd met de kundigheid, het enthousiasme en de hartelijkheid waarvoor elke schrijver zich waarlijk gelukkig mag prijzen.